Des cendres
et du feu

GEORGES LAFONTAINE

Des cendres et du feu

Guy Saint-Jean
ÉDITEUR

Catalogage avant publication de Bibliothèque et Archives Canada
Lafontaine, Georges, 1957-
Des cendres et du feu
Suite de : Des cendres sur la glace.
Comprend des réf. bibliogr.
ISBN-13 : 978-2-89455-202-5
ISBN-10 : 2-89455-202-5
I. Titre.
PS8623.A359D472 2006   C843'.6   C2006-940764-9
PS9623.A359D472 2006

Nous reconnaissons l'aide financière du gouvernement du Canada par l'entremise
du Programme d'Aide au Développement de l'Industrie de l'Édition (PADIÉ) ainsi
que celle de la SODEC pour nos activités d'édition. Nous remercions le Conseil
des Arts du Canada de l'aide accordée à notre programme de publication.

Gouvernement du Québec — Programme de crédit d'impôt pour l'édition de livres
— Gestion SODEC
© Guy Saint-Jean Éditeur Inc. 2006

Conception graphique : Christiane Séguin

Dépôt légal — Bibliothèque et Archives nationales du Québec,
Bibliothèque et Archives Canada, 2006
ISBN-13 : 978-2-89455-202-5
ISBN-10 : 2-89455-202-5

Distribution et diffusion
Amérique : Prologue
France : CDE/Sodis
Belgique : Diffusion Vander S.A.
Suisse : Transat S.A.

Guy Saint-Jean Éditeur inc.
3154, boul. Industriel, Laval (Québec) Canada. H7L 4P7. (450) 663-1777.
Courriel : saint-jean.editeur@qc.aira.com Web : www.saint-jeanediteur.com

Guy Saint-Jean Éditeur France
48, rue des Ponts, 78290 Croissy-sur-Seine, France. (1) 39.76.99.43.
Courriel : gsj.editeur@free.fr

Imprimé et relié au Canada

À mes amours pour toujours,
Dominic, Sébastien et Caroline.

Chapitre un

Debout, les mains posées à plat sur la grande table autour de laquelle s'agglutinaient une vingtaine de convives, l'homme, jeune et élégant, les dominait tous. Luc Jouret savourait ce moment et se sentait porté par toute cette attention tournée vers lui. Il y avait longtemps qu'il avait pris conscience de l'incroyable capacité de persuasion qu'il détenait : par des mots, amener des gens à croire l'incroyable, à voir l'invisible. Quelle jouissance de les sentir en sa possession. Ceux qui étaient autour de cette table feraient maintenant n'importe quoi pour lui et il en était pleinement conscient : « Mes amis ! Mes frères ! Nous formons le groupe des Élus qui accédera bientôt au passage vers la connaissance universelle. Je peux sentir l'énergie qui nous unit. J'entends la voix des Esprits qui reconnaît en vous l'Élite, ceux qui formeront le Nouvel ordre mondial. Nous représentons le cercle parfait, le Cercle de feu », dit-il en ouvrant ses bras comme le Christ rédempteur accueillant ses apôtres.

Tous les yeux étaient rivés aux lèvres de Luc, tous buvaient chacune de ses paroles, laissant leurs esprits s'enivrer. « Quelle sensation de puissance » songeait Jouret avec joie en se rappelant l'époque du lycée, en Belgique, alors qu'il découvrait cette incroyable capacité de rallier les gens à sa cause. Il lui suffisait d'utiliser les mots justes, ceux qui touchent des cordes sensibles, de choisir soigneusement des exemples imagés dans lesquels tous se reconnaîtraient. Il avait aussi compris qu'il ne suffisait pas de lire un texte, il fallait le vivre, monter le ton pour accentuer certains passages, laisser ses auditeurs dans l'expectative avec un long silence et sentir leur désarroi avant de leur offrir à nouveau le baume de ses paroles. Luc pouvait déterminer, au seul éclat de leurs yeux, ceux qu'il avait envoûtés. Il savait repérer les têtes fortes qui, par leurs questions, pouvaient semer le doute, les individus aussi qui, trop matérialistes, refusaient d'abandonner leur ancienne vie et, conséquemment, de verser leur contribution à la Cause. Ceux-là devaient être écartés. Mais ce soir, dans la somptuosité du restaurant d'un hôtel chic de Genève, les invités autour de sa table étaient des personnes sûres, des Appelés. Il les avait choisis et s'était chargé personnellement de leur formation spirituelle. Plusieurs étaient à la tête de fortunes personnelles importantes et avaient contribué financièrement à le soutenir dans l'édification de l'Ordre et dans sa mission. C'est pour se rapprocher d'eux et de leurs ressources qu'il était devenu citoyen suisse. C'est aussi grâce à leur portefeuille qu'il pouvait assouvir son goût pour le luxe et les bonnes choses. Parmi ces Appelés, d'autres étaient des initiés de longue date qui avaient connu Luc à ses débuts et qui l'avaient suivi tout au long de son parcours, comme les apôtres suivant le Christ. Cette comparaison l'avait toujours flatté et, s'il se reconnaissait des liens privilégiés avec Dieu, il n'osait évoquer ouvertement lui-même cette image. Chaque fois cependant qu'il parlait devant un groupe, il s'imaginait comme le Fils de Dieu. Il était le Fils de Dieu.

Il avait commencé son discours quelques minutes plus tôt en flattant l'orgueil de ses invités, puis il avait parlé de ses propres faiblesses pour leur montrer qu'il était comme eux. Maintenant, les paroles coulaient à flot, le rythme de son exposé s'accélérait, et il s'élevait au-dessus de la masse. Tous regardaient le Maître avec admiration, conscients qu'ils n'étaient rien sans lui, sans son enseignement. Jouret leur disait qu'ils représentaient les Appelés, les Élus, l'Élite. Ils étaient ceux qui avaient compris. « Avant notre naissance, nous faisons partie d'une force cosmique unique. En naissant, une toute petite partie de cette formidable masse représentant toute l'énergie et la connaissance universelle se détache pour former notre esprit. Dès lors, nous oublions tout et nous passons le reste de notre vie à essayer de retrouver cette connaissance universelle. Chaque fois, nous renaissons pour reprendre encore et encore cette recherche. J'ai eu, tout comme vous, plusieurs vies. La mort n'est donc qu'un passage où nous nous réintégrons à la masse, avant de naître à nouveau. » Luc fit une pause pour laisser à ses auditeurs le temps d'absorber les paroles qu'il venait de prononcer. Son regard fit le tour de la table, s'attardant sur chacun des visages. Pas un seul toussotement ni un raclement de gorge, pas un bruit d'ustensile ou même le froissement d'une serviette ne venait briser ce moment de grâce. Il reprit : « Nous ne devons pas craindre la mort. Bientôt, très bientôt, le monde basculera et il nous faudra franchir ce pas pour atteindre Sirius. Et nous, Élus de l'Ordre du Temple Solaire, il nous faudra entrer dans le Cercle de feu. »

Chapitre deux

Antoine marchait dans le noir. Il tendait la main dans les ténèbres pour se protéger d'un éventuel obstacle. Ses doigts cherchaient un mur qu'il aurait pu suivre jusqu'à un interrupteur, mais il n'y en avait pas. Il avait marché de longues minutes dans une direction, puis dans l'autre, les bras tendus, s'attendant à toucher un objet, quelque chose, mais c'était le vide. Il était seul, dans le noir, dans un endroit totalement désert : rien devant ni derrière lui.

Il aperçut au loin une lueur et se dirigea vers elle, lentement au début, puis il se mit à courir, paniqué, en constatant qu'il ne parvenait pas à s'en approcher. Soudainement, comme si la distance se fut tout à coup réduite, il vit la flamme plus distinctement. C'est elle qui avançait vers lui, rapidement, comme si elle suivait la trace d'un liquide inflammable. Antoine s'immobilisa, terrifié. Le feu venait à lui. À un mètre de lui, il se divisa en deux, formant un cercle autour de lui. Les flammes s'élevaient de plus en plus haut comme si elles s'alimentaient de la peur qui le paralysait. Le rideau de feu s'élevait au-dessus de sa tête. Impossible de sortir du piège. Il pouvait sentir la chaleur insoutenable, la douleur du feu léchant sa peau. Lorsque ses cheveux se mirent à brûler en crépitant, Antoine s'éveilla en criant. Toujours le même cauchemar. Il haletait comme s'il venait de courir un marathon et il avait sué si abondamment que ses draps étaient détrempés. C'était encore la nuit et la lumière de rue projetait ses lueurs dans la chambre. Le petit village de Sainte-Famille-d'Aumond dormait paisiblement. Antoine resta éveillé de peur de sombrer dans le même rêve. De sa chambre, il avait un excellent point de vue sur tout ce qui se passait dans la rue Principale. Le village était si petit qu'on pouvait l'admirer d'un seul coup d'œil. Et comme sa chambre se trouvait au second étage, il avait l'impression d'être au sommet de ce petit monde. Les maisons et les rares commerces semblaient avoir été implantés de part et d'autre de chez lui. Sa résidence, qui servait également de bureau de poste, était un des endroits publics les plus importants de cette petite communauté avec l'église, l'école et le magasin général, aujourd'hui relégué au rang de dépanneur.

À vingt-cinq ans, Antoine Lyrette était trop jeune pour avoir connu la belle époque de Sainte-Famille-d'Aumond, mais il en avait souvent entendu parler. Les pères Oblats qui s'étaient installés à Maniwaki avaient construit le moulin sur le ruisseau de la rivière Joseph, afin de moudre le blé et de scier le bois nécessaire à leur communauté religieuse. Le moulin avait attiré les familles qui s'étaient établies autour. Le magasin général avait, à cette époque, fourni toutes les denrées et les produits nécessaires à la population. L'endroit avait même déjà compté deux auberges pour accueillir les bûcherons en route vers les chantiers du Nord.

Les choses avaient bien changé et, en ce 12 octobre 1990, seul le coloris automnal affichait la même magnificence qu'autrefois. Les Oblats avaient cédé le moulin à un entrepreneur privé qui l'avait opéré un certain temps. Puis il était passé d'une main à l'autre, chaque fois pour une bouchée de pain, les différents propriétaires refusant d'investir pour le moderniser. Le bruit caractéristique de la grande scie ronde coupant le bois vert avait marqué les journées de tant de générations d'Aumondois que lorsque sa plainte stridente se tut définitivement, plusieurs furent désemparés. Il y eut à maintes reprises des rumeurs à l'effet que le moulin allait reprendre ses activités, mais les espoirs s'évanouirent définitivement le jour où le dernier propriétaire décida finalement de le démolir pour vendre les planches de ses murs.

La vie d'Antoine fut jusque-là un long fleuve tranquille. Depuis plus de vingt ans, sa mère, Nicole Lyrette, occupait la fonction de maître de poste. Jamais elle n'avait été mariée et jamais on ne lui avait connu d'amant. Lorsqu'elle s'était retrouvée enceinte, son histoire avait fait grand bruit à Sainte-Famille-d'Aumond, chacun cherchant à savoir qui avait « emmanché » la petite Lyrette, comme on disait. Tout ce qu'on savait, c'est qu'elle avait quitté la ferme de son père au début de sa grossesse, bien avant que son ventre ne trahisse sa condition, et qu'elle était revenue un an plus tard avec un marmot dans les bras. Dans une petite communauté comme Aumond, une telle histoire est un événement. Il ne faut habituellement que quelques jours pour qu'elle fasse le tour du village. Mais Nicole n'avait rien dit. Même pas aux membres de sa famille qui l'avaient pratiquement reniée pour avoir été la cause d'une telle honte. Pas un seul indice qui eut permis de faire des liens.

Le temps passait, mais les ragots allaient toujours bon train : les petits villages supportent mal le vide des questions non résolues. À défaut de connaître la vérité, on inventa toutes sortes d'histoires dont certaines étaient de véritables romans-feuilletons. Pratiquement tous les hommes de la place se virent attribuer la paternité de l'enfant par les commères, mais chaque fois ces rumeurs se révélèrent fausses.

Nicole se retrouva à nouveau au cœur des commérages lorsqu'elle obtint l'emploi de maître de poste. Selon ce qu'Antoine en savait, tout le monde au village convoitait une telle fonction : la paye était généreuse, les conditions meilleures que ce que la plupart des travailleurs pouvaient espérer, et, surtout, l'heureux élu était pratiquement assuré de conserver son poste jusqu'à sa retraite. Mais, comme il s'agissait d'un emploi du gouvernement fédéral, la connaissance de l'anglais était requise. Certains postulants parvenaient à en baragouiner quelques mots, mais la plupart ne parlaient que le français. La mère d'Antoine ne valait pas mieux que les autres à cet égard, mais elle était disparue un mois avant l'entrevue pour revenir bilingue, conversant en anglais comme si elle était née dans une famille irlandaise. Tout le monde fut impressionné, surtout le responsable de l'embauche. Nicole fut choisie, ce qui en frustra plusieurs, qui avaient même tenté d'avoir l'emploi en faisant intervenir des personnes influentes. Pendant longtemps, on lui en avait voulu.

Petit enfant, Antoine ignorait toutes ces histoires. Les premières années de sa vie avaient été comblées par l'amour de sa mère, et il avait été protégé des médisances colportées sur le perron de l'église. Mais lorsque l'âge de l'école arriva, les choses changèrent. Il découvrit que les autres enfants avaient un père. « Mon père est plus fort que le tien », lui dit un jour un de ses camarades de classe au cours d'une discussion animée. Il ne sut pas quoi répondre à cette provocation : il n'avait pas de père. Il questionna alors sa mère qui s'était limitée à des formules évasives : « Je sais que tu n'as pas de papa comme les autres, mais moi je t'aime pour deux ». Cette réponse n'avait aucun sens pour Antoine. Le sentiment étrange qu'on appelle l'amour ne se mesure pas. Alors comment un enfant peut-il savoir que sa mère l'aime pour deux ou pour trois ? Et puis, on a beau avoir de l'amour pour deux, cela ne donne pas un père pour vous apprendre à pêcher et à courir les bois. Elle avait toujours gardé scrupuleusement le silence sur toute cette partie de sa vie. Toutefois, lorsqu'il l'interrogeait, la tristesse mêlée de colère qu'elle exprimait involontairement avait incité Antoine à éviter ce sujet. Pour ne pas lui faire de peine, il finit par refouler ses questions et s'inventa des réponses.

Antoine n'était pas le seul à s'interroger. On savait bien dans la paroisse que l'enfant de Nicole Lyrette n'était pas né du Saint-Esprit. Alors qui était celui qui l'avait séduite, où avait-elle passé sa grossesse et les premiers mois de vie de l'enfant ? Et, plus tard, comment avait-elle fait pour apprendre si rapidement l'anglais ? Qui le lui avait montré ? Était-ce l'homme qui lui avait fait un enfant ? Certains jaloux allaient jusqu'à dire qu'elle s'était donnée au responsable de l'embauche de Postes Canada pour obtenir cet emploi, mais on savait que cette histoire n'avait ni queue ni tête puisque l'enfant était déjà né à cette époque. Toutes ces insinuations malveillantes avaient été autant de flèches empoisonnées au cœur d'Antoine.

Il venait d'avoir douze ans lorsqu'un élève qui avait l'habitude de harceler ses camarades le traita de bâtard. Le silence s'était fait parmi les témoins dans la cour d'école, chacun comprenant l'énormité de l'insulte. Quand Antoine revint à la maison en pleurs et qu'il demanda à sa mère une fois de plus qui était son père, elle répondit qu'il s'agissait d'un « accident ». Ainsi il n'était qu'un accident : un événement fortuit, inattendu et non souhaité, selon la définition que le dictionnaire donne de ce mot. La réponse de sa mère, loin de le satisfaire, l'avait laissé troublé et blessé.

Antoine chercha donc à compenser l'absence de son père. Il se plut à l'imaginer en héros de guerre, décédé au champ d'honneur, comme dans les films. Cela expliquait tout, croyait-il. Mais, surtout, ses fabulations lui permirent de s'inventer le père dont tous les enfants rêvent. Il s'était même imaginé toute une histoire autour de sa mort. Pilote émérite d'un avion de chasse, il avait été pris en souricière par deux... non, par dix avions ennemis qui l'avaient finalement abattu. Il avait déjà à son palmarès au moins cinquante... cent avions mis hors de combat avant de disparaître. Son père était un demi-dieu, Antoine s'en était persuadé durant toute son enfance. Et même plus tard à l'adolescence, lorsque la raison vous rattrape, il avait gardé une partie de ses illusions. Il savait que ce scénario qui semblait tiré d'un conte de fées était aussi impossible que s'il avait imaginé son père en prince charmant ou en Superman. Il s'accrocha malgré tout à ses chimères. Un peu, du moins.

Il ne savait toujours pas, quelques semaines avant que n'éclate l'affaire Cole, qui était son père. Il le découvrit en même temps que tout le monde.

Nicole fut appelée à témoigner dans le procès impliquant Achille Roy, un vieil homme de Sainte-Famille-d'Aumond que le fils adoptif, Paul, tentait de faire interner pour aliénation mentale. Antoine se rappelait comment sa mère avait été choquée d'apprendre cette nouvelle. Jamais Antoine ne l'avait vue plus furieuse. « Je ne laisserai personne affirmer qu'Achille Roy est fou, avait-elle dit, et surtout pas Paul Cole. » Antoine aimait bien « monsieur Achille », comme il l'appelait. Souvent, les dimanches, lui et sa mère allaient pique-niquer avec monsieur Achille et son épouse, Adela Cole. Antoine était fasciné par ce couple charmant et mystérieux. Il savait entre autres que madame Adela était venue de Terre-Neuve dans des circonstances nébuleuses et qu'Achille l'avait rencontrée dans les chantiers. Il avait peu de détails sur Paul, sinon qu'Achille l'avait immédiatement traité comme son propre fils bien qu'il n'en fut pas le père. Devenu jeune adulte, Paul avait quitté la maison, et n'était pratiquement jamais revenu. Antoine n'avait jamais vu ce Paul, mais il donnait raison à sa mère : monsieur Achille n'était pas fou. Il devait cependant admettre que son comportement à la suite du décès de son épouse avait de quoi inquiéter. Malgré ses quatre-vingt-huit ans, il avait décidé de partir pour Terre-Neuve avec l'intention d'y porter les cendres de son Adela… en canot d'écorce. Plus de deux mille kilomètres dans une embarcation si frêle sur une rivière impétueuse, un fleuve immense et une mer imprévisible : il y avait de quoi s'inquiéter pour sa vie. C'est alors que Paul, après des années de silence et d'absence, réapparut. Il voulait, prétendait-il, empêcher son père de faire un voyage si dangereux en mettant en doute, devant la Cour, ses capacités mentales. Il y serait probablement parvenu si la presse ne s'était pas intéressée à cette histoire. Comme c'est souvent le cas lorsque les médias exploitent un fait divers, les choses prirent des proportions incroyables. En recevant l'avis de recherche des policiers concernant Achille Roy, les journalistes crurent d'abord à l'hypothèse du vieillard ayant perdu la raison, puis ils se passionnèrent pour le « vieil homme au canot » au fur et à mesure qu'ils découvraient son histoire. Cette odyssée pour porter les cendres de sa compagne à l'île Fogo, sa terre natale, était certes loufoque, mais elle comportait aussi un côté romantique et chevaleresque qui ravissait le public. Des jours durant, Achille demeura introuvable, suscitant partout des débats sur les droits des personnes âgées. C'est une équipe de journalistes qui le retrouva alors qu'il venait d'engager son canot sur le fleuve Saint-Laurent. Le vieillard fut intercepté par les policiers et mis sous observation en attendant de passer devant un juge qui déciderait de sa santé mentale. Mais, pour l'occasion, tout le Québec était à la porte du Palais de justice, à l'affût du moindre détail de cette histoire. Plusieurs journalistes vinrent à Aumond à la recherche d'informations sur ce personnage étrange. Tout un événement! La dernière fois qu'on y avait vu un reporter, c'était lors de la démolition du moulin des Pères…

Antoine avait suivi l'histoire passivement jusqu'au jour où sa mère lui annonça qu'elle témoignerait en faveur de monsieur Roy. Il était bien d'accord avec elle sur le fait que toute cette affaire de procès était injuste, mais il ne voyait pas ce qu'elle aurait pu dire pour aider le vieil homme. Il fut dévasté lorsqu'elle révéla devant le juge, la presse et plusieurs de ses concitoyens que madame Adela, la femme de monsieur Achille, était sa grand-mère. Son père n'était nul autre que Paul Cole, l'enfant de madame Adela et le protégé de monsieur Achille. En un seul instant, toutes ses fabulations et illusions construites au cours de tant d'années s'écroulèrent. Il savait bien que ses rêves étaient impossibles, mais il n'aurait pas cru que la vérité serait à l'opposé. Il aurait préféré apprendre que son père était un simple travailleur d'usine, un homme sans histoire. Même un sans-abri aurait été plus acceptable qu'un salaud. Non seulement cet homme n'était pas le héros de ses rêves, mais c'était un abuseur cherchant à escroquer un vieillard, un des derniers hommes justes sur cette terre, son père adoptif.

Le procès démontra non seulement qu'Achille Roy n'était pas fou, mais que Paul cherchait à mettre la main frauduleusement sur sa terre pour la vendre aux promoteurs d'une usine qui devait être construite dans la région. Achille, « monsieur Achille », était en quelque sorte son grand-père et celle dont il avait transporté les cendres, sa grand-mère.

« Grand-maman Adela », prononça-t-il pour lui-même afin de s'entendre dire ce mot pour la première fois de sa vie.

Une fois libéré, Achille reprit son périple vers Terre-Neuve, mais il périt dans les flots sans qu'Antoine puisse le revoir. Son grand-père était disparu en mer en déposant les cendres de son Adela sur un iceberg. Il n'avait pu le retrouver pour lui dire qu'il l'avait toujours aimé, bien avant de savoir qu'il était son grand-père. Achille était la seule figure masculine qui fut entrée dans le cercle restreint de sa famille. Enfant, il anticipait avec joie le pique-nique dominical à la ferme d'Achille et Adela, et seul le vieux couple était invité au repas de Noël que Nicole préparait. Achille et Antoine étaient très tôt devenus amis. Lorsqu'un jour il avait posé une question en commençant sa phrase par son sempiternel « Monsieur Achille… », celui-ci lui avait répondu : « Tu peux m'appeler Papi, si ça te fait plaisir. Moi j'aimerais bien ». Antoine avait aimé le mot « papi ». C'était court, c'était plus personnel que « monsieur Achille » et cela ressemblait au mot « papa » que les autres enfants utilisaient. Il avait joint le nom d'Achille au mot « papi ». Papi Achille, cela sonnait bien et plaisait aux oreilles du petit garçon même s'il savait qu'il ne s'agissait pas de sa véritable famille. Du moins le croyait-il.

Antoine en voulait à sa mère d'avoir gardé pour elle ce

grand secret. Il avait l'impression de s'être fait voler quelque chose d'important. Comment celle qui avait toujours prétendu l'aimer plus que tout au monde pouvait-elle l'avoir laissé dans l'ignorance? Ses racines étaient là, sur cette terre, qu'il avait souvent foulée dans le passé, et il n'en avait jamais rien su.

La photo de son père s'était elle aussi retrouvée à la une de tous les journaux. Paul Cole était le méchant de l'histoire, un odieux personnage, celui qui avait abandonné Achille dans sa quête pour réaliser les dernières volontés de sa propre mère, et qui avait tenté de le déposséder pour empocher un profit sur la vente de la terre du vieillard. Antoine était déchiré entre la honte que lui inspirait ce père indigne et la fierté qu'éveillait en lui son grand-père. Antoine lui-même était devenu une vedette involontaire dans ce procès lorsqu'on avait appris qu'il était le petit-fils d'Achille. Le journaliste du journal *Le Droit* était venu pour lui poser des questions. Il avait refusé de répondre, mais le photographe qui l'accompagnait avait pris quelques photos de lui durant la brève rencontre avec le reporter. Les clichés avaient été utilisés dans un reportage sur l'issue du procès, mais ils avaient surtout été repris par tous les médias au moment du tragique décès d'Achille sur la banquise. Dans un de ces reportages, la photo d'Antoine avait été placée près de celle de Paul Cole prise au moment de son arrestation.

Cette situation torturait le jeune homme. Même chez les enfants victimes de violence de la part de leurs parents, rares étaient ceux qui n'éprouvaient pas un peu d'affection pour leurs bourreaux. Les monstres les plus odieux pouvaient aussi avoir des côtés aimables. Les victimes trouvaient souvent une raison pour excuser l'inexcusable. « Il était gentil parfois », disaient-ils. Antoine ne pouvait même pas dire cela. Il n'avait jamais entendu parler de Paul. Il avait appris son existence en même temps que tout le monde, et à travers l'aspect le plus ignoble de sa personnalité. Il aurait préféré rester un bâtard anonyme plutôt que de devenir le fils d'un salaud. Pour cette raison aussi, il était en colère contre sa mère.

Il regrettait de n'avoir pu questionner Achille, mais surtout Adela qu'il connaissait encore moins, comme un petit-fils l'aurait fait avec ses grands-parents. Cette île de Fogo dont elle parlait souvent, à quoi ressemblait-elle ? Il avait vu un reportage sur cet endroit présenté à la télévision à la suite de la mort tragique d'Achille. Le journaliste parlait du village de Tilting où Adela serait née au début du siècle. On montrait le quai et le Dwer Premisses, une sorte de magasin général que les compagnies de pêche exploitaient dans le village et qui avait été transformé en centre d'interprétation touristique. Le reportage rappelait que c'est de ce quai que la jeune Adela, enceinte, avait voulu s'enfuir en 1920 en se cachant dans la cale d'un bateau qui devait l'amener à St. John's. Elle s'était finalement retrouvée voguant non pas vers cette ville, mais plutôt en direction de Québec où elle avait été vendue pour quelques pièces à un capitaine de bateau transportant des immigrants irlandais vers les chantiers du nord de l'Outaouais. Le document diffusé présentait aussi le monument élevé par la communauté à la mémoire des enfants de Terre-Neuve ayant quitté l'île sans pouvoir y revenir. La figure d'Adela toute jeune avait été sculptée sur le monument de granit. Elle ressemblait à cette statue de Jeanne D'Arc qu'Antoine avait déjà vue dans une église. Sa tête semblait surgir du bloc de pierre comme si elle s'élançait hors de cette masse. Ses cheveux donnaient l'impression de voler au vent et son épaule à peine dévoilée laissait deviner le reste du corps. Antoine avait regardé avec attention cette partie du reportage. L'effet de mouvement que le sculpteur avait voulu donner à son œuvre était intéressant, car on aurait dit qu'elle allait s'animer. L'artiste avait utilisé une photo d'Adela, qu'on avait retrouvée dans une boîte de vieilleries ayant appartenu aux descendants des autres membres de la famille Cole.

Toutes ces images étaient inconnues pour Antoine. On voyait les vagues se briser sur les rochers qui résistaient aux assauts de la mer. Il y avait aussi des visages sur lesquels Antoine cherchait à reconnaître un air de famille. Il se sentit ridicule. Il n'avait même pas été capable de se rendre compte que cette femme, qui avait été près de lui durant son enfance, était sa grand-mère. Comment pouvait-il reconnaître un grand-oncle ou une grand-tante sur des images diffusées rapidement à la télévision ?

Son besoin de savoir le poursuivit et toutes les questions qu'il avait en tête ne le quittèrent plus. Il se rendit à la bibliothèque de Maniwaki pour tenter de glaner des renseignements sur ce village terre-neuvien. Jacqueline, la bibliothécaire, avait fouillé dans ses fiches et avait déniché un livre de référence sur le Canada. Le livre était bien illustré, et on y dressait le portrait de chaque province. Une brève section présentait Terre-Neuve et le Labrador. Il regarda la carte et trouva la petite île de Fogo, mais sans plus de détails. Jacqueline lui suggéra cependant de faire une recherche sur Internet. Ce service en était encore à ses débuts et la bibliothèque de Maniwaki avait été la première de la région à s'y abonner. Rares étaient ceux qui y avaient accès et Antoine n'aurait pas su comment l'utiliser. Jacqueline lui en expliqua le fonctionnement.

— Donne-moi un sujet de recherche. Tu verras, on trouve de tout provenant de partout dans le monde. C'est merveilleux, dit-elle, pressée de lui en faire la démonstration.

— Fogo Island, dit-il.

— Fo... quoi ? demanda Jacqueline.

— Fogo Island, répéta Antoine, en se disant qu'elle ne trouverait probablement rien.

Elle tapa le nom et lança la recherche. Quelques secondes plus tard, l'écran affichait une liste de sites se rapportant à Fogo Island. Antoine était bouche bée.

— Tu vois ce que je te disais. D'après les résultats que j'ai ici, il y aurait au moins une douzaine de sites qui traitent de Fogo Island. On pourrait en obtenir encore plus en consultant chacun d'eux.

Antoine était fasciné, même s'il n'avait pas encore consulté un seul de ces sites.

— Il y a un site d'information touristique, dit-elle. Je vais voir ce qu'ils ont.

L'ordinateur chercha durant quelques secondes. Antoine fut déçu. Il y avait bien peu de chose : quelques photos plutôt banales et une adresse Internet.

— Je peux leur écrire, lui proposa la bibliothécaire, le message sera reçu au cours des prochaines secondes. Que veux-tu savoir ?

Il n'avait pas encore formulé de questions, trop de choses se bousculant dans sa tête. En fait, il voulait tout simplement découvrir quelque chose qui le relierait à sa grand-mère.

— Demande si quelqu'un connaît le village de Tilting.

Jacqueline tapa la question dans un anglais approximatif, tout en expliquant à Antoine qu'il pourrait s'écouler un certain temps avant qu'on y réponde. Elle fut surprise de recevoir une réponse une minute plus tard. Le message provenait du Fogo Island Tourism Center. Jacqueline traduisit : « Quelle sorte de renseignements désirez-vous ? D'ordre touristique ? » demandait le signataire du message, un certain Jean Fisher.

Antoine rigola :

— Quel drôle de nom il a, ce gars, Jean Pêcheur ! Il doit être le frère de Martin Pêcheur. Demande-lui…, dit-il hésitant, demande-lui s'il connaît une famille Cole.

Jacqueline traduisit laborieusement la question et envoya le message. La réponse ne se fit pas attendre longtemps : « Il y a beaucoup de personnes qui demandent ce type de renseignements présentement. Pouvez-vous me dire pourquoi vous désirez des informations à propos de cette famille ? De quel endroit écrivez-vous ? »

Le message était encore signé par ce Jean Fisher, et on sentait un peu de méfiance dans sa question. La demande d'Antoine lui semblait-elle suspecte ? Il avait probablement été inondé de demandes du genre après que l'odyssée d'Achille eut fait le tour du monde.

— Dis-lui que je fais des recherches généalogiques sur un ancêtre qui pourrait provenir de ce village.

Jacqueline écrivit d'abord la question sur un bout de papier, puis tapa ce qu'elle croyait être une traduction acceptable. Au moment d'envoyer le message, elle se souvint qu'on lui demandait d'où provenait la demande d'information. Au lieu d'écrire « Maniwaki », elle tapa le lieu de résidence d'Antoine : Sainte-Famille-d'Aumond. La réponse de Fisher fut presque instantanée : « Sainte-Famille-d'Aumond ? Seriez-vous un parent d'Adela Cole ? » Antoine fut tout aussi surpris de la réaction de ce Fisher, que celui-ci l'avait été de recevoir un message de Sainte-Famille-d'Aumond. Fisher avait immédiatement reconnu le nom du village où Adela Cole avait passé soixante-dix ans de sa vie. Antoine se sentit piégé. Même à l'autre bout du monde, il n'arrivait pas à se détacher de cette histoire trop publique.

— Qu'est-ce que je réponds ? demanda Jacqueline.

— Je n'aime pas les curieux. Ne lui dis rien. Simplement merci. C'est tout.

Jacqueline s'exécuta, bien qu'elle trouva cette attitude étrange et impolie.

Antoine retourna à Aumond sans avoir pu trouver de réponses à ses questions, qu'il n'arrivait pas à formuler clairement. Tout un pan de son existence avait été caché si longtemps derrière une porte verrouillée. La porte était maintenant ouverte et ce qui devait s'y trouver avait disparu. Il n'y avait plus qu'une grande pièce vide. C'est ce qu'il se disait en rentrant chez lui. Il gara sa vieille voiture un peu en retrait de la maison. Il ne voulait pas se retrouver seul avec sa mère, du moins pour le moment. Depuis qu'elle avait fait ses aveux publics, il l'évitait. Il se sentait rempli d'amertume. Mais à cette heure, il savait qu'elle serait dans le bureau de poste et qu'il pourrait se soustraire à sa présence. D'autant plus que la livraison du courrier venait d'avoir lieu et qu'elle serait occupée durant une heure à le trier et à le classer. Il entra dans la maison et jeta un coup d'œil circulaire sur les lieux. Tout était parfaitement en ordre. Sa mère était une femme organisée. « Une femme qui travaille et qui vit seule avec son enfant doit savoir se débrouiller », disait-elle toujours.

La porte de la maison ouvrait sur un corridor qui conduisait à la cuisine, située à l'arrière. Les beaux parquets de bois étaient lustrés et les fentes qui séparaient chaque planche semblaient pointer vers la porte de la cuisine. Instinctivement d'ailleurs, c'est toujours vers cet endroit qu'on se dirigeait. Sur la droite, le salon était encombré de lourds divans, de tables recouvertes de nappes de dentelle et, ça et là, de quelques bibelots. Le téléviseur était un vieux modèle fort élégant, mais gigantesque dans son meuble de bois. L'appareil devait avoir vingt ans et lorsqu'on le mettait en marche, on avait l'impression que les couleurs de l'image avaient déteint avec l'âge. Sur l'appareil, plusieurs photos encadrées étaient méticuleusement disposées par sa mère, dont plusieurs clichés d'Antoine pris à divers moments de son existence. Toutes les photographies dites de « diplômes » étaient bien alignées, de sa première communion jusqu'à sa graduation de l'école secondaire. Sur la première photographie, il se tenait droit comme une planche, affichant un sourire radieux, d'une oreille à l'autre. Sur son bras, un brassard en forme de fleur. Il en était si fier à l'époque. Aujourd'hui, il avait honte chaque fois qu'un visiteur s'attardait sur ce cliché. On aurait dit qu'une plante grimpante sur son bras avait éclose juste au moment où le photographe avait appuyé sur le déclencheur. Un jour, lors d'une foire agricole, il avait vu la vache de l'année qui recevait une décoration semblable. Il portait un habit brun avec un petit mouchoir dans la poche dont le modèle était aujourd'hui probablement exposé dans un musée. Quand on comparait ce cliché avec celui de sa graduation de l'école secondaire, on avait de la difficulté à le reconnaître. Antoine avait délaissé la coupe en brosse et ses cheveux longs ondulaient sur ses épaules. Il avait accepté de porter un veston pour l'occasion, mais pas un pantalon à la place de son jeans, dont il ne se séparait jamais, comme ses horribles espadrilles d'ailleurs. Seule similitude entre les deux photos, le petit mouchoir dépassant de la poche du veston. Antoine se demanda avec amusement si c'était le même garçon. Il y avait aussi des photos où il avait été croqué avec sa mère et une autre où ils étaient tous deux photographiés en compagnie d'Achille et Adela. Antoine, qui ne devait pas avoir plus de dix ou onze ans, ne se souvenait plus de l'identité du photographe, mais il s'était toujours demandé pourquoi cette photo figurait parmi ce que sa mère qualifiait « d'album de famille ». Il comprenait, maintenant. Trop tard !

Sur la gauche, l'escalier conduisait à l'étage supérieur et aux chambres. La sienne donnait sur l'avant de la maison et il avait toujours apprécié observer la vie du village sans que les gens le voient. Il ouvrait la fenêtre, décrochait la moustiquaire et s'assoyait sur le rebord. Il espionnait chacun de leur geste, essayant de deviner leurs pensées, s'amusant fermement de voir des personnes seules converser avec un interlocuteur invisible. De là, il dominait le monde, son monde.

La cuisine était le cœur de la maison. Ils n'étaient que deux à y vivre, mais sa mère tenait à avoir une grande table où au moins huit personnes pouvaient s'asseoir confortablement. Une fois par année, la table se remplissait d'invités. Au fond de la cuisine, une porte donnait sur l'arrière et une autre, sur la gauche, sur le bureau de poste. Nicole n'avait même pas à prendre son manteau pour aller au travail. Lorsque Antoine était tout jeune, elle le laissait s'amuser dans la cuisine et maintenait la porte ouverte. Elle pouvait ainsi garder un œil sur lui.

Le téléphone sonna, tirant brutalement Antoine de ses pensées. Quand le notaire Lafleur lui demanda de passer à son bureau, il crut qu'il souhaitait lui confier un colis à mettre à la poste. Depuis qu'il était tout jeune, il agissait comme facteur non officiel du village. En tant que maître de poste, Nicole Lyrette n'avait pas le droit de confier le courrier à une personne autre que son destinataire. Mais elle connaissait ses clients. Antoine livrait donc sur demande le courrier dans quelques maisons et commerces. Ceux qui bénéficiaient du service l'appréciaient, et Antoine recevait toujours quelques pièces en échange. Mais ce jour-là, le notaire n'avait aucun courrier à lui confier. Il le fit entrer dans ce qui avait été autrefois son bureau. Il y avait longtemps qu'on avait fait le ménage dans cette pièce. La poussière était visible partout où des doigts avaient effleuré la surface d'un meuble ou d'un livre. Le vieux bureau de chêne trônait au milieu de la place. Dessus, s'entassaient des piles de dossiers qui n'avaient probablement pas été déplacés depuis des années. Sur le coin gauche, une lampe de vitrail jetait un faible éclairage sur la surface du bureau. Le notaire Lafleur fit asseoir Antoine et contourna lentement le bureau pour prendre son siège. La chaise grinça, les articulations du vieil homme aussi. Il prit le document qui se trouvait devant lui et plongea dans sa lecture comme s'il n'en connaissait pas le contenu. Il l'avait pourtant lu à plusieurs reprises.

Norbert Lafleur n'aurait jamais cru qu'il survivrait à son vieil ami Achille. Il était en très mauvaise forme physique et se sentait exactement comme sa chaise : rouillé, craquant de partout et il n'en faudrait pas beaucoup pour qu'il tombe en morceaux. « Sacré Achille, il nous en a mis plein la vue », pensa-t-il. Quand il avait appris le tragique décès de son ami sur le glacier, seul devant son téléviseur, il avait versé des larmes. Beaucoup de larmes. Ce soir-là, comme tous les soirs, il attendait le bulletin de nouvelles avant d'aller se mettre au lit. Il avait été si heureux lors de la libération d'Achille, et tous les jours les médias avaient rapporté la progression du vieil homme au canot vers Fogo Island et le village de Tilting. Il avait crié victoire quand la télévision annonça finalement qu'Achille était arrivé au bout de son long périple. « Quelle histoire ! », dit-il tout haut en continuant sa lecture comme s'il avait oublié la présence du jeune homme. Puis, deux jours plus tard, le lecteur des nouvelles du soir avait pris un air lugubre pour annoncer le décès d'Achille, emporté par l'un de ces icebergs, comme celui qu'il avait sculpté dans une souche pour son Adela, et qui contenait ses cendres. Le notaire Lafleur était assis dans son fauteuil et de ses yeux roulaient de grosses larmes en entendant les détails de la disparition de son vieil ami.

« Maudit fou, Achille Roy, tu ne pouvais pas rester tranquillement à Aumond », avait-il dit en s'adressant au téléviseur.

Il savait que ce n'était pas sur le sort d'Achille Roy qu'il pleurait, mais sur le sien. Son ami avait fait ce qu'il avait voulu de sa vie, alors que lui-même ne savait plus très bien si sa vie avait encore un sens, prisonnier de son corps vieillissant et de cette maison. Après la consternation qui le paralysa littéralement durant les jours qui suivirent la mort d'Achille, il avait réalisé qu'il n'y avait probablement pas de meilleure fin à une telle vie. Achille et Adela avaient été réunis pour toujours. La brève séparation entre le décès de la femme et celui d'Achille avait été l'occasion d'un ultime acte d'amour.

Il avait encore les larmes aux yeux en regardant le bout de papier qu'il tenait dans ses mains, et cherchait à cacher son émotion au jeune homme qui attendait patiemment qu'il brise le silence. Maître Lafleur avait lu des centaines de testaments durant sa carrière, mais celui-ci perturbait son flegme habituel. Il ne savait pas trop par où commencer.

— Tu sais, mon garçon, j'aimais beaucoup ton… grand-père, dit-il avec hésitation… Je suppose qu'il est inutile de te dire qu'il était ton grand-père. Tu l'as appris, comme lui d'ailleurs, au moment du procès. Ce que je ne savais pas, c'est que ton grand-père avait modifié son testament tout juste avant de reprendre sa route vers Terre-Neuve. Son avocate m'a fait parvenir le document officiel. Ce testament annule celui qu'il avait déjà fait auprès de moi. Achille Roy a tenu à ce que tu hérites de ses biens. Essentiellement, cela veut dire que tu hérites de la ferme, que tu connais bien, et de tout ce qui s'y trouve.

— Moi… ? répondit Antoine, surpris.

Achille Roy avait fait de lui son seul héritier. Aujourd'hui cette terre était sienne. La terre qui avait vu fleurir l'amour d'Achille et d'Adela était à lui. Il ne savait trop s'il devait en être heureux ou non. Un tremblement agita sa lèvre inférieure pendant qu'il tentait de contrôler l'émotion qui montait en lui. Il aurait voulu dire quelque chose, mais il en était incapable. Le notaire lui fit part des différentes dispositions administratives et Antoine signa mécaniquement les documents. Il quitta Norbert Lafleur et se rendit immédiatement chez lui où il s'enferma dans sa chambre. C'était beaucoup trop pour lui, en si peu de temps.

Toute autre personne se serait précipitée à la ferme pour en prendre possession, mais Antoine était maintenant effrayé par ce lieu. Durant ses années de jeunesse, il avait aimé cet endroit. Il y avait joué, il était allé pêcher sur la rivière. Avec Papi Achille, il avait fait du canot. Ils avaient pique-niqué sur l'herbe tendre du printemps. Il s'était caché dans les buissons pour s'inventer un monde à lui. Ce lopin de terre avait toujours été un havre de paix, une parenthèse dans le temps et la vie tumultueuse qui faisait rage à l'extérieur. Chaque fois qu'il y était venu, il y avait connu de doux moments.

À l'adolescence, Antoine éprouvait un certain malaise. Il avait l'impression d'être un intrus dans l'intimité du couple, et de leur voler des moments auxquels il n'avait pas droit puisqu'il n'était pas lié par le sang. Un peu comme lorsqu'il était tout petit et qu'il allait avec quelques copains voler des pommes sur l'arbre de la veuve qui demeurait près de l'église. Il découvrait aujourd'hui que la ferme était l'« arbre de sa vie » qu'il avait sans cesse cherché. L'image du pommier s'imposa à lui et il regrettait tous ces fruits qu'il n'avait pu cueillir, qu'il n'avait pu goûter et qui s'étaient perdus. Il retarda le moment de se rendre à la ferme, jusqu'à ce que sa mère le secoue. « Il faudra bien que tu y ailles un jour, Antoine », lui avait-elle dit en essayant de briser le mutisme dans lequel il s'était enfermé.

Il aurait dû apprendre la vérité avant tous les autres, pensait-il. Il aurait alors pu se prémunir contre le dégoût que lui inspirait cet homme, « ...mon père ».

— J'ai pas le goût, comme c'est là. Je ne sais même pas comment je dois prendre tout cela. Même toi tu me caches encore des choses que tu aurais dû me dire depuis longtemps.

Le reproche déchira le cœur de sa mère, d'autant plus qu'elle estimait qu'il avait raison. Lorsqu'elle était revenue du procès, elle avait voulu lui parler, lui expliquer, mais elle

n'avait trouvé rien d'autre à dire que « je regrette »...
Toutefois, Nicole ne se sentait pas fautive d'avoir gardé
toute cette partie de sa vie sous silence pendant si longtemps. Elle était consciente qu'il lui faudrait bien aborder
cette question avec son fils, mais elle avait repoussé ce moment pour le protéger. Elle savait que Paul ne serait jamais
autre chose qu'une source de déception, comme il l'avait
été pour ses parents et pour elle. Aujourd'hui, elle regrettait qu'Antoine ait appris tout cela par les autres, et surtout par les médias.

Pendant des jours, Antoine s'enferma dans le mutisme le
plus complet. Toutes ces questions tournaient dans sa tête
et il ne pouvait demander conseil à personne. Qu'allait-il
faire de cette ferme ? Il avait reçu toutes sortes d'appels
d'hurluberlus à ce sujet. Des gens qui avaient été touchés
par l'histoire du vieux couple et qui voulaient en faire leur
lieu de repos, d'autres qui y voyaient des possibilités de développement immobilier. Il y eut même un promoteur qui
voulait en faire une attraction touristique semblable au
Village de Séraphin. Il affirmait que l'affaire Achille Roy
avait tellement passionné le public que les visiteurs viendraient par milliers pour voir l'endroit où le couple avait
vécu. Antoine avait bien ri, convaincu qu'il s'agissait d'une
farce.

— Il n'y a qu'une petite maison et une *shed* sur cette
ferme, lui avait-il souligné.

— Ça ne fait rien ! protesta le promoteur, on va construire un camp de bûcheron autour, comme celui où ils se
sont rencontrés. On pourrait même y aménager une maison de pêcheurs comme celle où Adela est née.

Constatant que l'homme était sérieux, Antoine avait
coupé court à la discussion.

— Cet endroit n'est pas à vendre !

Il venait tout juste de retrouver ses racines, il n'était pas question de les couper, de les vendre pour quelques dollars. Son père avait non seulement essayé de monnayer la ferme familiale, mais il avait trahi les seules personnes importantes de sa vie. Antoine ne serait pas ce genre d'homme. Pourtant, il ne parvenait pas à se décider sur ce qu'il devait faire. Il était à la fois attiré et inquiété par cet endroit.

Quelques jours plus tard, Antoine alla se promener dans sa vieille voiture et bifurqua vers la ferme. Il aimait errer sur les petites routes oubliées de campagne lorsqu'il voulait réfléchir. Antoine souhaitait ne voir personne, et rarement y rencontrait-on quelqu'un. Il s'était retrouvé sur le Rang Quatre sans trop s'en rendre compte. Du moins, cherchait-il à s'en persuader. Quand il arriva près de l'entrée de la ferme, il prit soudainement conscience de sa destination. C'est d'ailleurs le mot qui lui vint à l'esprit : « destination ». Il songea que dans ce mot, il y avait « destin ». Quel était le sien ? Cette ferme représentait-elle sa destinée ? Était-ce encore possible ?

La longue allée bordée d'arbres était si étroite qu'une seule voiture pouvait s'y engager à la fois. Les deux traces perpendiculaires conduisaient à la petite maison blanche. Antoine aurait souhaité voir Achille et Adela surgir au bout de l'allée en lui faisant de grands signes de la main, comme lorsqu'il était enfant. Achille avait l'habitude de s'exclamer dès qu'Antoine descendait de la voiture de sa mère : « Mon *chum* est arrivé, on va pouvoir aller à la pêche. »

Quand ce n'était pas à la pêche, le vieil homme l'entraînait dans son atelier, faisant mine de s'indigner si Nicole ou Adela les suivait.

« Wo ! On a des secrets à se dire entre hommes »,

affirmait-il en levant la main pour stopper ses poursui-
vantes. Les deux femmes savaient bien que rien n'était plus
agréable que ces moments, autant pour l'enfant que le vieil
homme. Elles jouaient le jeu et feignaient leur désappoin-
tement d'être ainsi exclues. Antoine se souvint qu'Achille
lui avait fabriqué une fronde et, plus tard, un petit arc avec
des flèches — au grand dam de Nicole, qui craignait tout
ce qui pouvait ressembler à une arme.

En arrivant au bout de la haie, il aperçut l'atelier atte-
nant à la maison. Les souvenirs rattachés à ces lieux se firent plus clairs et il eut un pincement au cœur. La maison
était là, devant lui, petite mais vénérable. Elle devait avoir
cent ans, et les billes de pin équarries qui avaient servi à sa
construction avaient poussé sur les collines environnantes,
à l'époque où seuls les Algonquins et quelques rares cou-
reurs des bois sillonnaient la région.

Sans le savoir, il stoppa la voiture à l'endroit où Paul
avait garé la sienne quelques mois plus tôt, ayant accepté
à contrecœur de venir rendre ses derniers hommages à
Adela, qui venait de mourir. Antoine descendit de voiture
et examina la façade de la maison. De la demeure semblait
émaner la chaleur du couple qui y avait vécu pendant
soixante-dix ans. Il aperçut aux fenêtres les rideaux fleuris
fabriqués par Adela. L'automne clément avait permis aux
dernières fleurs autour de la maison de prolonger leur vie.
Pendant une fraction de seconde, il crut qu'une main tirait
le rideau pour regarder à l'extérieur. Souvenir fugace de
son enfance.

Antoine n'arrivait pas à déterminer clairement ce qui
l'avait poussé à rouler jusque-là. Il aurait voulu entrer dans
la maison comme il le faisait quand il était petit, monter
l'escalier et regarder partout à la recherche de souvenirs qui

auraient confirmé le lien de parenté l'unissant à Achille et Adela. Une grande tristesse mêlée de rage l'envahit. « Je t'en veux, Nicole Lyrette, dit-il en serrant les dents. Tu n'avais pas le droit de me cacher la vérité. »

Malgré la relation privilégiée qu'il avait toujours eue avec le couple, Antoine ne parvenait pas à oublier que ce qui les unissait c'était Paul, et il n'avait pas envie de découvrir quoi que ce soit concernant cet homme. Il avait entendu les gens du village parler de lui en le traitant de « rat » et il avait lu les reportages où on ne se gênait pas pour utiliser le qualificatif « ignoble » lorsqu'il était question de Paul. Un « rat ignoble », voilà ce que son père était. « Quel gâchis ! », s'exclama-t-il.

De l'autre côté du seuil de cette maison, il y avait ses racines, mais aussi la honte. Son père ne serait jamais plus un héros de l'armée, un pilote d'avion ayant vaincu les « méchants » comme il se l'était toujours imaginé. La réalité était pour lui le pire scénario possible. Le héros de ses rêves s'était transformé en traître. Il était le méchant.

Antoine n'arrivait pas à trouver en lui la force pour avancer et ouvrir la porte de cette maison. Il avait beau se dire que c'était maintenant sa maison, il se sentait étranger. Il était souillé par la faute de son père. Comment aurait-il pu envisager de s'établir dans cette maison, de coucher dans ces lieux ? Il y avait trop de fantômes dans cet endroit. Un monstre peut-être aussi. Il fallait fuir.

Il renonça à entrer et remonta dans sa voiture. En reprenant l'allée, il regarda une derrière fois la maison dans le rétroviseur. On lui avait volé quelque chose que même cet endroit ne pourrait lui redonner. Le cœur déchiré, il comprenait qu'il ne pourrait peut-être pas revenir en ces lieux. Il voulait garder intacts les images et les souvenirs des moments de douceur qu'il y avait passés durant son enfance.

Antoine retourna chez lui, bouleversé par cette expérience. Il se rendit directement dans sa chambre sans adresser la parole à sa mère. Sa rancune ne semblait pas vouloir diminuer. Au contraire, elle l'envahissait.

Depuis qu'il avait terminé ses études secondaires, Antoine était l'auxiliaire de sa mère au bureau de poste. C'est lui qui s'occupait des sacs postaux lorsqu'ils arrivaient et qui se chargeait des lourdes boîtes de journaux et de circulaires qu'il fallait transporter avant de les distribuer dans les casiers. Il remplaçait aussi Nicole, lorsqu'elle devait s'absenter. Durant l'été, elle s'autorisait deux semaines de congé et allait fureter Dieu sait où. Antoine s'occupait alors du bureau de poste. Elle avait beau être sa mère et sa patronne, il ne connaissait pas tout d'elle. Ces moments lui appartenaient. Elle savait esquiver les questions sur ses escapades comme elle avait si bien su éviter celles concernant son père.

En toute logique, Antoine serait le successeur de Nicole à la barre du bureau de poste. Cela ne faisait aucun doute. Nicole le lui avait dit et avait déjà préparé le terrain auprès du responsable régional à Postes Canada. Ce dernier n'avait aucune objection car il savait que le remplacement prochain de Nicole par Antoine pourrait se faire en douceur. Il n'aurait même pas à se déplacer pour lui expliquer le fonctionnement.

Antoine n'avait pas protesté lorsqu'il en avait été question. Comment refuser une telle offre? C'était probablement l'emploi le plus rémunérateur sur tout le territoire d'Aumond et on se serait bousculé à la porte pour un tel boulot. Son avenir semblait tracé à l'avance. Mais il se retrouverait confiné derrière ce guichet jusqu'à sa propre mort. Aussi bien y mettre des barreaux comme ceux derrière lesquels son père croupissait depuis qu'il avait été reconnu coupable d'abus de confiance et de fraude. Cette idée devint pour lui intolérable.

Il n'y avait plus de place pour lui ici. On lui avait tout volé, ses racines et ses illusions. Même sa mère, qu'il avait tant aimée et sur laquelle il avait reporté ce trop-plein d'affection, semblait avoir été emportée par le tourbillon qui s'était emparé de sa vie. Il ne pouvait plus la voir de la même façon maintenant qu'il savait. L'idée de partir devint une obsession.

Chapitre trois

Denis Tanguay était déconcerté. Tout semblait s'écrouler autour de lui. Les choses importantes de sa vie s'effondraient les unes après les autres comme un vaste jeu de dominos. Comment était-il possible de balayer d'un seul coup tout ce qu'il avait mis tant de temps à ériger ?

« Qu'est-ce que j'ai fait au Bon Dieu ? » s'écria-t-il. Pourtant il avait été un mari parfait. Quelle femme n'aurait pas été heureuse d'avoir à ses côtés un homme sérieux, pilote d'avion ambitieux, capable de pourvoir aux besoins de sa famille ? Au cours des quinze années qu'il avait survolé le Québec dans toutes les directions, il avait rapidement gravi les échelons. Denis avait commencé en pilotant un appareil de type *Beaver De Havilland* dans une petite compagnie du Nord, et il avait accumulé en un temps record de précieuses heures de vol. Puis il avait obtenu son permis pour des vols commerciaux plus importants. Il avait servi pour de petites lignes régionales jusqu'à ce qu'il puisse être embauché par Québecair. Aussi loin qu'il se souvenait, Denis avait rêvé de faire ce métier et il avait planifié sa carrière jusqu'à ce qu'il puisse un jour aboutir sur un vol international d'Air Canada. Il y était presque.

C'est lorsqu'il pilotait dans le Nord qu'il avait rencontré Irène. Quand il l'avait aperçue, il avait tout de suite su que c'était la femme de sa vie. Infirmière, elle était venue accueillir le blessé qu'il transportait à l'aéroport de Val D'Or. L'homme, un Algonquin de Lac Simon, s'était infligé une vilaine coupure à la jambe et avait perdu beaucoup de sang. Elle avait pris les choses en main dès que la porte de l'appareil s'était ouverte. Sans lui demander son avis, elle avait placé la bouteille de soluté reliée au bras du malade dans les mains de Denis. Ce n'est que lorsque le patient fut placé dans l'ambulance qu'elle avait levé les yeux sur lui. Ils s'étaient souri. Dès lors, le sourire d'Irène ne l'avait plus quitté.

Il fallait qu'il la revoie. Il avait la certitude que leur destin était lié, et Denis avait une foi profonde dans sa destinée. Profitant d'un autre vol dans le Nord, il était revenu « flâner » près de l'hôpital de Val d'Or. La chance était avec lui, une chance de cocu aurait-il dit aujourd'hui : il n'y avait pas cinq minutes qu'il était à la porte de l'édifice, se demandant déjà quelle idée stupide l'incitait à venir y faire le pied de grue, que la jeune infirmière apparut dans l'allée conduisant au stationnement. Elle commençait son quart de travail.

Irène fut séduite de voir ce bel homme, pilote de surcroît, se languir pour elle en l'attendant. Ils n'avaient alors échangé que quelques mots. Denis suggéra un repas en tête à tête. Elle accepta.

Il était tombé follement amoureux, déployant tous les moyens à sa disposition pour la revoir le plus souvent possible. Quelques mois plus tard, il lui fit la grande demande. Il lui promettait le paradis… avec une piscine dans la cour, et elle y avait cru. Ils s'étaient mariés et elle l'avait suivi un peu partout dans les différents postes où il avait été affecté.

Entre deux vols, Denis revenait à la maison quelques heures, rarement plus de vingt-quatre d'affilée. Malgré l'amour sincère qu'il éprouvait pour Irène, son ambition professionnelle était la plus grande. Il voulait absolument accéder au prestige des vols internationaux, et il ferait tout pour y arriver. Denis n'écoutait ni sa femme ni son propre corps et pilotait souvent au-delà des limites raisonnables. Les escales étaient si brèves qu'il ne restait parfois que quelques heures au sol, le temps de prendre une douche, de faire l'amour à Irène et de changer de vêtements. Entre un atterrissage et un décollage, ils firent deux enfants : un garçon et une fille.

Denis rentrait d'un vol de deux jours qui l'avait conduit à la Baie-James avec un groupe de hauts dirigeants d'Hydro-Québec venu visiter les installations et tâter le terrain auprès des autochtones de la région pour la construction de nouveaux barrages. Quand il ouvrit la porte de la maison, Irène apparut, blême, l'œil coupable, fixant le tapis. Denis comprit tout de suite qu'il se passait quelque chose de grave. « Quelqu'un est mort ! » songea-t-il d'abord, puis son cœur manqua de s'arrêter quand il remarqua l'absence des enfants.

— Il est arrivé quelque chose aux enfants ?

Irène s'empressa de le rassurer. Les enfants étaient en sécurité chez une de ses amies.

— Mais pourquoi ? demanda-t-il, je dois repartir demain matin et j'aurais voulu les voir.

— C'est ça, le problème, répliqua sèchement Irène.

Denis l'écouta, estomaqué, lui expliquer qu'elle avait bien réfléchi ces dernières semaines, ces derniers mois même, et qu'il valait mieux qu'ils divorcent. « Divorce ». Le mot terrible avait été dit et Denis n'arrivait pas à y croire. C'était impossible. Elle lui faisait une mauvaise blague, il en était certain. Il savait bien que ses absences de la maison pesaient sur le couple et que leur relation ne semblait plus aller aussi bien qu'au début, mais il lui avait dit à plusieurs reprises qu'il fallait se sacrifier pour avancer dans la vie. Elle protesta :

— Ce n'est pas ce que je veux dans la vie, Denis. Je veux un mari à mes côtés et c'est la seule chose que tu ne peux pas m'offrir.

Irène lui montra ses bagages, qu'elle avait placés près de la porte pour qu'il n'ait pas à entrer. Ses affaires étaient entassées dans deux valises, des boîtes de carton et des sacs de poubelle. Il avança au milieu de ses choses et réalisa qu'il ressemblait, ainsi pourvu, à un de ces clochards qui déambulent dans la rue Sainte-Catherine, leurs possessions entassées dans quelques sacs verts. Ne lui manquait plus qu'un chariot d'épicerie. Toute sa vie tenait dans cet amoncellement. Réalisant alors le drame qui se jouait, il se mit à pleurer comme un enfant, l'implorant de réfléchir, de lui donner une seconde chance. Et même lorsqu'il invoqua le bien des enfants, elle demeura inflexible. Non seulement sa décision était sans appel, mais elle exigeait en outre qu'il parte immédiatement.

— Ce sera mieux ainsi, dit-elle.

— Mieux pour qui ?, avait-il rétorqué.

Denis n'arrivait pas à imaginer une telle chose. L'existence qu'elle envisageait ne lui paraissait pas meilleure. Comment pouvait-elle rejeter une vie qui, à ses yeux à lui, semblait parfaite ? Ses voisins, ses amis, les membres de sa famille même l'enviaient. Mais Irène n'était pas heureuse. Pourquoi ? Il l'implora de répondre à cette question.

— Nos avocats discuteront des détails, avait-elle répondu sans émotion, en lui refermant la porte au nez.

Jamais une telle éventualité n'avait effleuré son esprit. Cela ne devait pas arriver. Abasourdi, il chercha d'abord dans son entourage un endroit temporaire où vivre. Après la commotion provoquée par la décision d'Irène, il reprit espoir. Il se disait qu'Irène entendrait probablement raison et lui permettrait de revenir à la maison. « Elle a tout pour être heureuse », se disait-il.

Il se réfugia quelques jours chez Steve, un de ses amis. C'est lui qui, sans ménagement, lui apprit que sa femme avait un amant depuis longtemps. Un médecin du centre hospitalier où elle travaillait. Denis était furieux. Furieux contre elle, bien sûr, mais contre Steve aussi qui savait la chose depuis un an, et qui n'avait rien dit.

— J'ai pensé qu'elle ne ferait que prendre son pied une fois et que ce serait sans lendemain. Après tout, tu n'es pas là souvent. Mais ç'a continué. Au point où même les voisins sont au courant des visites du médecin, lui avoua Steve.

— Les voisins sont dans le coup ! Eux aussi !… C'est qui ce médecin ? Dis-moi son nom, ordonna Denis.

— À quoi bon !

— Je veux le savoir… et je le saurai de toute façon !

Steve hésita, sachant que des détails ne feraient qu'aggraver sa douleur. Denis avait cependant raison, il découvrirait toute la vérité de toute façon, car son successeur s'était presque déjà installé dans sa maison. Au cours des derniers mois, Irène avait fait garder les enfants par tous leurs couples d'amis. Au début, ils se rencontraient discrètement au motel, mais les éloignements fréquents et prolongés de Denis leur avaient permis de se rencontrer au domicile de l'absent. Le médecin arrivait tard le soir et repartait tôt le matin, de façon à éviter les regards indiscrets. Puis l'été arriva, repoussant le coucher du soleil jusqu'à vingt et une heures. Ils n'avaient pu résister. L'amant avait tenté de se présenter discrètement à la maison, comme un commis voyageur, mais les voisins n'avaient pas été dupes. Un vendeur de brosses ne passe qu'une fois par année sur le même circuit. Celui-ci avait certainement une brosse miracle pour revenir si souvent… Mais, surtout, le médecin en question ne pouvait pas passer inaperçu.

— T'as raison, Denis. Vaut mieux que ce soit moi qui te le dises. Le gars s'appelle Dieudonné Bjardoucti, un des nouveaux médecins arrivés à l'hôpital l'an dernier.

— Comment ? Dieudonné Bjar… quoi ? bégaya Denis, abattu par ce qu'il apprenait.

Cet homme était venu chez lui. Il avait couché dans son lit, fait l'amour à sa femme, utilisé sa salle de bain. Avait-il revêtu sa robe de chambre ? Il se demanda bêtement si elle avait été lavée avant que lui-même ne la porte. Il avait couché dans le lit qui avait servi à cet homme et il avait fait l'amour à sa femme, mêlant son sperme à celui de cet étranger. Il eut un haut-le-cœur. Steve asséna le coup de grâce en balbutiant :

— Il… il… il est noir.

Denis le regarda un instant sans comprendre jusqu'à ce que l'information fasse son chemin dans son cerveau. « Il est noir ». Noir. Cette nouvelle acheva de l'abattre. Il n'était pas raciste, se disait-il, parce qu'il acceptait volontiers qu'un chauffeur de taxi noir le conduise à l'aéroport. Mais de là à ce qu'un Noir s'introduise dans son lit et fasse l'amour à sa femme, il y avait un monde, un abîme qu'il ne pouvait franchir. Il se précipita dans la chambre de bain et vomit dans la cuvette.

Il sombra dans le désespoir et se mit à boire. Un soir où il avait puisé assez de hardiesse dans sa bouteille, il voulut forcer la porte de sa maison. Il était arrivé en titubant, criant à tue-tête, à l'intention des voisins, qu'ils étaient des hypocrites. Puis il s'était mis à taper à coups de pied et de poing sur la porte. Irène n'avait même pas eu à appeler les policiers, l'un des voisins l'ayant devancée. Ils arrivèrent alors que Denis venait de briser la chaîne de sûreté. Il fut menotté et conduit au poste. On le relâcha un peu plus tard, après qu'il eut cuvé son alcool, l'avertissant de se tenir loin de son ancienne résidence.

Son obsession, loin de s'estomper, devint maladive. Il voulut voir le médecin qui l'avait évincé de sa vie et se pointa à l'hôpital un jour qu'il était de garde à la salle d'urgence. Il l'observa d'abord. Il était grand, plutôt maigre, mais, surtout, il était noir. Un Africain, un vrai. Si noir que sa peau en paraissait bleue. Et son très large nez témoignait de ses caractéristiques négroïdes. Denis voyait rouge. Il l'attendit dans le stationnement, avec l'idée de lui faire payer ses déboires.

— Tu vas lâcher ma femme, mon maudit Nègre, pis tu vas retourner dans ton pays sinon j'vas te faire la peau, avait-il crié, l'écume aux lèvres.

— Hey! le Ti-Coune, chu né à Saint-Henri, répliqua l'homme en accentuant l'accent québécois.

Dieudonné était arrivé du Congo avec sa famille alors qu'il n'avait que douze ans. Son accent, il l'avait pris en jouant avec les jeunes de son quartier. Il avait vécu toute son enfance à Montréal, puis avait étudié dans les écoles et universités du Québec. Il avait tout adopté des Québécois, aussi bien la langue que la façon de vivre, et il avait l'impression d'être né ici. Il sentait cependant que le moment n'était pas approprié pour expliquer à son interlocuteur la subtilité de ses origines. Mais la réplique surprit Denis à tel point qu'il lâcha prise un instant, permettant au médecin de s'enfuir. Il l'imaginait sorti directement de la brousse africaine, venant tout juste d'abandonner la sarbacane pour le scalpel. Il ne s'attendait surtout pas à se faire appeler « Ti-Coune » par un Noir à l'accent si authentique-ment québécois. L'incident valut malgré tout à Denis une nouvelle balade en voiture de police. Cette fois cependant, il ne s'en tira pas sans difficulté. Il avait porté la main sur l'homme et l'avait menacé de mort. Le médecin ne voulut pas porter plainte, mais la prochaine incartade de Denis en-traînerait des accusations.

« La prochaine fois, nous n'aurons pas d'autre choix que de vous mettre derrière les barreaux », lui avait dit l'agent au poste de police en lui remettant ses effets person-nels.

Après cet épisode, il loua une petite chambre, essayant tant bien que mal de réorganiser sa vie. Il voyait peu les en-fants. Il bénéficiait du droit de visite une fin de semaine sur deux, mais comme il était souvent en vol, il ne pouvait pas les prendre. « Et pour les amener où ? », se demandait Denis. Dans ce lieu minable où il habitait ? Il ne disposait même pas de deux lits et il y régnait en permanence un désordre déprimant. Au début de la séparation, il passa un *week-end* à Saint-Sauveur avec les enfants, puis un autre dans un chalet au bord d'un lac, mais il dut mettre fin à ces sorties, car les notes d'hôtels dépassaient sa capacité financière. Surtout qu'en plus de son loyer, il devait continuer à payer les dépenses de la maison, dans laquelle le médecin avait pratiquement emménagé. Ses cartes de crédit avaient atteint leurs limites. Denis était désespéré. En l'espace de quelques mois, tout le paysage idyllique qu'il avait contribué à bâtir s'était dissipé. Fini la femme merveilleuse, les enfants, la belle maison et les deux voitures. Fini les fêtes en famille.

Dès qu'il descendait de l'avion, Denis enfilait cognac sur cognac pour oublier sa peine et sa désillusion. Le plus sou-vent au bar, mais parfois à la maison. À son travail, on s'était montré conciliants au début. La nouvelle de sa séparation avait rapidement circulé. Denis avait l'impression que tous savaient depuis longtemps et qu'ils s'étaient payé sa tête durant tout ce temps. « Ils ont dû rigoler », se disait-il avec rancœur.

Il passait et repassait sans cesse dans sa tête des idées sombres. Il n'était plus le même. Lui qui n'avait qu'un objectif, celui de réussir, commença à perdre intérêt dans son travail. Il commit quelques petites erreurs sans grande conséquence que ses collègues passèrent sous silence. Mais, constatant que Denis n'avait plus la concentration nécessaire pour faire son travail correctement, l'un d'eux finit par en glisser un mot à la direction. Les choses empirèrent le jour où il dut transporter une quarantaine de passagers à Caniapiscau pour une visite des barrages. La moitié des voyageurs était composée de journalistes triés sur le volet provenant des principaux médias du Québec. Ces petites visites organisées, payées par la société d'électricité, devaient influencer favorablement la presse en vue des futurs projets de développement hydroélectrique. L'autre moitié des passagers était composée des dirigeants d'Hydro-Québec. Denis en connaissait plusieurs, car il avait souvent piloté des avions nolisés spécialement pour eux. Paul Germain, vice-président des ressources humaines, qui prenait place dans l'appareil, était un de ceux avec qui il avait voyagé à quelques reprises, partageant non seulement l'avion mais aussi les hôtels, où ils étaient confinés lors de ces haltes. La solitude du Grand Nord permet de tisser des liens, même avec des étrangers. Ils avaient parfois discuté autour d'un généreux repas, qu'on servait dans les cantines des chantiers. À l'époque où sa vie se déroulait toujours selon son plan de carrière, Denis expliquait longuement sa philosophie à Germain et à d'autres. En prenant les commandes de son appareil pour ce vol, il songeait déjà à son retour. Il était encore persuadé qu'il pouvait reprendre sa femme. Il suffisait de lui démontrer qu'il pouvait être présent. Les enfants l'attendaient à dix-sept heures ce vendredi et le retour de l'avion était prévu à quatorze heures à Dorval. Tout devait donc fonctionner. « Elle me suppliera de revenir » songeait-il en imaginant que sa ponctualité ne manquerait pas de surprendre Irène.

Le vol vers Caniapiscau se déroula sans encombre et conformément à l'horaire. Mais au moment d'entreprendre les procédures pour mettre en marche et réchauffer les moteurs en vue du décollage pour le retour vers Montréal, l'un des deux engins avait refusé de démarrer. L'hélice avait tourné péniblement, le moteur avait craché un nuage noir et s'était arrêté. Dans ce genre de situation, la procédure veut que le pilote fasse descendre les passagers en attendant que les mécaniciens vérifient le moteur, mais Denis avait refusé de s'y conformer. Il était même descendu de l'appareil en vociférant pour exiger des mécaniciens qu'ils réparent la panne le plus rapidement possible. L'une des pièces du moteur avait lâché et ils n'en avaient pas de rechange. Cela signifiait qu'il faudrait attendre un autre appareil pour ramener les passagers. Des heures de retard en perspective. Denis n'avait rien voulu entendre.

— Je n'ai rien à faire de vos explications, il faut que le moteur tourne, hurla-t-il.

— On pourrait essayer de réparer la pièce, mais ce n'est pas très sécuritaire. Je ne peux prendre un tel risque, répondit le mécanicien.

— Faites la réparation. J'en prends la responsabilité, avait ordonné Denis.

Durant vingt minutes, les passagers avaient attendu dans l'appareil, ceux installés du côté gauche de l'avion pouvaient observer par les hublots les hommes s'acharnant sur le moteur. Un premier essai ne donna rien. Le moteur tourna, crachota, toussota, mais refusa de se mettre en marche. L'huile dégoulinait. Les mécaniciens s'obstinèrent encore quelques minutes et on refit un essai. L'engin tourna difficilement quelques secondes, pour finalement se mettre en marche dans un épais nuage de fumée. Dans l'avion, la tension était grande. L'hôtesse avait beau dire aux passagers qu'il n'y avait rien à craindre, tous avaient vu le moteur émerger difficilement de son coma et se mettre à tourner comme une vieille *Ford T*. Malgré tout, l'appareil avait pris son envol. Peu avant d'arriver à Montréal cependant, la réparation de fortune lâcha, les vingt dernières minutes du vol s'effectuant avec un seul moteur.

Denis avait mis en danger ses passagers. Et pas n'importe quels passagers. Il y avait à bord la moitié des dirigeants d'Hydro-Québec — le plus gros client de Québecair —, et une bonne partie de la presse de la province. Certains journalistes ne s'étaient pas gênés pour relater l'incident du moteur lors de leur reportage. Denis fut alors suspendu en attendant la fin de l'enquête.

Seul dans sa chambre, il faisait le bilan de sa descente aux enfers. Au boulot, plus personne ne voulait être vu en sa compagnie. Ceux qui étaient autrefois ses amis, avec lesquels lui et Irène passaient parfois une soirée, étaient maintenant mal à l'aise en sa présence. Denis avait changé. Il était décoiffé, souvent mal rasé, ses vêtements étaient fripés et, surtout, il était seul. Denis était devenu un convive assommant, parfois même inquiétant. Il ne parlait que de sa femme et de son « maudit nègre ». Les invitations se firent plus rares, et, finalement, il n'y en eut plus du tout. Lui à qui tout souriait et que tout le monde voulait à sa table était devenu un paria.

Couché dans son lit, il cultivait des idées de plus en plus sombres. Des idées de mort. Il haïssait ce médecin. Il envisagea de le supprimer. Il suffirait de l'attendre à la sortie de l'hôpital avec un fusil. Il songea aussi à tuer Irène, mais son esprit s'y refusait, estimant qu'elle avait été enjôlée contre son gré par ce beau parleur. « Ces maudits Noirs-là, c'est juste ça qu'ils cherchent, une Blanche. »

Ces idées meurtrières tournèrent dans sa tête un bout de temps. Mais la satisfaction de voir l'amant de sa femme mort fut balayée à l'idée que ses enfants grandiraient avec l'image d'un père meurtrier. Il en vint à la conclusion qu'il vaudrait mieux que lui-même disparaisse. « Si je mourais, j'en aurais fini. Je serais bien », se disait-il.

Denis avait beau repousser ces idées sombres, elles s'imposaient à lui comme s'il feuilletait une revue illustrée sur les moyens de mettre fin à sa vie. Le désespoir l'avait envahi totalement. Plus rien ne serait comme avant, plus rien n'aurait le goût du bonheur. Il songea au vieux fusil que son père lui avait donné, mais l'arme était demeurée dans une des boîtes que son épouse avait entassées dans le garage. Comme s'il établissait une liste d'épicerie, Denis passait en revue les options. « Non, pas les médicaments », songea-t-il. Il voulait voir sa mort, se rendre compte que la vie lui échappait jusqu'à la dernière seconde. Se jeter à l'eau aurait le même effet. Il avait presque fixé son choix sur un suicide en auto. Avec un peu de chance, sa mort serait considérée comme un accident et sa mémoire serait préservée. Il devait cependant être certain de ne pas survivre à l'impact car il ne voulait pas se retrouver handicapé, cloué dans un lit pour le reste de ses jours. Cette décision lui apporta le calme qu'il cherchait depuis des semaines, mais aussi une grande tristesse. Les larmes aux yeux, il songeait à Irène, aux enfants et à tous ceux qui étaient disparus avec son ancienne vie. Il pouvait imaginer les images de sa mort alors qu'il lancerait sa voiture contre une bétonnière ou un poids lourd. La voiture serait écrabouillée et il mourrait à coup sûr. À plusieurs reprises dans les jours qui suivirent, il avait regardé venir les camions en sens inverse et s'était imaginé donnant le coup de volant fatal. À deux ou trois reprises, il avait bien failli passer à l'acte, sa main tremblante tournant assez le volant pour changer de voie, mais se ravisant au dernier instant sous le tonnerre des klaxons.

Il aurait probablement mis son plan à exécution dans les semaines suivantes s'il n'avait un soir rencontré Paul Germain dans un restaurant. Lorsque celui-ci le salua, Denis mit quelques secondes à le reconnaître. Il eut un petit sourire forcé et marmonna des salutations en faisant mine de se diriger vers une autre table. Denis se souvenait de lui : il était parmi les passagers de son dernier vol. « J'ai eu ma part de reproches, la coupe est pleine » songea-t-il. Cependant Paul affichait un sourire amical et ne semblait pas disposé à le laisser partir. « Joignez-vous à moi, mon ami. Votre présence me ferait grand plaisir » dit-il en l'invitant d'un geste chaleureux à prendre la chaise devant lui.

Denis aurait voulu s'enfuir, mais il était trop tard. Il endurerait donc son sort et supporterait les critiques de son interlocuteur. Un sandwich et un café enfilés rapidement et il serait libéré. Contre toute attente, Paul s'avéra un compagnon agréable et prévenant. Il n'aborda pas le fameux vol, mais s'inquiéta plutôt de son état de santé. Soulagé, Denis sentit la pression se dissiper. Paul réalisa rapidement que le pilote était en grande détresse. Il demanda avec diplomatie comment allait sa famille. Denis vida son sac, profitant enfin d'une oreille attentive, et raconta la série de malheurs qui l'affligeait, combien sa vie avait perdu tout sens. À la fin de la soirée, au bord des larmes, il confiait à Germain qu'il songeait à mettre fin à ses jours. Il s'attendait à ce que Paul le sermonne, qu'il lui dise qu'il avait perdu la tête, mais, au contraire, il lui affirma qu'il comprenait ce qu'il vivait. « Les êtres supérieurs sont bien souvent incompris. Et c'est votre cas », lui dit-il.

Cette façon de voir les choses lui remonta le moral. Paul lui expliqua qu'il avait lui-même vécu des choses semblables et qu'il s'était rendu compte qu'il ne pouvait compter que sur sa propre force pour s'en sortir. Il lui parla d'un atelier de croissance personnelle auquel il avait participé et qui avait changé sa vie. À cette occasion, il avait découvert les clés d'une vie harmonieuse : le yoga, la méditation, la croissance personnelle et une alimentation saine. Paul expliquait avec force détails comment il avait gravi l'escalier menant à l'équilibre. Il s'était aussi ouvert aux médecines douces, ce qui lui avait permis de se débarrasser de certains problèmes de santé qui l'affectaient depuis longtemps, et, du même coup, de son pharmacien.

Denis se sentit flatté d'être ainsi considéré par cet homme qui gérait le sort de milliers de travailleurs au sein d'Hydro-Québec. Il fut réconforté à l'idée qu'un être doté d'une intelligence qu'il estimait supérieure à la moyenne ait pu sombrer, lui aussi, dans un tel désespoir, mais qu'il ait réussi à s'en sortir. « Je t'invite au Mensa, le club dont je fais partie. Il y aura une conférence samedi prochain. Tu vas voir, ça va te faire du bien et puis ça va te permettre de rencontrer d'autres personnes. Des gens comme toi et moi », lui suggéra Paul.

Denis n'avait pas envie de rencontrer des gens, de socialiser, mais pour la première fois, quelqu'un le comprenait. Mieux, Paul le considérait comme un être supérieur. L'idée de cette rencontre ne l'enthousiasmait pas, mais il avait l'impression que son nouvel ami serait sa bouée. Les deux hommes échangèrent leur numéro de téléphone.

En retournant chez lui, Denis avait mis de côté son projet de s'immoler contre le pare-chocs d'un camion.

Chapitre quatre

Nicole Lyrette aspirait à une retraite prochaine. Elle était encore jeune. Quelques années de travail et elle pourrait se retirer et faire ce dont elle avait envie. Partir, voyager, voir le monde ? Elle ne le savait pas encore, mais elle souhaitait donner un sens à sa vie.

Depuis des années, elle avait érigé une barrière entre sa vie personnelle et sa vie publique. Tout le monde avait voulu connaître son histoire. Lucie, la dame qui habitait près du bureau de poste, venait tous les matins faire un brin de jasette avec elle et ramasser son courrier. Lucie et Nicole s'étaient liées d'amitié, toutes deux partageant l'amour de la lecture ; elles échangeaient les bouquins qu'elles avaient lus. Lucie l'avait invitée à dîner et Nicole lui avait rendu la pareille à quelques reprises. Lorsque Lucie avait tenté d'en savoir plus long sur son passé et sur le père de son enfant, Nicole s'était refermée comme une huître. Elle avait par la suite décliné ses invitations, limitant leurs discussions aux livres et auteurs qu'elles aimaient. Les gens n'avaient pas à savoir. Sa vie lui appartenait.

Mais lorsque Achille Roy s'était retrouvé face au juge, décrit comme un aliéné mental, Nicole avait eu un choix à faire. Elle avait beau s'être juré de laisser derrière elle à tout jamais cette partie de sa vie, elle n'hésita pas une seconde. Elle se souvint comment Achille et Adela l'avaient accueillie, réconfortée et soutenue sans jamais rien demander ni attendre en retour. Elle avait vu comment ce couple s'adorait et elle avait bénéficié de leur bonté et de la chaleur de leur nid. Jamais elle n'aurait laissé quiconque dire un mot contre l'un ou l'autre. Quand Anne Blais, l'avocate d'Achille, l'avait appelée pour lui demander de témoigner en faveur de ce dernier, elle avait d'abord songé à ce qu'elle devait dire et à ce qu'elle ne devait pas dire. Mais elle avait finalement décidé qu'elle dirait tout ce qui prouverait qu'Achille Roy n'avait rien d'un fou.

Lors du procès, tout le monde apprit que Paul était le père de son fils. En sortant du Palais de justice, Nicole fonça vers Sainte-Famille-d'Aumond pour parler à Antoine. Elle n'était pas encore revenue de Montréal que déjà la nouvelle faisait le tour de la petite communauté. Edgar Crytes, le propriétaire du dépanneur, avait lui aussi témoigné en faveur d'Achille et il avait entendu la révélation de Nicole. Il s'était alors précipité sur la première cabine téléphonique pour annoncer la nouvelle à sa femme demeurée au village. Pensez donc ! Depuis vingt-cinq ans qu'on se demandait qui pouvait être le père de cet enfant, la nouvelle était importante. L'information se répandit comme une traînée de poudre. Un des clients qui venait de sortir du dépanneur rencontra Antoine sur la rue, et lui dit bêtement : « C'est-tu vrai ce qu'on dit ? C'est c'te grand escogriffe de Paul Cole qui est ton père ? » Antoine resta bouche bée, cherchant à comprendre ce que cet homme venait de lui jeter à la figure. Le bêta réalisa que le jeune homme n'était pas au courant et poursuivit sa route sans rien ajouter, l'abandonnant à son désarroi. Antoine retourna se terrer chez lui.

Lorsque Nicole rentra à la maison quelques heures plus tard, elle lui confirma l'horrible rumeur qui courait dans le village. Il se sentit démoli. Il ne demanda pas de détails, refusant même d'en entendre davantage lorsque Nicole tenta de lui expliquer. Chaque fois que sa mère essayait d'aborder le sujet, il allait trouver refuge dans le silence de sa chambre.

Pourtant, Nicole estimait n'avoir joué que son rôle. Elle devait le protéger car cet homme, son père, représentait un danger. Il blessait tous ceux qu'il approchait. « Ce n'est pas son père, c'est son géniteur », se disait-elle chaque fois qu'elle pensait à Paul Cole. Elle avait tu la vérité pour éviter à Antoine la douleur de la déception, mais aussi pour s'assurer que Paul ne sache jamais qu'il avait un fils. « Si jamais il l'apprend, il lui fera du mal », se disait-elle.

Nicole Lyrette était la cinquième fille de sa famille. Elle avait fait ses études secondaires, mais elle était demeurée au service de sa famille. Contrairement à ses sœurs qui, dès leur jeune âge, aspiraient au mariage, Nicole n'avait jamais cru à cette obligation. Certes, elle s'imaginait bien qu'un jour elle se marierait, mais il n'était pas question de se jeter dans les bras du premier venu. Celui qu'elle choisirait devait être merveilleux. Comme dans les romans. Or elle ne rencontra personne qui correspondait à ses attentes. Alors que ses sœurs plus jeunes étaient déjà passées devant le prêtre, Nicole semblait en voie de devenir la vieille fille de la famille. Il faut dire qu'à Aumond les occasions de rencontrer quelqu'un étaient rares, et que Nicole n'avait jamais aimé la poudre, la dentelle et le parfum associés à la féminité.

Sur la ferme de son père, le travail ne laissait pas beaucoup de place au plaisir ni à la futilité de ce que son père désignait comme des *affaires de femmes*. Il n'y avait que les offices du dimanche où il était possible de voir un garçon. Le terme « voir » s'appliquait bien. On entrait dans l'église à l'heure de la messe et tous les gens avaient généralement leur place bien assignée. Pas question de se disperser dans l'église, ce qui aurait permis un contact avec les jeunes de son âge. Toute la famille de Nicole, bien alignée sur le banc, semblait former un beau rang d'oignons. Nicole jetait bien un coup d'œil à gauche et à droite lorsque sa mère ne la regardait pas, mais il y avait souvent des obstacles. Parce que Nicole n'était pas portée sur la coquetterie, sa mère ne mettait pas beaucoup de conviction à lui fabriquer de belles robes. Quand un garçon regardait en direction de leur banc, c'était généralement une des sœurs de Nicole qu'il observait.

Puis l'hiver arrivait et l'agitation diminuait sur la ferme. Durant plusieurs mois, ils vivaient au ralenti, dans la promiscuité, à attendre le printemps. Pour les femmes, il y avait toujours quelque chose à faire. Outre les repas et la lessive, c'était l'occasion d'amorcer certains travaux nécessitant beaucoup de temps. Les chevalets étaient installés dans la cuisine et la bande de filles, dirigée par leur mère, piquait couverture sur couverture en utilisant tous les bouts de tissus qu'on trouvait dans la maison. Ainsi préparait-on le trousseau qui servirait de dot à chacune des filles. Curieusement, personne ne semblait considérer la constitution du trousseau de Nicole comme une priorité. Même son père avait commencé à dire qu'elle serait son poteau de vieillesse. Cela sous-entendait qu'elle resterait vieille fille, car seules les vieilles filles devenaient des *poteaux de vieillesse*. Nicole avait toujours détesté cette idée. Elle ne se voyait pas comme l'esclave éternelle de sa famille. Mais elle ne parvenait pas non plus à s'imaginer vêtue d'une robe de mariée. « Avec qui ? », se demandait-elle chaque fois que cette image lui effleurait l'esprit.

Nicole venait d'avoir vingt-quatre ans. « T'arrives à l'âge de Sainte-Catherine », disait son père en lui rappelant la patronne des vieilles filles. Nicole haïssait ces allusions.

Au cours de cet hiver-là, elle s'était rendue au village pour assister aux activités du carnaval d'hiver. Son jeune frère devait participer à une compétition de souque à la corde entre camarades. Tout le monde était là, les uns criant pour l'équipe de son frère, les autres pour celle du fils du marchand général, Gérard Crytes. C'est à ce moment que Nicole aperçut un homme qu'elle n'avait jamais vu. Il tranchait avec les autres garçons de la place, mal vêtus et excités par le spectacle. Lui, il était habillé d'un long paletot avec un collet de fourrure de mouton. Il ne portait pas les grandes galoches de ferme comme les autres, mais d'élégantes bottes noires, probablement mal adaptées au climat nordique, mais qui lui donnaient un style bien différent. Nicole n'aurait su dire son âge, mais il paraissait plus mature que les jeunes du groupe qui s'agitaient sur la glace. Cet homme ne venait pas d'ici, c'était évident. Il était élégant. Aux yeux de la jeune femme, ses tempes légèrement grisonnantes lui donnaient encore plus de charme.

Nicole avait cessé d'observer les garçons qui se disputaient un bout de corde pour détailler cet étranger. Leurs regards se croisèrent. Il lui sourit et la salua d'un léger coup de tête. Il l'avait vue, elle, et il lui avait souri. Tandis que tout le monde était occupé par la compétition, il s'approcha de Nicole et engagea la conversation. Elle apprit qu'il s'appelait Paul, que ses parents habitaient à Aumond et qu'il était venu leur rendre visite. Il lui parla de Montréal, de ses rues éclairées, des mille distractions qui font bouger cette ville nuit et jour, de spectacles et de grands restaurants. Elle croyait rêver. Il l'invita le soir même à l'auberge où devait se tenir le bal du carnaval. Elle n'était jamais entrée dans cet hôtel et elle ne savait pas si elle pourrait trouver un prétexte pour quitter la ferme, mais elle promit de venir.

Lorsqu'elle entra à la maison, c'est sa mère qui la première nota un changement dans son attitude. Nicole sortit ses robes du placard et chercha celle qui lui ferait le mieux. Elle ajouta même un ruban à celle qu'elle choisit. Quand elle annonça qu'elle voulait assister au bal du carnaval, sa mère ne s'objecta pas. « Peut-être y rencontrera-t-elle enfin quelqu'un », songea-t-elle.

Intimidée par les lieux, Nicole entra dans l'auberge en longeant les murs. La salle était bondée et l'alcool coulait à flot. Tous les participants aux compétitions de la journée y étaient. Les uns célébrant leur victoire, les autres noyant leur défaite. Après avoir cherché Paul en vain dans ce brouhaha, elle crut qu'il avait changé d'avis et qu'elle ne le verrait pas. Elle était sur le point de partir, lorsqu'il émergea d'un coin plus sombre de la pièce. Il la prit par la main et la conduisit à sa table. Il y était seul. Il voulut commander du vin, mais lorsque le serveur lui présenta la bouteille poussiéreuse de Saint-Georges, il se ravisa et suggéra à Nicole de prendre une vodka-jus d'orange. Elle accepta. De toute façon, elle n'aurait pas su ce qu'il fallait commander.

Elle but ses paroles tout autant que les verres qu'il alignait devant elle. Il lui dit combien elle était belle et comment une telle beauté ne pouvait demeurer dans un endroit aussi rustre. Plus tard dans la soirée, alors que l'alcool excitait ses sens et diminuait sa volonté, il lui proposa d'aller faire une promenade. En passant devant l'église, sa main virile saisit la sienne et le cœur de la jeune femme s'affola. Comme dans les livres, le preux chevalier venait libérer la belle jeune fille de la prison qu'était devenue sa vie. Près de la patinoire où ils avaient assisté aux compétitions, il passa son bras autour de ses épaules pour la réchauffer. Elle se blottit contre lui. À cette heure, l'endroit était désert et de gros flocons de neige donnaient à la scène une touche de romantisme.

La cheminée de la cabane des patineurs fumait encore. Ils décidèrent d'y entrer pour se réchauffer. Il y faisait noir, mais en mettant du bois sec dans le poêle, les flammes se ravivèrent, jetant une lumière ondoyante dans la pièce.

Il passa ses bras autour d'elle. Nicole avait beau se rappeler les règles de bienséance, elle ne parvenait plus à réfléchir normalement. Rien n'était plus important que lui en cet instant. Il représentait ses rêves les plus fous. Elle l'imaginait riche, bien qu'il n'eût rien dit de sa situation. Il lui avait parlé de tous les spectacles auxquels il avait assisté et de tous les grands restaurants où il avait mangé. Elle se voyait à son bras entrant à l'hôtel Queen Elizabeth à Montréal. C'est le seul hôtel qu'elle connaissait de réputation, toutes les célébrités du monde se faisant un devoir de s'y arrêter.

Quand il la fit pivoter pour la tenir tout contre lui et qu'il posa ses lèvres sur les siennes, Nicole cru qu'elle allait fondre. Ses baisers étaient longs et langoureux ; Paul l'embrassa dans le cou. Des frissons de plaisir lui parcouraient le dos en sentant sa bouche chaude et humide se poser près de son oreille. Était-ce l'alcool ou la chaleur du poêle où le bois s'enflammait ? Elle ne résista pas quand il déboutonna son manteau, puis sa robe. La main de Paul toucha ses seins. Elle ne put retenir un petit cri, mais ne le repoussa pas. Elle savait que le fait de toucher le bout de ses seins pouvait lui apporter du plaisir. Seule dans son bain, il lui arrivait de s'exciter en caressant doucement ses mamelons rendus glissants de savon. Mais cela n'avait rien de comparable avec la main d'un homme. La main de cet homme. Elle se dit qu'elle saurait l'arrêter avant d'aller trop loin. Mais pour l'heure, elle vivait un plaisir comme elle n'en avait jamais vécu. Elle pouvait même sentir la moiteur de son sexe excité. Lorsqu'il se pencha pour lécher le bout durci de son sein, qu'il le suça délicatement, toutes ses résolutions s'envolèrent. Plus rien n'était important. Seul comptait l'assouvissement du désir qui grandissait en elle.

Quand il se recula un peu pour défaire sa ceinture, elle ne protesta pas, et lorsqu'elle vit son membre en érection, rien n'aurait pu l'empêcher d'ouvrir les jambes pour l'accueillir. Le feu brûlait avec la même ardeur dans le poêle et entre ses cuisses.

Il la pénétra délicatement d'abord, conscient qu'il prenait sa virginité. Elle eut mal. Il s'arrêta, laissant son membre en elle tout en caressant le bout de ses seins avec sa langue. Ce fut elle qui commença à pousser du bassin pour le faire glisser plus loin. Il la prit avec fougue et elle ne put retenir des cris de plaisir. Nicole fut surprise par cette vague incontrôlable qui déferlait en elle. Elle avait beau tenter de garder le silence, mais c'était plus fort qu'elle. Quand il atteignit le plaisir et qu'elle le sentit se déverser en elle, elle fut secouée elle-même de spasmes violents qui la laissèrent sans force. Elle n'aurait jamais cru possible une telle sensation. Elle se demanda si cette vibration qui l'agitait était normale. Ils restèrent là durant de longues minutes, soudés l'un à l'autre, flottant dans un monde de béatitude.

Plus tard, il la reconduisit chez elle en lui promettant qu'ils se reverraient. Elle s'endormit tard, un sourire sur les lèvres, respirant à fond le parfum de cet homme dont elle était encore imprégnée.

Le lendemain, comme tous les dimanches, la famille assista à la messe. Plusieurs fêtards de la veille étaient absents à l'office. D'autres auraient dû rester chez eux tellement ils affichaient une solide gueule de bois, certains ronflant même bruyamment durant le sermon. Nicole espérait que Paul y soit. Ce ne fut pas le cas. Mais en sortant de l'église, elle reconnut l'élégant paletot devant le magasin général du village. Elle se précipita vers lui, tout sourire, prête à lui sauter au cou.

Paul la reçut froidement. Elle voulut lui prendre la main comme il l'avait fait la veille, mais il la retira précipitamment et sans ménagement. « Écoute ma petite, lui lança-t-il avec mépris, ce qui s'est passé hier ne compte plus aujourd'hui. Je ne peux pas m'enticher d'une petite fermière comme toi. Oublie ça. De toute façon, y a pas grand chance que je remette les pieds ici. J'te conseille de jamais dire quoi que ce soit à personne sur ce qui s'est passé entre toi et moi, sinon je dirai à tout le monde que tu t'es jetée à mon cou comme une vulgaire pùtain. » Paul lui tourna le dos. C'était fini. Le rêve venait de s'effondrer. Elle ne connaissait que son prénom et aurait été trop gênée de demander quel était son nom de famille à qui que ce soit. Elle retint ses larmes jusqu'à ce qu'elle arrive chez elle et se retrouve seule dans sa chambre. Au cours des jours qui suivirent, cacher sa honte, sa tristesse, fut une grande épreuve. Elle ne parlait plus à personne et espérait oublier pour toujours cette erreur. Lorsqu'elle constata quelques semaines plus tard qu'elle avait du retard dans ses règles, Nicole s'effondra. Elle savait que cet homme avait mis la vie en elle.

Elle ne pouvait en parler à personne et surtout pas à ses parents. Qu'aurait-elle pu leur dire ? Qu'elle avait été engrossée par un homme dont elle ne connaissait que le prénom? Et puis cela n'aurait rien changé qu'on sache de qui il s'agissait. Aux yeux de tous, elle serait la fautive. Si elle ne voulait pas d'enfant, elle n'avait qu'à refuser ses avances. Le fait qu'elle se soit donnée à un inconnu ne démontrait qu'une chose: c'était une *guédoune*. C'est ainsi que le jugement populaire la décrirait.

Elle devait partir. Trouver un endroit où elle pourrait se débarrasser de ce fardeau encombrant. Cet endroit existait. Elle en avait entendu parler à la télévision. Mais comment faire? Comment partir? Elle résolut de prendre l'autobus jusqu'à Hull puis, de là, jusqu'à Montréal où elle espérait trouver une clinique dans laquelle on pourrait mettre fin à cette grossesse, à cette honte. Elle décida de partir le samedi suivant. Les fins de semaine, il y avait toujours un peu plus de passagers qu'à l'accoutumée et elle passerait peut-être inaperçue. Elle savait bien que rien n'arrivait dans le village sans que tous le sachent, mais elle risquait moins de faire face aux questions embêtantes s'il y avait plusieurs voyageurs.

C'est au magasin général où elle était entrée pour acheter son billet qu'elle rencontra Achille et Adela. Elle remarqua le regard que le couple s'échangeait au-dessus de l'étalage de conserves. Il y avait de l'adoration dans les yeux du vieil homme et des éclats sur la prunelle de ceux de la dame. Elle enviait une telle complicité, un tel amour que les années ne semblaient pas avoir usé. Comme si elle sentait qu'on l'observait, la dame porta son attention sur Nicole. Elle remarqua son bagage, comment elle serrait la poignée de sa valise de ses deux mains en jetant des coups d'œil affolés autour d'elle. Adela pouvait sentir sa détresse. Elle se dirigea vers Nicole, la regarda droit dans les yeux, la sonda avant de lui demander de la suivre à l'extérieur du commerce.

Dans les yeux de Nicole, Adela vit le même désespoir qu'elle avait connu jeune fille, alors qu'elle s'était enfuie de son petit village de l'île Fogo, en portant dans son ventre l'enfant d'un homme qui n'en voulait pas. « Combien de semaines ? », demanda Adela en toute simplicité, comme si elles avaient déjà amorcé une discussion sur le sujet.

Elle lui proposa spontanément de l'aider. Comme ça. Sans aucune obligation. Elle ne broncha pas non plus quand Nicole lui dit qu'elle songeait à se faire avorter. Elle savait déjà. En la voyant, Adela se souvint de cette dame, Marie Lafrenière, qui lui avait ouvert les bras et offert son épaule pour soulager sa peine. Jamais elle n'avait oublié la chaleur de cette femme pourtant étrangère, tant par la langue que par la religion. Devant Nicole, elle sentit que le moment était venu de rendre la pareille. Adela lui offrit de prendre quelques jours de repos chez elle, le temps de réfléchir. Désemparée, Nicole accueillit son invitation comme s'il s'agissait d'une halte, une oasis dans la tourmente qui secouait sa vie. Elle accepta.

Quand Achille, qui avait pourtant le physique d'un coureur des bois, apprit que la jeune fille passerait quelques jours à la maison, il fit preuve d'une délicatesse digne d'un gentilhomme. Aucune question, même pas une expression de surprise sur son visage. Il jeta simplement un regard en direction de sa femme, avant de prendre le bagage de Nicole. Fin des formalités. Tout avait été dit et compris.

Adela fut d'un grand secours pour Nicole. Durant les premiers jours, toutes deux avaient beaucoup parlé. Nicole adorait cet accent particulier qu'elle avait. Elle apprit qu'elle était venue, bien malgré elle, de Terre-Neuve et qu'elle avait rencontré Achille dans les chantiers du Nord. Elle lui confia qu'elle avait fui parce qu'elle aussi était enceinte. « Je ne regrette pas ce qui est arrivé, lui dit-elle, parce que j'ai rencontré Achille. Mais fuir ne donne rien. Si tu ne veux pas de l'enfant, la décision te revient à toi seule. Personne ne te jugera dans cette maison. Si tu veux le garder, tu peux rester tant que tu le souhaiteras. »

Adela ne l'incita jamais à garder l'enfant, mais elle lui ouvrit les portes de sa maison et celles de son cœur, en lui offrant un refuge, un havre de paix. Nicole décida que sa vie n'appartenait qu'à elle seule et que jamais personne ne lui dicterait plus ce qu'il fallait faire ou ne pas faire. Elle ne serait pas une *reine du foyer* comme le lui avaient enseigné les religieuses à l'école. Elle ne serait pas non plus la propriété d'un homme. Elle portait dans son cœur et dans son ventre l'empreinte de la trahison.

Durant les mois qui suivirent, elle demeura avec le vieux couple. Son tour de taille s'épaissit en proportion de l'amitié qui se développait entre les deux femmes. Au cours des dernières semaines, alors que Nicole se plaignait d'un mal de dos, Adela lui dit : « Dans les derniers mois de ma grossesse, avant que Paul ne vienne au monde, j'avais l'impression que ma douleur au dos ne me quitterait jamais. Mais quand il est né, elle a disparu. »

Nicole fut surprise, car c'était la première fois qu'Adela évoquait en sa présence le nom de son fils. Elle ne fit d'ailleurs à ce moment-là aucun rapprochement avec l'homme qui l'avait trahie. Elle constata cependant que la mention du nom de l'enfant suscitait une grande tristesse chez Adela. Nicole n'osa pas la questionner. Depuis sept mois qu'elle vivait avec le couple, son nom n'avait pas été prononcé souvent et jamais ce fils n'était venu voir sa mère. Nicole en déduisit qu'il était mort.

Le temps passa puis, au milieu d'une nuit calme, les

contractions survinrent comme un coup de couteau. Elle resta couchée, pensant qu'il s'agissait probablement des douleurs préliminaires. Elle avait eu quelques signes avant-coureurs quelques jours auparavant, mais les contractions avaient rapidement cessé. Nicole estima que les douleurs cesseraient et qu'il faudrait attendre encore plusieurs jours. Toutefois ses eaux se rompirent cette nuit-là et elle sentit le chaud liquide couler le long de ses cuisses et sur les draps. Elle laissa s'échapper un cri. Aussitôt, Adela fut à ses côtés. Le travail était si avancé, qu'il ne fut même pas question d'aller chercher le médecin. L'enfant arrivait et Nicole avait besoin d'aide. Les douleurs se firent si rapprochées et intenses que la jeune femme crut mourir. « Faites que ça arrête », implora-t-elle en s'agrippant à la main d'Adela.

Son visage, rougi par l'effort, était en sueurs. Dans son délire, elle regrettait de ne pas avoir choisi de se débarrasser d'un fardeau qui la faisait tant souffrir, et elle souhaita que la mort vienne la délivrer de cette torture. Adela s'occupa de tout et l'enfant arriva alors que les premiers rayons du soleil entraient dans la chambre. « C'est un bon présage, lui dit Adela, souriante, en lui montrant l'enfant. Il est né sous le signe du feu. »

Nicole avait déjà décidé que l'enfant se prénommerait Antoine si c'était un garçon et Élise si c'était une fille. Le docteur vint voir la jeune mère et son enfant quelques jours plus tard. Après avoir ausculté la mère avec soin et palpé l'enfant sous toutes ses coutures, il proclama : « Vous êtes tous les deux en parfaite santé. »

Nicole avait l'impression d'abuser de l'hospitalité de ses hôtes, mais Adela insista pour qu'elle demeure avec eux encore quelque temps. « Il sera temps de faire face aux gens plus tard », avait-elle dit.

C'est probablement la présence du petit bébé qui incita Adela à lui parler plus fréquemment de Paul. Nicole se risqua un jour à lui demander ce qu'il en était advenu. « Nous l'avons perdu, répondit-elle. Il est parti un jour et il n'est pas revenu avant l'an dernier. C'était au mois de février. »

Le cœur de Nicole défaillit. Février. Son aventure avait justement eu lieu en février. À cet instant, elle eut la certitude que le fils d'Adela était le père de son enfant. Cette nuit-là, elle ne parvint pas à trouver le sommeil. Devait-elle leur dire que cet enfant était leur petit-fils ? N'auraient-ils pas l'impression que Nicole leur avouait ce terrible secret uniquement pour chercher à les responsabiliser et à tirer avantage de la situation ? De plus, elle s'était jurée de ne jamais rien dire. Elle avait résolu que cet enfant ne serait que le sien, pas celui d'un homme qui n'en voulait pas. À plus forte raison si l'homme en question ne méritait pas le titre de père. En avouant la chose, elle risquait de créer un lien légitime avec Paul, ce qu'elle ne voulait surtout pas. Par contre, Adela et Achille méritaient de connaître cet enfant. Peut-être ne sauraient-ils jamais qu'Antoine était leur petit-fils, mais ils auraient néanmoins le plaisir de le voir grandir. Lorsqu'elle quitta le couple avec son enfant pour retourner au village, elle prit la décision de garder un lien étroit avec eux. Elle revint fréquemment pique-niquer sur le bord de la rivière Joseph avec Antoine. Elle aimait les instants passés avec Adela, mais elle était surtout heureuse de voir Achille jouer le grand-père avec Antoine. Quand elle entendit pour la première fois le petit garçon dire « Papi Achille », elle en eut les larmes aux yeux.

Chapitre cinq

Les choses n'étaient pas faciles pour Denis Tanguay. Il venait d'apprendre qu'il ne pourrait plus voler pour Québecair. Du moins, le temps qu'il se rétablisse. On attribuait son erreur à un *stress émotif majeur*, et on lui recommandait de prendre du repos. Mais il ne fut pas rappelé. Il retourna donc travailler pour la petite compagnie qui organisait des vols nolisés en Abitibi. Il s'agissait d'une régression professionnelle pour lui.

L'espoir qu'avait rallumé en lui Paul Germain s'était éteint et il avait retrouvé ses idées suicidaires. À quoi bon vivre alors que tout s'écroulait autour de lui ? D'autant plus qu'il avait maintenant de plus en plus de difficultés à voir ses enfants. Son épouse alléguait qu'il devenait dangereux et qu'elle craignait pour leur sécurité. Les deux interventions policières qui avaient été nécessaires pour calmer Tanguay suffirent à convaincre le juge qu'il y avait un risque. Le magistrat n'écouta pas ce que Denis avait à lui dire et décréta que les visites des enfants seraient dorénavant supervisées. Après deux rencontres, il avait presque renoncé à les voir. Cela n'avait plus aucun sens. Il était traité comme un criminel dangereux et un adulte devait être présent en permanence lorsqu'il les voyait. Le moindre mouvement d'affection pouvait être interprété comme un geste inconvenant. Il le savait. Ces rencontres ressemblaient aux visites auxquelles les prisonniers avaient droit.

Le coup de fil de Paul Germain arriva juste au bon

moment. Cela lui fit du bien de penser que quelqu'un se préoccupait encore de lui. Il l'avait presque oublié dans la tourmente de sa vie.

« Salut Denis. Tu sais le Club Mensa dont je te parlais ? Il y a une rencontre de formation en fin de semaine. Tu devrais venir », lui suggéra Germain.

Denis ne savait pas trop. Il refusa d'abord, mais Germain insista en lui rappelant que lui-même avait tiré beaucoup d'énergie de ces rencontres pour passer au travers de ses problèmes. Denis se laissa convaincre et prit note de l'endroit et de l'heure de la rencontre en promettant d'y être. Au jour dit, il avait pratiquement oublié l'invitation mais en revenant chez lui, un message de Paul sur son répondeur la lui rappelait.

La conférence avait lieu dans un hôtel de Saint-Sauveur. Le décor agréable de la salle s'inspirait vaguement de l'architecture typique des chalets suisses. Lorsqu'il arriva, une vingtaine de personnes étaient déjà sur les lieux, discutant en petits groupes de trois ou quatre personnes. Denis reconnut Paul, qui s'empressa de l'accueillir et de le présenter au groupe avec lequel il était en discussion. « Denis est pilote d'avion », insista-t-il auprès de chacun.

Denis était mal à l'aise. Il n'osait avouer qu'il avait dû quitter Québecair pour se retrouver dans une petite compagnie qui ne disposait que de quelques appareils. Dans son esprit, il n'était plus un véritable pilote d'avion comme il l'avait été quand il était aux commandes des appareils commerciaux de la compagnie québécoise de transport aérien. Il n'était plus, comme tant d'autres, qu'un simple pilote de brousse.

Il était gêné parmi ce groupe d'inconnus et il aurait voulu s'esquiver, mais la conférence débutait et il n'eut d'autre choix que de s'asseoir lorsqu'on lui offrit une chaise. Ceux qui étaient venus avec Paul étaient pour la plupart des employés de la société d'état Hydro-Québec. Le groupe qui organisait la conférence avait aussi obtenu quelques contrats pour des séances de formation en management et de motivation en entreprise.

Denis écouta la conférence d'une oreille distraite. Il était trop préoccupé par son propre sort pour se sentir concerné par ce qui se disait. Son parrain l'avait présenté comme un pilote alors que lui-même avait l'impression que cette qualification ne correspondait plus à sa situation. Il se sentait comme un médecin chirurgien qui aurait soudainement été relégué au rang d'infirmier.

Plusieurs conférenciers se succédèrent, parlant d'écologie, de la destruction prochaine de notre monde par la pollution, de l'échec de la médecine traditionnelle et de l'émergence des médecines douces inspirées, disait-on, par un savoir millénaire. Lorsque le présentateur revint en affichant une joie qu'il ne parvenait pas à dissimuler, il annonça un conférencier spécial, un grand maître-penseur, qui devait parler de spiritualité et de quête de soi. Denis eut envie de quitter, fit mine de se lever, mais Paul lui pressa le bras. « Ne partez pas mon ami. J'aimerais bien que vous écoutiez cet homme. »

Denis se rassit, déçu qu'on se soit rendu compte de sa tentative de fuite. Il songea qu'il aurait dû prétendre qu'il voulait aller à la chambre de bain. Il aurait alors pu partir sans être vu. Le présentateur se racla la gorge. Il y avait dans son ton de voix et dans sa posture une sorte d'enthousiasme presque enfantin comme celui de ces jeunes filles qui se pâment d'aise devant leurs idoles du cinéma ou de la chanson. « C'est une chance exceptionnelle pour nous de

pouvoir compter aujourd'hui sur la présence d'une som-
mité mondiale. Un médecin, un homme de science qui a su
ouvrir son esprit et tracer le chemin. Je ne doute pas que
nous entendrons parler de lui sur les plus grandes tribunes.
Mesdames et Messieurs, je vous demande d'accueillir le
docteur Luc Jouret. »

Il y eut des applaudissements nourris, tous semblant
connaître la réputation de l'orateur annoncé. Il avait fière
allure, il était jeune et beau. Sa seule présence était agréable à l'œil, même pour un homme. Dès qu'il commença à
parler, Denis fut subjugué par le charisme qu'il dégageait.
Il parlait bien, utilisant des mots rares tout en ouvrant des
parenthèses pour expliquer et vulgariser avec une facilité
déconcertante les choses les plus complexes. De l'atome à
l'univers, tout devenait clair par la bouche de Jouret, qui
donnait à ses auditeurs l'impression d'avoir soudainement
acquis la sagacité nécessaire à la compréhension du monde.
Comme tous les autres, Denis était resté rivé sur son siège,
fasciné par ce qu'il entendait. À la fin de l'exposé, il était
si impressionné qu'il fut parmi les premiers à se lever pour
l'ovationner. Paul ne cacha pas son contentement.

— Je te l'avais bien dit. Tu sais, je le connais bien et j'aimerais te le présenter.

Denis en fut flatté. Quand Paul le présenta, insistant sur
le fait qu'il était pilote, le célèbre orateur sembla particulièrement intéressé.

— J'ai toujours voulu piloter. Il me semble que du haut
du ciel nous sommes plus près des forces cosmiques, plus
près de Dieu. Je vous admire, dit-il.

Il l'admirait ! Lui ! Cet homme, un érudit adulé de tous,
l'admirait, lui. Pour la première fois depuis des mois, il se
sentit bien.

— Vous savez, poursuivit Jouret, nous avons besoin de gens comme vous dans notre organisation. Vous faites partie d'une race supérieure, vous en rendez-vous compte ?

Denis balbutia quelques mots de remerciements pendant que Paul l'entraînait à l'écart.

— Tu es chanceux. Il te veut dans l'organisation. C'est la première fois que je le vois inviter un nouveau dans le Cercle. Je vais te contacter sous peu pour t'inviter à une des sessions du groupe.

Denis revint chez lui complètement bouleversé par sa rencontre avec cet homme. Pour la première fois depuis des mois, il était heureux et avait à nouveau l'impression que son existence n'était peut-être pas inutile. Toutefois, malgré cette euphorie, plein de questions se bousculaient dans sa tête. Paul Germain avait parlé d'organisation et de Cercle. Quelle était la signification de ces mots ? Durant les semaines qui suivirent, il vécut dans l'attente de nouvelles de son ami. Le coup de fil vint un vendredi soir, alors que Denis commençait à croire qu'il lui faudrait oublier Paul, Luc et son Cercle. « Denis, c'est le grand moment, lui annonça Paul au bout du fil. Nous avons une rencontre demain et nous aimerions que tu y prennes part. »

Denis accepta avec joie. La dernière rencontre lui avait fait du bien et lui avait donné le goût de vivre. Ce Jouret avait su lire en lui. « Il a vu mes qualités et il m'a reconnu parmi tous ». Il se sentit grandi. Avant sa séparation, il avait toujours estimé qu'il était meilleur que les autres. Au travail, il voulait atteindre le sommet. Dans sa famille, il souhaitait ce qu'il y a de mieux pour ses enfants et sa femme. Il savait qu'il avait raison, mais les autres n'avaient pas compris sa démarche vers l'excellence. « Peut-être que tout ce qui est arrivé devait arriver », songea Denis, convaincu que son divorce et sa descente aux enfers faisaient partie d'une étape douloureuse mais nécessaire vers la réalisation de son destin. Il se mit à vivre dans l'anticipation du moment où il serait appelé.

La seconde rencontre fut décevante pour Denis. Jouret n'y était pas. D'autres conférenciers avaient pris la parole, abordant divers thèmes. Leurs discours n'avaient pas la flamme, la capacité de convaincre comme lorsque le maître parlait. Ce que Denis comprenait de leur message, c'est qu'il fallait remettre en question les principes et les valeurs dans lesquelles il avait baigné depuis sa naissance. Le monde ne relevait pas de forces divines mais de puissances cosmiques. L'une des conférencières appelait à maîtriser les énergies de notre corps. Une série de conseils sur l'alimentation accompagnait les informations qu'on leur avait déballées.

« Vous formez l'Élite de cette société, vous devez traiter vos corps en tant que tel », avait-elle dit.

La femme était diététicienne dans un centre hospitalier et Denis lui accorda de la crédibilité. Elle l'avait traité avec grande déférence après que Paul l'eut présenté comme un protégé du Maître. Elle lui souligna l'importance pour les Élus de préserver leur santé. Il était un Élu. Lui. Ce sentiment lui procura une bouffée de fierté. Il était quelqu'un dans ce groupe. Il n'était plus un pauvre type qui vient de perdre sa femme, ses enfants et son boulot.

Lorsque quelques jours plus tard, Germain le rappela pour lui donner un nouveau rendez-vous, Denis était prêt, ce qui fit dire à Germain qu'il était un bon disciple. *Un bon disciple*, pensa Denis. Il était un bon disciple. Il eut la certitude qu'il avait enfin trouvé sa famille. Sa vraie famille.

Chapitre six

Nicole voulait depuis longtemps révéler à son fils Antoine ce qu'avait été sa vie, mais elle ne pouvait pas. Chaque fois qu'elle avait tenté de lever un coin du voile, elle avait aussitôt reculé pour ne pas avoir à répondre à ses questions. Aujourd'hui, elle aurait donné n'importe quoi pour qu'Antoine l'écoute, mais c'est lui qui ne voulait plus rien entendre. La communication était brisée. La colère silencieuse de son fils grandissait, prenait toute la place et l'empêchait de comprendre. Il ne disait rien, mais elle le sentait. L'atmosphère était devenue lourde et intenable dans la maison.

Assise au petit secrétaire qu'elle avait installé dans un coin de sa chambre, elle admirait les photos d'Antoine. Il y avait cette magnifique image du bébé dans les bras d'Adela. Une des rares séances de photos à laquelle la vieille dame avait accepté de se prêter. Elle détestait se voir en photographie. « J'ai l'air d'une petite vieille sur les photos », disait-elle.

Nicole n'aimait pas non plus qu'on la photographie, mais supportait mal que les autres refusent de se laisser photographier par elle. Elle seule avait le droit de se soustraire à la lentille des caméras. Pour les autres, elle qualifiait cette attitude de coquetterie déplacée. Antoine ne devait pas avoir plus d'un mois sur la photo. Puis il y en avait une autre de Nicole dans la même chaise berçante, tenant le bébé dans ses bras. Elle essaya, en vain, de se rappeler qui d'Achille ou d'Adela avait pris le cliché, mais elle se souvenait de cet instant cependant. Le bébé semblait lui faire son premier sourire, et les yeux de Nicole déversaient des torrents d'amour sur lui. Elle se souvint que quelques mois avant ce cliché, elle avait songé à arrêter la croissance de cette vie dans son ventre. Jamais elle n'aurait connu le petit être magnifique qu'elle avait sous les yeux. « Merci Adela Cole d'avoir été là », dit-elle à l'intention de la photo de la vieille dame.

Sur un autre cliché, Antoine devait avoir quatre ans. Il était allé pêcher avec Papi Achille. Ils étaient revenus avec quatre belles truites dont une qu'Antoine avait capturée lui-même. Son visage de gamin était radieux, mais crispé par l'effort pour tenir à bout de bras la prise qui pendait mollement au bout de la chaîne. La truite semblait presque aussi grande que lui. Achille, tout aussi fier, était à genoux et tenait le bout de la chaîne pour aider l'enfant à exhiber son poisson. Les deux visages respiraient le bonheur. Puis il y avait d'autres photos marquant différents événements de la vie d'Antoine, dont cette belle photo de graduation. On les avait photographiés devant un décor aménagé spécialement pour l'occasion. Antoine arborait une magnifique toge rouge et portait le mortier, alors que Nicole s'accrochait à son bras avec fierté. Elle était particulièrement élégante dans cette belle robe de soirée. La toge d'Antoine était presque assez longue pour cacher le jeans dont il avait refusé de se départir malgré la solennité du moment. Une colonne grecque, à moins que ce ne fût une colonne romaine, agrémentait le décor.

En admirant tous ces heureux moments, Nicole se demandait comment elle pouvait expliquer à son fils, s'il refusait de l'écouter, ce qui s'était passé et les raisons pour lesquelles elle avait dû se taire. « S'il ne veut pas m'entendre, peut-être acceptera-t-il de me lire », pensa-t-elle.

Elle fouilla dans un tiroir, prit du papier à lettres et amorça simplement par « Mon cher Antoine... ». Elle fut surprise de constater combien la plume glissait avec facilité sur le papier. Elle commença par ses premiers souvenirs, sa vie sur la ferme, son enfance, son adolescence. Elle avait décidé de ne rien lui cacher, aussi y ajouta-t-elle ses impressions personnelles sur la vie, la société et tout ce qui l'entourait. Elle expliqua sa révolte contre le modèle de femme qu'on lui avait imposé, puis comment elle avait fait ses choix en fonction de ce qu'elle croyait être juste. Elle parla de Paul, du moins du peu qu'elle en connaissait, de leur rencontre fortuite, des promesses et de sa déception. Elle parla aussi d'Achille et d'Adela et des moments qu'elle avait passés avec eux. Elle en savait plus sur eux que sur le père d'Antoine.

Il devait être vingt et une heures quand Nicole avait commencé à écrire. Les lueurs du jour pointaient lorsqu'elle réalisa qu'elle n'avait plus de papier à lettres. Elle alla se coucher presque à regret et trouva difficilement le sommeil, réfléchissant à tout ce qu'il lui restait à dire à son fils.

Elle dormit quelques heures, mais lorsqu'elle se leva le lendemain, elle était encore obnubilée par l'obligation d'écrire. Contrairement à son habitude, elle ne se dirigea pas immédiatement vers le comptoir postal. Elle se rendit d'abord au dépanneur et y acheta quatre cahiers à spirale. Elle ouvrit le bureau de poste, mais se replongea immédiatement dans l'écriture. Elle s'arracha difficilement à son cahier lorsque le camion de Postes Canada lui apporta le courrier. En un temps record, il fut trié, placé dans les cases, puis elle replongea dans son cahier. Le soir, elle mangea rapidement, le second carnet posé sur le coin de la table. Entre deux bouchées, elle écrivait. Ainsi en fut-il durant des jours et des jours. Le service postal s'en ressentit dans le village. Les gens savaient qu'elle avait habituellement terminé de classer le courrier vers onze heures trente. La fin de l'avant-midi était la période la plus occupée de la journée pour Nicole, tous les villageois semblant synchronisés pour venir prendre possession de leurs lettres. Mais depuis qu'elle écrivait à son fils, le courrier devait parfois attendre jusque tard dans l'après-midi avant d'être mis dans les cases. Ceux qui osaient demander à Nicole, penchée sur son cahier, l'heure à laquelle leur courrier serait disponible, se faisaient répondre distraitement qu'elle n'avait pas le temps pour le moment.

Après trois semaines de ce régime, elle referma son huitième cahier, auquel s'ajoutaient les cents pages rédigées sur le papier à lettres sur lequel elle avait amorcé son écriture. Elle se sentait vidée, mais heureuse. Tout ce qu'elle avait voulu dire à son fils y était, mais aussi tout ce qu'elle avait voulu dire sur les sujets qui lui tenaient à cœur. Elle voulait qu'Antoine connaisse non seulement son histoire, mais ce qu'elle pensait de la vie. Une montagne de papier sur lequel elle avait jeté ses pensées en vrac.

Elle aurait voulu les remettre immédiatement à Antoine, mais depuis le procès et surtout depuis la mort d'Achille, non seulement il ne lui parlait plus, mais il avait quitté la maison. Il habitait un petit chalet à Messines, avait-elle appris par l'institutrice du village, avec qui Antoine avait gardé de bons contacts.

Muguette Clément était entrée en enseignement comme d'autres entrent en religion. Elle avait la vocation, aimait ses élèves et était aimée d'eux. Antoine avait été marqué par son passage dans sa classe. Elle lui avait enseigné en sixième année à l'école d'Aumond. Antoine l'avait tant aimée que pendant plusieurs semaines, après avoir quitté sa classe pour entrer au secondaire, il avait refusé d'aller à l'école. Madame Clément était alors venue le voir à la maison, l'avait encouragé à poursuivre ses études et sa vie. Elle l'avait invité à venir la voir chaque fois qu'il en sentirait le besoin. Même si elle s'était retirée, elle avait gardé le contact avec Antoine qui venait lui livrer le courrier et lui faire la conversation. Quand, désemparé par la révélation du terrible secret, Antoine était venu la voir, elle l'avait écouté en silence.

Nicole décida de s'adresser à elle. Étant donné qu'elle avait été en contact avec lui récemment, peut-être pourrait-elle l'aider à rebâtir les ponts avec son fils. Muguette Clément ne cacha pas sa surprise quand Nicole lui téléphona.

— Je ne vois pas très bien ce que je peux faire, dit-elle, Antoine n'est plus un enfant.

— Il a toujours eu confiance en vous. Je sais qu'il est allé vous voir dernièrement, et j'en suis heureuse. Je comprends qu'il soit perturbé par ce qui s'est produit.

Nicole ne lui fournit pas plus de détail. C'était d'ailleurs inutile, tout le monde au village était maintenant au courant de l'histoire de Nicole. Et la vieille institutrice, qui avait reçu les confidences d'Antoine, la connaissait mieux que tout autre. Elle invita Nicole à passer chez elle, qui s'y rendit sur-le-champ.

— Je ne pouvais lui dire ce que j'aurais souhaité lui dire, alors je le lui ai écrit, dit Nicole en exhibant la pile de cahiers spirales.

— Nom d'un chien! s'exclama l'enseignante, qui s'attendait à la voir sortir une simple enveloppe.

Bien que Muguette Clément se soit toujours fait un devoir d'afficher ses bonnes manières d'institutrice, elle employait cette vieille expression de son père. Muguette considérait qu'elle lui rendait ainsi hommage. Dans son entourage, on lui avait fait remarquer que lorsqu'elle explosait en lançant un « nom d'un chien » tonitruant, elle trahissait ses racines paysannes. Rien n'y fit.

— Oui, je sais, dit Nicole en remarquant la surprise de madame Clément. C'est une longue… lettre, et je me demande si cela ne risque pas de perturber Antoine. Aussi j'aimerais bien que vous la lisiez auparavant et que vous me donniez votre avis.

Muguette Clément était mal à l'aise de pénétrer ainsi dans l'intimité de cette femme qui était toujours demeurée un mystère pour la majorité des gens du village, mais elle accepta néanmoins. Les deux femmes convinrent de se parler plus tard.

Nicole appréhendait ce que la femme allait lui dire. Elle avait jeté toutes ses pensées sur le papier sans s'arrêter, sans réfléchir à la construction des phrases, ni même à leur impact sur un éventuel lecteur autre que son fils. Peut-être que madame Clément, choquée de ce qu'elle y lirait, n'oserait plus lui parler, songeait Nicole. Elle regretta d'être allée la voir, pensa l'appeler pour lui dire de laisser tomber, puis se ravisa. Elle se demanda ensuite si la dame n'avait pas tout simplement transmis ses écrits à son fils sans y jeter un œil. Auquel cas, quelle avait été sa réaction ?

Durant une semaine, elle se tortura l'esprit. Le samedi suivant, la vieille institutrice se présenta au bureau de poste quelques minutes avant l'heure de fermeture. Madame

Clément avait sous le bras la pile de cahiers qu'elle avait attachée avec un ruban.

— Pourrais-je vous voir quelques minutes ? demanda-t-elle gravement à Nicole.

— Cer... tainement balbutia Nicole, inquiète de ce qu'elle voulait lui dire.

Elle fit passer l'institutrice dans son logis, lui servit une tasse de thé, puis alla fermer la porte du bureau de poste. « Elle n'a pas remis les cahiers, se dit Nicole. Et si elle prend la peine de venir me rencontrer, c'est probablement que ce qu'elle a trouvé dans ces cahiers lui a donné un choc. » Nicole tremblait lorsqu'elle se servit une tasse de thé à son tour, et qu'elle vint s'asseoir devant l'institutrice.

Madame Clément était plus âgée que Nicole d'une bonne douzaine d'années. Il y avait longtemps qu'elle s'était retirée de l'enseignement, mais on la présentait toujours comme l'institutrice du village. Son visage rond lui donnait un air jovial et sympathique. Une brave dame. Nicole fut surprise par son regard. Il y avait une sorte d'exaltation qui l'inquiéta. Les mains croisées sur la pile de cahiers devant elle, la vieille dame portait sur Nicole un regard différent. Il y avait dans ses yeux un mélange d'extase et d'émerveillement. Muguette Clément avait certainement subi un choc.

— Je... je... je m'excuse de vous avoir forcée à lire cela et..., balbutia Nicole.

Madame Clément explosa.

— Me forcer ! Nom d'un chien ! c'est la meilleure chose que j'ai lue depuis... depuis..., dit-elle en cherchant dans sa mémoire le titre d'un livre qu'elle avait préféré. C'est la meilleure chose que j'ai lue ! conclut-elle.

— Qu'est-ce que vous me racontez-là ?, répliqua Nicole, incrédule.

Muguette Clément cherchait ses mots :

— Madame Lyrette…, vous m'avez présenté une œuvre magnifique. J'en suis encore *retournée*. J'ai pris la liberté d'appeler un de mes amis qui travaille dans une maison d'édition et…

— Une maison d'édition ? Pour faire quoi ? explosa Nicole, sidérée.

— Je crois que ce que vous avez écrit devrait être publié et mon ami est prêt à regarder votre récit.

— Allons donc, madame Clément, ce n'est qu'une lettre à mon fils…, protesta Nicole.

— Ça ferait un très bon titre…

— Quoi donc ?

— *Lettre à mon fils*, je crois que ça serait très accrocheur comme titre.

Nicole était renversée. La vieille enseignante était sérieuse. Qu'est-ce qui pouvait provoquer autant d'enthousiasme dans ce qu'elle avait écrit ? Après tout, elle n'était que la postière d'un petit village. Sa vie n'avait rien d'intéressant. Elle lui posa la question.

— La simplicité de votre message, répondit-elle.

— Le message ! Quel message ?

Il n'y avait de message pour personne d'autre que son fils et si elle avait anticipé la réaction de la vieille dame, elle aurait probablement pris les huit cahiers, les aurait jetés au feu et aurait résumé sur un bout de papier ce qu'elle voulait lui dire : « Reviens Antoine, je t'aime. »

Ce qu'essayait de lui dire madame Clément, c'est qu'elle avait vu dans ses écrits un féminisme nouveau. Oui, comme d'autres femmes, elle avait été élevée dans un milieu qui l'enfermait dans son rôle traditionnel de femme. Elle avait brisé des tabous. Mais il n'y avait aucune velléité à l'égard des hommes dans ses écrits, soulignait Muguette. Pas de féminisme revanchard. Pas non plus d'un féminisme qui voyait les femmes à la place des hommes. Elle était une femme, point. Elle avait choisi sa vie et l'avait vécue selon ce qu'elle voulait. Mais plus que tout, elle racontait dans ses écrits l'incroyable histoire d'Achille et Adela, le célèbre couple d'Aumond

— Je crois qu'il y aurait bon nombre de lecteurs qui seraient intéressés à lire une histoire si originale, insista madame Clément.

Nicole refusa la proposition, mais quelques jours plus tard, madame Clément revenait à la charge. De guerre lasse, Nicole finit par accepter qu'elle remette les cahiers à son ami, mais elle se dit qu'un éditeur sérieux les rejetterait. Après tout, la plupart d'entre eux affirmaient ne retenir que trois manuscrits sur cent. Elle avait l'habitude d'écrire en surveillant son orthographe, mais au moment de rédiger sa lettre, elle n'avait pas vraiment porté attention à la structure des phrases et à l'élégance du style. En tant que responsable du courrier dans la municipalité, elle estimait important de soigner l'usage qu'elle faisait des mots dans les missives qu'elle affichait sur le babillard du bureau de poste. Après tout, elle devait donner l'exemple. Mais lorsqu'elle avait écrit à son fils, jamais cette préoccupation ne lui avait effleuré l'esprit.

« Et puis, pensa Nicole amusée, madame Clément trouve mon texte bon parce qu'il répond à un paquet de commérages. Mais quelqu'un de Montréal trouverait cela absolument... quétaine ».

Au bout de quelques semaines, elle insista pour récupérer ses cahiers pour les faire parvenir enfin à son fils. Deux autres semaines passèrent sans que les cahiers ne lui soient retournés et Nicole s'impatienta. Elle téléphona à la vieille institutrice.

— Écoutez, Madame Clément, je ne voudrais pas avoir l'air grincheuse mais j'insiste pour récupérer mes cahiers maintenant.

— Nom d'un chien, Nicole, il va vous publier ! s'écria-t-elle au comble de la joie.

— Quoi ?

— Il va publier votre livre. Il a été charmé. Il affirme qu'il a rarement vu un style si intéressant, si rafraîchissant, si vivant. Il veut vous rencontrer.

Nicole n'en revenait pas. Elle aurait voulu tenir les cahiers entre ses mains. Elle ne les avait même pas relus avant de les remettre à Muguette Clément. Elle se demandait quels passages, quelles parties, quelles phrases avaient pu justifier ces réactions. Tout ce qu'elle y avait dit n'était qu'une longue narration de ce qu'avait été sa vie. Elle décida de communiquer elle-même avec l'éditeur pour lui dire qu'elle refusait que sa lettre soit publiée. Lorsque Martial Michaud des Éditions de la Femme répondit, il refusa de lui retourner les cahiers.

— Si je dois vous retourner le manuscrit, dit-il, alors je veux vous rencontrer pour vous le remettre en mains propres.

Elle protesta, mais il lui promit de lui rembourser tous les frais de son déplacement. Elle hésita.

— Je vous réserve une chambre au Reine Elizabeth, ajouta-t-il. Ce qui finit de la convaincre.

Nicole avait toujours rêvé de passer une nuit dans cet hôtel prestigieux. La reine Elisabeth y avait-elle logé ? Elle ne le savait pas, mais elle aimait le croire. John Lennon y avait tenu son célèbre *bed-in*. De ça, elle était sûre.

— Soit, dit-elle, j'irai vous rencontrer, mais n'en espérez pas plus.

Elle arriva à Montréal la veille de leur rencontre et se rendit à l'hôtel. Nicole avait déjà logé dans des hôtels bas de gamme, mais cet établissement avait quelque chose de différent. De nombreuses personnalités du monde entier y étaient passées, mais surtout elle se souvenait, lorsque Paul Cole l'avait charmée, qu'il lui avait décrit cet endroit magnifique. Elle en avait toujours rêvé.

Le lobby était si luxueux qu'elle se sentit intimidée et faillit tourner les talons pour revenir à Sainte-Famille-d'Aumond. Dès qu'elle eut franchi la porte, un jeune homme en livrée voulut la soulager de sa valise qu'elle tenait à deux mains comme si elle craignait qu'on la lui vole. Elle résista quelques secondes, mais se rendit compte que l'homme ne partirait pas tant qu'il n'aurait pas mis la main sur son bagage. Elle céda et le suivit au comptoir sans quitter sa valise des yeux. Le préposé semblait si absorbé par son travail qu'il ne leva pas les yeux.

— Vous avez une réservation ? demanda-t-il, agacé d'être dérangé dans sa tâche.

— Si j'ai une réservation ? On m'a dit de me présenter ici, c'est tout ce que je sais.

L'homme quitta la liasse de papiers qu'il avait devant les yeux pour jeter un regard hautain sur la femme qui se trouvait devant le comptoir. À voir ses vêtements, elle n'était certainement pas une habituée des lieux. Il se demanda même si elle avait les moyens de se payer une chambre dans un tel établissement.

— Votre nom, je vous prie ?

— Nicole Lyrette, dit-elle, persuadée que l'homme allait lui signifier qu'elle ne pourrait pas avoir une chambre.

— Madame Lyrette ? s'écria l'homme, devenu subitement affable. Vous êtes Madame Lyrette ! Nous vous attendions. Monsieur Michaud nous a demandé de prendre grand soin de vous. Votre suite vous attend.

Il frappa dans ses mains et ordonna au garçon en livrée qui avait porté la valise de Nicole de la conduire à la chambre. Elle était intimidée de toute cette attention qui lui semblait totalement injustifiée. Nicole resta bouche bée lorsque, le garçon ayant ouvert la porte de la chambre, elle aperçut le décor envoûtant dans lequel elle allait passer la nuit. Elle fit le tour de la chambre en effleurant du bout des doigts chacun des meubles. Elle était émerveillée à l'idée de coucher dans une chambre où une grande vedette avait peut-être séjourné. À défaut de la reine Elisabeth, Céline Dion ou John Lennon faisait l'affaire.

Restée seule, Nicole fit encore plusieurs fois le tour de la chambre, allumant et éteignant le poste de télévision, puis chacune des lampes. Un panier de fruits frais avait été déposé sur la table. Elle n'osa y toucher, estimant qu'un tel présent ne pouvait lui être destiné. Elle regarda la carte. « Avec toute mon admiration », put-elle lire sur la carte signée de la main de Martial Michaud. Elle devait le rencontrer le lendemain pour déjeuner. Elle ne savait pas encore ce qu'elle allait lui dire, mais elle était toujours décidée à lui reprendre ses cahiers. Le téléphone sonna, la surprenant dans ses réflexions. Elle reconnut la voix du maître d'hôtel.

« Madame Lyrette, une table a été retenue à votre nom au restaurant de l'hôtel, pour ce soir. »

Une table ? Une table avait été retenue pour elle. Nicole vivait un rêve. Elle serait restée dans la chambre toute la soirée sans manger jusqu'au lendemain matin pour profiter de chaque minute. Elle se demanda d'ailleurs comment elle parviendrait à dormir.

Elle prit un long bain, admira cette splendide salle de bain et profita au maximum du luxe qui lui était offert. Elle savait que les grands hôtels plaçaient toujours des échantillons de shampoing, des sels et des huiles de bain à l'intention de leurs clients, mais elle se sentait presque coupable de les utiliser. Elle versa d'abord la moitié de la bouteille d'huile de bain en se disant qu'il ne fallait pas abuser, puis se ravisa et y déversa le contenu au complet. Après tout, elle ne risquait pas de revenir de sitôt dans un tel endroit. Submergée dans sa baignoire, elle savourait chaque seconde avec délices.

Le dîner fut sublime. Martial Michaud avait bien fait les choses. Elle eut droit à un magret de canard aux cerises dont elle allait déguster chaque bouchée. Lorsque le maître d'hôtel lui proposa du vin, elle demanda un vin bon marché. Il protesta :

— Jamais je ne vous laisserai sacrifier l'arôme et le goût de ce mets avec une piquette quelconque, Madame, dit le maître d'hôtel avec un accent français qui ne laissait aucun doute sur ses origines. Et puis, monsieur Michaud nous a recommandé de vous traiter *aux petits oignons*, comme vous dites ici. Puis-je me permettre de vous suggérer un Château Margaux 1989 ?

— Pourquoi pas, répondit-elle.

Nicole prolongea longuement la soirée. Au début, elle s'était dit qu'une bouteille de vin à elle seule, c'était beaucoup trop. Mais cet endroit, avec ses lustres, la grisait d'emblée. Elle fut surprise lorsque le garçon vida la dernière goutte de vin dans son verre. L'ivresse donnait une touche irréelle à ce rêve. Elle pensa qu'elle s'éveillerait sûrement sous peu, dans son lit à Aumond. Lorsqu'elle ouvrit les yeux le lendemain, elle était toujours dans la chambre de John Lennon.

Le déjeuner avec Martial Michaud eut lieu comme prévu le lendemain. Quelques heures plus tard, Nicole Lyrette reprenait le chemin de Sainte-Famille-d'Aumond. Sans ses cahiers.

Chapitre sept

Il y avait tellement à apprendre et à comprendre. Denis se montrait enthousiaste, désireux de savoir, d'accéder à la fameuse « connaissance universelle ». Il participait à toutes les rencontres et tentait, parfois difficilement, de mettre en application les précieuses recommandations qu'il tirait des conférences. Son alimentation changea et il dit adieu au médecin qui le soignait depuis des années. Denis se sentait mieux, beaucoup mieux. Les antidépresseurs que le docteur lui avait prescrits après le divorce furent évacués par la chasse d'eau. Il avait l'impression de se libérer et il respira à grandes goulées comme s'il venait de sortir d'une cage. Son entourage était heureux de constater la transformation positive.

Denis aspirait à une autre vie, et il trouvait dans le groupe les réponses qu'il attendait depuis longtemps, une justification et un sens à sa vie. Surtout, il se sentait important.

« Vous êtes précieux, Monsieur Tanguay », lui avait glissé Jouret à l'oreille, lors de leur seconde rencontre.

Le Maître venait de prononcer une de ses brillantes conférences et il s'était penché sur lui en le reconnaissant. Denis était fasciné. Cet homme, pensait-il, est assurément quelqu'un d'important, quelqu'un de grand. Son verbe est puissant. Chaque parole, chaque mot est un enseignement. Dès qu'il se présente quelque part, on se rassemble autour de lui pour l'écouter. Il parle d'un monde et d'un ordre nouveau. Denis en était presque venu à la conclusion que Luc Jouret pouvait être une réincarnation de Jésus-Christ. Vieux réflexe de catholique, il avait eu honte d'une telle pensée et l'avait refoulée. Elle revenait cependant le hanter et plus il y réfléchissait, plus elle semblait probable.

Steve, son ami qui l'avait accueilli après son divorce, avait exprimé des doutes lorsque Denis lui avait parlé de Jouret.

« Il est médecin, lui avait répondu Denis, outré, c'est quand même pas un charlatan. »

D'origine belge, Luc Jouret avait obtenu son diplôme, avait pratiqué la médecine traditionnelle, mais en empruntant aussi de nouvelles voies et en s'ouvrant à d'autres types de connaissances. Il était par la suite devenu citoyen suisse et voyageait à travers le monde. Il était même allé étudier les techniques des guérisseurs philippins. Un homme de science comme lui ne pouvait que dire vrai. Et il disait vrai. Ses explications étaient à la fois simples et truffées d'expressions aux résonances savantes. La logique de son discours et les solutions qu'il proposait semblaient indiscutables. Denis n'avait que faire des doutes de Steve. « Après tout, se disait-il, il est normal que cette compréhension ne soit pas accessible aux non-initiés comme Steve. » Il décida de cesser de le voir.

Denis était prêt à tout pour accéder à ce niveau supérieur dont Luc ne parlait qu'à demi-mot.

L'occasion se présenta un soir après une conférence de Jouret à Sainte-Agathe. Le Maître semblait préoccupé ce soir-là et il fit plusieurs fois référence à un monde qui existerait sur une autre planète. Denis était fasciné. Les paroles coulaient de sa bouche comme de source et on aurait dit qu'il était investi de connaissances qui dépassaient les limites humaines.

Après la présentation, il s'avança pour serrer la main de l'illustre orateur. Ses yeux cachaient mal l'admiration qu'il éprouvait à son égard. Chaque instant passé près de lui le rapprochait de cet univers que le Maître savait si bien décrire.

— Votre conférence était magnifique, lui dit Denis.

— Monsieur Tanguay, je suis heureux de vous revoir, lui répondit Jouret, apparemment indifférent au compliment.

Denis fut flatté que Jouret l'ait reconnu et désigné par son nom. Qui plus est, il l'avait appelé *Monsieur*. Il hésita, puis se lança :

— La dernière fois que nous nous sommes vus, vous m'avez dit que je pourrais être utile à votre groupe. Je crois que je suis prêt.

Il avait débité sa phrase d'un trait comme s'il avait préparé sa profession de foi et l'avait apprise par cœur.

Jouret ne s'attendait pas à cette soudaine déclaration de fidélité. Il choisissait avec soin ceux qui accédaient au niveau suprême de l'organisation. Denis Tanguay rencontrait visiblement toutes les conditions. Il pouvait sentir son pouvoir de domination sur lui et il en tirait une grande jouissance.

— Vous êtes toujours pilote d'avion, à ce que je crois, n'est-ce pas Monsieur Tanguay ?

— Oui, bien sûr, répondit Denis.

— Alors peut-être pourriez-vous piloter l'avion qui m'amènera ce soir à Ottawa ?

D'après le règlement, Tanguay aurait dû vérifier ses disponibilités auprès de son employeur, mais la chose ne lui effleura même pas l'esprit.

— Bien sûr, dit-il en essayant de contenir sa joie.

— Parfait, répondit Jouret, satisfait. L'un des membres de l'organisation dispose d'un appareil et il nous faut un pilote.

Cette idée de pouvoir voler quelques heures en compagnie de son mentor était un délice pour Denis.

Jouret était accompagné d'une femme fort élégante, une Française, qui n'ouvrit pas la bouche du voyage. Jouret choisit le siège près de Denis plutôt qu'une place à l'arrière, près de sa femme. Denis en fut flatté. Jouret parla longuement et lui fit part de ses théories concernant la planète Sirius, source de vie.

Il estimait que, à l'origine, l'Homme faisait partie d'une masse de savoir infinie. Une sorte d'esprit commun. Lorsque nous arrivions sur Terre dans le corps d'un humain, nous perdions une grande quantité de cette connaissance universelle. Le Maître s'employait, disait-il lui-même, à trouver les moyens d'ouvrir les verrous qui nous empêchent de retrouver cette conscience commune.

— N'avez-vous jamais eu l'impression d'être déjà venu dans un lieu où vous mettiez pourtant les pieds pour la première fois ? lui demanda Jouret.

— Bien sûr. Plusieurs fois même, répondit Denis, étonné, car il avait toujours cru qu'il était le seul à avoir ce genre de perception.

— Vous voyez. Votre esprit a retrouvé des fragments de mémoire commune relatifs à cet endroit. Pendant une brève fraction de seconde, vous avez revu des images qu'un autre a vues et qui font partie de la grande connaissance cosmique qui émane de la planète Sirius. C'est que, dans une autre existence, vous avez visité cet endroit.

— Mais comment pouvez-vous savoir tout cela ?

— Ils nous contactent, répondit froidement Jouret.

Denis ne douta pas un instant de ce que Jouret lui disait. Toute autre personne qui aurait fait une telle affirmation aurait soulevé des interrogations dans son esprit, mais le Maître savait.

Ils atterrirent à Ottawa où Jouret était attendu pour une conférence. Quelques heures plus tard, ils repartaient d'Ottawa. La discussion se poursuivit entre les deux hommes.

— J'aimerais que vous assistiez à notre prochaine séance lorsque nous entrerons en contact avec le Grand Maître, lui dit Jouret.

Denis ne répondit pas. Il ne songea même pas à manifester son accord. Cela allait de soi. Il n'avait aucune idée du moment ni du lieu de cette rencontre, mais il était prêt à tout abandonner pour y assister. Il accédait maintenant à l'Élite. Il y était arrivé. Il voyait s'ouvrir devant lui des possibilités sans fin.

Chapitre huit

Antoine préférait fuir. Fuir son passé. Celui qu'Achille lui avait légué. Fuir son présent aussi. Celui de sa mère et de son bureau de poste. Il avait déniché un petit chalet à louer sur le lac des Cèdres, à Messines. Le propriétaire l'occupait durant les mois de juillet et août, mais le louait le reste de l'année. Antoine s'était arrêté à Messines pour faire le plein et son œil avait été attiré par cette petite annonce épinglée sur le babillard de la station-service.

Le chalet n'était pas grand ni très luxueux. La construction, qui avait d'abord été une résidence d'été, devait avoir une quarantaine d'années et avait connu de meilleurs jours. Chaque année cependant, le propriétaire dénichait des matériaux de construction recyclés dans les ventes de garage. Toutes les fenêtres étaient de modèles et de dimensions différents. Il avait plus ou moins isolé les murs pour pouvoir profiter des lieux plus tôt au printemps et plus tard en automne. Quand Antoine avait décidé de louer l'endroit, le propriétaire l'avait averti : « C'est pas chaud en hiver. » Qu'à cela ne tienne. Antoine irait couper du bois et tiendrait le foyer bien rempli. Malgré ses efforts, cela ne suffisait pas toujours durant les nuits froides de janvier et de février. Il aurait fallu qu'il passe des nuits blanches à alimenter le feu. L'air froid entrait de partout et en moins de deux heures, il fallait à nouveau bourrer le foyer de bois.

Si le froid était parfois cruel, le panorama était magnifique. Le chalet surplombait le lac et on pouvait voir au loin. Avec l'automne, les montagnes en face s'étaient revêtues de jaune et de rouge. Durant quelques semaines, le paysage fut féerique. Puis la grisaille de novembre suivit. Les arbres perdirent leurs feuilles et les derniers canards quittèrent pour le Sud. Ne subsistaient plus que le gris des arbres dénudés et le vert sombre des conifères. Pendant quelques semaines, le temps sembla s'arrêter. Puis, soudainement, ce fut le blanc absolu, aveuglant. On aurait dit que la forêt, grise la veille, avait soudainement été javellisée. Les arbres ployaient sous la neige lourde et humide. Peu à peu, le lac s'était refermé. La glace avait gagné la bataille et couvrait tout le plan d'eau. De son chalet, Antoine pouvait voir les cerfs s'aventurer sur la surface gelée. Il craignait pour eux que la glace, mince comme une feuille de papier, cède sous leur poids. Chaque jour apportait sa surprise. Quand ce n'était pas une nouvelle tempête de neige, c'était un animal qui faisait son apparition.

Durant huit mois, il vécut en ermite, sortant peu du chalet sauf pour aller chercher des denrées au village. L'année 1990 avait été celle des grandes révélations et des grands déchirements. Il espérait que 1991 lui apporte des réponses ; il se sentait à la croisée de chemins, mais il ne parvenait pas à voir quelle route prendre. Que devait-il faire ? Il recevait des prestations d'assurance-chômage, mais il lui faudrait trouver quelque chose d'autre pour survivre. Retourner à Sainte-Famille-d'Aumond était impossible. Il avait l'impression de ne plus y avoir sa place. Qui était-il au juste ? Le fils de Paul le voleur ou celui de Nicole la postière ? Le petit-fils d'Achille ou le descendant d'Adela la Terre-Neuvienne ? Il ne voulait pas y penser car cela provoquait toujours une vague de souvenirs, de remords et de regrets.

Il avait entendu dire que les enfants adoptés, quel que soit l'amour que leur famille d'adoption leur avait donné, finissaient toujours par rechercher leurs parents biologiques. Cela devenait, disait-on, une obsession. Ils auraient mis le monde sens dessus dessous pour les retrouver. Antoine se sentait comme ces enfants, mais il savait où était son père. Il lui aurait suffi de se rendre au Centre de détention de Hull où il finissait de purger sa peine. Cette idée le choquait. Comment pouvait-il envisager de rencontrer cet homme ? Et pourtant, il y rêvait parfois et se réveillait en sueurs malgré les nuits froides dans son chalet. Bien qu'il était certain que l'homme dans son rêve était bien Paul, il ne parvenait pas à voir son visage. Se cachait-il d'Antoine ou était-ce son propre esprit qui refusait de laisser son image se révéler ? Cette idée devint si obsédante qu'Antoine admit qu'il n'y avait qu'une seule façon d'y mettre fin. Se rendre à la prison de Hull.

Paul Cole n'avait plus que quelques semaines à user les dalles de sa cellule à force de tourner en rond, et à se protéger des autres détenus avant de retrouver sa liberté. Lorsqu'il était arrivé en prison après avoir été condamné à seize mois de détention pour avoir tenté d'escroquer son père, Paul était déjà connu. L'histoire du *Vieil homme au canot* avait franchi les murs du bagne. Il en eut la preuve le premier jour lorsqu'il se présenta à la cafétéria. Il attrapa un plateau pour prendre son repas, mais, derrière le comptoir, le prisonnier préposé au service l'ignora complètement.

— Alors, cuisse de poulet ou pâté chinois ? demanda-t-il au suivant.

— Poulet, répondit le détenu.

L'homme passa devant lui. Paul voulut commander,

mais le préposé l'ignora une nouvelle fois et s'adressa au suivant. Cette fois, Paul éleva la voix :

— Aye, c'est mon tour.

À cet instant, le détenu derrière lui l'agrippa par le collet, saisit la fourchette de plastique sur son plateau et en avança dangereusement la pointe vers l'œil de Paul en vociférant des menaces :

— Écoute mon sale. Ici, y a personne pour défendre les écœurants de ton genre. Si tu veux te plaindre, on va s'occuper de toi.

Paul ne demanda pas son reste. Il avait compris. Il attendit en silence que tout le monde soit servi. Il avait entendu des histoires de prison et il savait que la violence y était omniprésente. Il savait aussi que celui qui était pris en grippe par les autres détenus subissait les pires affronts, les pires sévices. Quand il estima que tous avaient été servis, il passa sa commande :

— Du poulet.

— Il n'y en a plus, répondit l'homme derrière son comptoir, en poussant devant lui une assiette de pâté chinois.

— Mais…, marmonna Paul, alors qu'il pouvait voir plusieurs morceaux de poulet dans un plat.

Il se ravisa, prit l'assiette qui lui était tendue et alla s'asseoir seul dans son coin. Son séjour dans le milieu pénitentiaire débutait difficilement et il en serait ainsi jusqu'à sa sortie.

Ce samedi-là, comme tous les jours d'ailleurs, Paul était assis à regarder une émission de télévision que les autres détenus avaient choisie. Pas question pour lui de demander à regarder une autre chaîne. Le caïd des lieux avait décidé de regarder le match de football. Paul n'aimait pas le football. Il n'aimait aucun sport. Mais il n'y avait rien d'autre à faire. Il avait terminé ses corvées de la journée et il ne lui restait plus qu'à attendre le moment où on leur demande-rait de regagner leur cellule pour la nuit. « Cole ! » cria le gardien.

Paul ne réalisait pas que le gardien s'adressait à lui. « Cole ! répéta le gardien en criant son nom plus fort. T'as une visite ! »

Paul était surpris. Depuis qu'il était ici, seule sa femme venait le voir au début, puis elle espaça ses visites. Ce ne devait pas être elle, puisqu'elle avait l'habitude de venir le dimanche. Quand Paul vit le jeune homme derrière la vitre épaisse qui les séparait, il ne le reconnut pas tout de suite. En fait, il n'avait vu de lui qu'une photo dans le journal. Antoine avait les cheveux plus longs à l'époque. Il lui fallut quelques secondes pour se rendre compte qu'il s'agissait du fils de cette Nicole. Son fils, en fait. Il hésita à s'asseoir, ne sachant pas à quoi s'attendre. De son côté, Antoine scru-tait son visage, essayant d'y déceler une ressemblance, un gène commun.

— Ainsi c'est toi mon supposé fils ? demanda Paul, mé-fiant.

— C'est vous, mon supposé père ? répliqua Antoine blessé par la question.

— Alors, que veux-tu ? Savoir si c'est vrai, n'est-ce pas ? Tu veux savoir s'il y a une ressemblance entre toi et moi ?

Antoine avait imaginé toute sorte de scénarios pour cette première rencontre, mais pas celui-ci.

— C'est un peu ça, admit-il.

— Paraît que tu as hérité du *Vieux* ?, demanda brutale-ment Paul.

Une lueur de colère passa dans les yeux d'Antoine. Il n'appréciait pas cette façon de parler d'Achille, ni la référence à cet héritage. Cet héritage dont il ne savait que faire. Il ne répondit pas. Paul reprit :

— Écoute, mon gars...

Il l'avait appelé *mon gars*.

— Écoute, mon gars, si tu ne sais pas quoi faire avec la ferme, je pourrais avoir un bon prix pour la terre, ...si tu veux t'en défaire. Je te chargerais pas cher.

Le jeune homme était furieux. Il avait cru, en entendant *mon gars*, qu'il tendait une perche, ouvrait une porte qui allait lui permettre de mieux le connaître. La gifle était forte. Tout ce qui intéressait cet homme, c'était de *faire une passe*.

— D'abord, c'est pas certain que je sois votre fils, lui lança Antoine, furieux. Et puis, je déciderai bien moi-même de ce que je veux faire de cet endroit-là.

Paul se mit à rire.

— Regarde-toi, fiston, tu me ressembles comme deux gouttes d'eau quand j'avais ton âge. Veux-tu qu'on fasse un test de paternité ? Je suis certain que ce serait positif. Alors on est proche parent toi et moi.

Paul sentait qu'il serait peut-être bon de s'accrocher au jeune Antoine. Il se laissait ébranler facilement. Il avait senti son malaise quand il lui avait proposé le test de paternité.

— C'est faux, balbutia Antoine qui s'apprêtait à partir.

— Assieds-toi. C'est la première fois que je te vois. Donne-moi encore quelques minutes. Qu'est-ce que tu veux savoir au juste ?

Antoine hésita. Il se rassit, regardant autour de lui pour vérifier si les autres visiteurs avaient perçu son trouble. Le seul qui n'aurait jamais dû s'en apercevoir, s'en était bien rendu compte.

— Je veux savoir pourquoi.

— Pourquoi quoi ? Pourquoi je suis parti ?

— Après avoir laissé ma mère enceinte.

— D'abord, je ne l'ai jamais su, qu'elle était enceinte. Tu devrais demander à ta mère pourquoi elle ne m'a jamais rien dit.

— Mais si vous l'aviez su, qu'auriez-vous fait ?

La question déconcerta Paul.

— Je... je... j'aurais pu te voir, mentit Paul.

Il n'avait jamais voulu d'enfants. Marié trois fois, il avait toujours refusé d'en avoir. Deux fois, la question des enfants avait été au cœur de sa rupture. Il savait bien qu'il n'aurait jamais accepté de voir, ni même de reconnaître Antoine de crainte que cette Nicole puisse un jour lui réclamer une somme d'argent. Mais la situation était différente maintenant. Ce jeune homme avait de la valeur. Il disposait d'un bien que Paul croyait sien. Il valait mieux qu'il lui laisse croire que sa fibre paternelle aurait pu vibrer pour lui.

— Si j'avais su... mais je ne l'ai jamais su.

— Et pour Achille ? Pourquoi avoir abandonné Achille ?

— Achille, ce n'était pas mon père, répondit-il sèchement. J'ai détesté ce qu'ils m'ont fait subir quand j'étais jeune. Ils étaient si étranges. Tout le monde riait de nous. De moi. Mais toi, tu dois connaître cela. Enfant sans père, d'une femme n'ayant jamais eu de relation connue avec un homme. Je me demande bien pourquoi d'ailleurs.

Antoine ne savait pas quoi dire. Cet homme avait en partie raison. Il avait toujours détesté être l'objet de commérages. Et, surtout, il était un sans-père. Peut-être ce personnage odieux avait-il raison. Ils étaient pareils, au fond.

— Écoute petit, on pourrait se revoir quand je serai sorti

d'ici. J'aimerais te connaître mieux, lui proposa Paul, qui sentait que la conversation achevait.

Il avait la conviction qu'il devait maintenir un lien avec Antoine, au cas où il aurait besoin de lui. Et puis, il y avait cette terre qui avait été la cause de ses malheurs. En gardant contact avec Antoine, il pourrait peut-être tirer quelque chose de ces quelques arpents qui auraient dû lui revenir.

— Peut-être, répondit Antoine, hésitant.

Chapitre neuf

Denis avait repris le travail pour la petite compagnie aérienne qui l'avait embauché en Abitibi. Il faisait la navette entre Val d'Or, les pourvoiries isolées en forêt, et les villages autochtones. Bien que le vol de brousse soit plus excitant pour un pilote que celui des avions de ligne, le pilote de brousse ne jouissait pas d'un statut aussi prestigieux. Il fut presque surpris de recevoir l'appel de son ami Paul Germain d'Hydro-Québec quelques mois après son périple à Ottawa. Beaucoup de temps s'était écoulé et Denis craignait d'avoir manqué de tact avec Jouret.

— Tu es chanceux. Le Maître te veut parmi les siens, lui dit-il d'entrée de jeu.

— Que veux-tu dire ?

— La prochaine cérémonie qui permettra d'entrer en contact avec les forces de Sirius aura lieu au solstice d'été 1992, et le Maître a demandé que tu y assistes.

Denis était transporté de joie. Il s'était procuré plusieurs discours écrits de la main de Luc, mais il n'y avait pas retrouvé la flamme qu'il dégageait par sa présence et qui soulevait ceux qui l'écoutaient. Il songea aux précieuses minutes qu'il avait passées dans l'avion en compagnie de Jouret. Leur discussion avait été brève, mais il s'était senti privilégié de pouvoir discuter avec cet homme, presque d'égal à égal, alors que les autres devaient se contenter de l'écouter à distance. Et maintenant, il entrait dans le cercle des initiés.

En repensant aux épreuves qu'il avait vécues et au profond état de découragement qui l'avait accablé au point où il avait songé à s'enlever la vie, Denis n'arrivait plus à voir son ancienne vie de la même façon. Peu après sa séparation, il aurait tout donné pour retrouver sa femme, ses enfants, sa maison et sa vie. Aujourd'hui, il était presque heureux que tout cela soit arrivé. Il avait découvert une voie vers l'excellence.

Jouret lui avait promis une place d'honneur dans son équipe et il se proposait même d'en faire son pilote personnel pour ses déplacements à travers le monde. Jouret était invité partout. Il s'était rendu aux Philippines pour rencontrer les médecins guérisseurs qui opéraient leurs malades sans instrument, à mains nues. Il allait fréquemment en Suisse, en France, en Belgique et même aux États-Unis en dépit de la faiblesse de son anglais. Même si Denis ne lui avait servi de pilote qu'une seule fois pour un bref voyage, il s'imaginait déjà volant d'une grande ville à l'autre à travers le monde en compagnie du Maître.

La rencontre aurait lieu à Morin Heights dans les Laurentides où le groupe disposait d'un chalet. Denis savait que l'organisation avait plusieurs propriétés un peu partout dans le monde, dont un chalet à Saint-Sauveur, une ferme à Sainte-Anne-de-la-Pérade et une autre à Saint-Casimir au Québec où vivaient de petites communautés issues de l'Ordre. Mais c'est à Morin Heights que les grandes célébrations avaient lieu et seuls les Grands Templiers y assistaient. Denis devrait s'absenter pour deux journées afin d'y prendre part, peut-être trois avait dit Paul. Il en informa son patron qui s'y opposa vivement. Sa compagnie était en pleine période d'activité, les pêcheurs fortunés arrivaient par centaine à la recherche du lac-à-la-pêche-miraculeuse.

Depuis quelques années, la qualité de la pêche avait grandement diminué sur les lacs accessibles par route. Ce passe-temps n'était plus le loisir exclusif des riches. Les moins fortunés s'entassaient de plus en plus nombreux dans de vieux 4 X 4 pour aller écumer les lacs autrefois réservés aux riches. Avec l'avion, qui permettait d'atteindre des endroits isolés, les riches retrouvaient le privilège que l'argent leur procurait. Rares étaient ceux qui pouvaient débourser plusieurs centaines, voire des milliers de dollars pour aller dans un paradis de pêche.

Mais Denis ne voulait pas manquer ce premier rendez-vous avec l'excellence. Il avisa son patron qu'il ne pourrait se désister. Même qu'il mentit en lui expliquant qu'il devait aller voir sa fille hospitalisée pour une chirurgie. Quand l'homme lui demanda de quoi elle souffrait, il patina, essaya de trouver quelque chose, sans grand succès. Il obtint son accord, sans toutefois l'avoir convaincu.

Lorsqu'il prit la route de Montréal, il était heureux. Il ouvrit la radio et passa sur les postes qui débitaient des nouvelles. Ils étaient déprimants. Lorsqu'il reconnut *Hey Jude*, des Beatles, il choisit ce poste qui faisait jouer de la musique des années 1970. La route entre Val d'Or et Montréal ne lui avait jamais paru si agréable. Il chanta en chœur avec la radio. Il fit un arrêt pour prendre de l'essence et manger. Il eut presque envie de draguer la fille assise à la table voisine, mais s'en garda. Il y avait des choses trop importantes qui l'attendaient.

Chapitre dix

Antoine apprit la nouvelle de façon étrange. Reclus dans son petit chalet à Messines, ses seuls contacts avec le monde extérieur étaient le bureau de poste et le magasin général du village. Un endroit chaleureux où il trouvait à peu près de tout. Le propriétaire conservait un choix varié de produits pour un petit magasin. Un étalage de fruits et légumes raisonnablement frais, un petit comptoir de vin et d'alcool qu'il choisissait avec soin, et une boucherie qui attirait une clientèle de l'extérieur du village. Comme Antoine n'avait pas de téléphone, c'est à cet endroit et au bureau de poste qu'il faisait et recevait ses téléphones. Parfois, il arrivait à l'épicerie et le propriétaire, Louis Lafrenière, lui lançait :

— Elle a encore appelé, tu sais ? Si tu veux utiliser le téléphone, tu peux le prendre dans mon bureau.

— Non merci, ça va. Je la rappellerai plus tard, répondait Antoine, invariablement.

Louis Lafrenière savait qu'il ne la rappellerait pas. Chaque fois qu'elle appelait, elle demandait s'il lui avait bien fait le message. Louis trouvait la situation pathétique. Tout le monde connaissait l'histoire d'Antoine. Au bureau de poste de Messines où Antoine allait chercher son courrier, le maître de poste avait malhabilement tenté d'agir en tant qu'intermédiaire entre Antoine et sa collègue de Sainte-Famille-d'Aumond. Il connaissait Nicole Lyrette de longue date et l'admirait. Au début, il avait insisté pour

remettre de main à main à Antoine les lettres provenant de
sa mère, puis il avait tenté de raisonner le jeune homme
pour qu'il se réconcilie :

— C'est-tu pas malheureux de voir ça. Tu pourrais lui
donner signe de vie, au moins.

— Le maître de poste a devoir de réserve et discrétion,
lui répondit Antoine, en citant mot à mot l'un des premiers
articles du code de déontologie de Postes Canada. Vous
vous mêlez de ce qui ne vous regarde pas.

Il en avait eu le bec cloué et n'avait plus insisté. Antoine
avait beau exiger le respect de sa vie privée, il savait que le
procès d'Achille en avait étalé tous les détails sur la place
publique. En fait, sa mère avait révélé au grand jour ce
qu'elle n'avait jamais osé lui avouer. Il s'était retrouvé sous
les projecteurs des médias. Aujourd'hui, il voulait faire
sortir tous ces intrus de son jardin secret. Il n'avait pas ouvert les lettres qu'elle lui avait envoyées. Sa colère à l'égard
de sa mère n'était pas tombée. Il avait reçu un paquet qui
lui avait été envoyé de Montréal, et il l'avait ouvert pour
reconnaître l'écriture de sa mère dans une série de cahiers
et de feuilles. Il avait jeté la boîte dans un coin sans même
en lire une ligne, frustré de s'être fait avoir par ce colis dont
l'adresse de retour indiquait Montréal. Depuis, Nicole
Lyrette n'envoyait plus que des cartes postales, consciente
qu'Antoine n'ouvrait probablement pas ses lettres. Elle espérait qu'avec une carte postale, il lirait au moins les quelques mots écrits à l'endos. Elles s'étaient toutes retrouvées
dans le même coin que le paquet.

En entrant au magasin général ce jour-là, Antoine s'attendait bien à ce que Louis Lafrenière lui répète que sa mère
venait d'appeler, mais il n'en fit rien. Au contraire, il se précipita dans sa direction en lui tendant la main :

— Ah! Bravo! Bravo! Vous avez de quoi être fier, dit l'épicier, visiblement enthousiaste.

— Mais… de quoi parlez-vous? demanda Antoine à la fois amusé et surpris.

— Quel succès mon ami! Quel succès! Elle fait la première page de tous les journaux.

— De qui parlez-vous?

— De votre mère. Regardez, dit Lafrenière en exhibant le journal *Le Droit*, qui faisait sa première page avec la photo de Nicole.

Elle était toute souriante et montrait un livre ainsi qu'une décoration. Le titre se lisait comme suit: *Lettre à mon fils*: *Le livre de Nicole Lyrette reçoit le Grand prix de la littérature du Québec.*

— J'en ai fait rentrer une cinquantaine d'exemplaires et il y en a déjà la moitié de partie, dit l'épicier avec fierté.

Antoine était abasourdi. Qu'est-ce que c'était? De quoi s'agissait-il? Sa mère avait écrit un livre qui s'appelait *Lettre à mon fils*? Il acheta le journal et quitta immédiatement le magasin pour éviter les questions et les commentaires de Louis. Il se rendit au petit restaurant de la place, cherchant un peu d'intimité pour lire le texte en question, mais Chez Emma, tout le monde était au courant.

«Le voilà. Ah mon petit garçon! s'exclama Emma, qui avait tendance à appeler tout le monde «mon petit garçon». Si vous saviez comme j'ai été touchée par le livre de votre mère. Vous devriez être fier. Moi j'ai pleuré quand elle décrit votre naissance.»

Emma était un véritable moulin à paroles. Elle y alla de commentaires et d'anecdotes qu'elle avait lues. Des détails qu'Antoine ignorait. Il trouvait odieux que cette dame, qu'il ne connaissait pas il y a quelques mois, ait pu lui décrire sa propre naissance. C'est à peine si elle ne lui avait pas vu les fesses, selon son compte rendu de lecture. Antoine attrapa un sac de bonbons sur le comptoir. Il ne voulait pas de ces bonbons, mais il cherchait un prétexte pour prendre la porte rapidement. Acheter quelque chose et sortir.

Il marcha longtemps, évitant de s'arrêter de peur que quelqu'un ne vienne encore une fois lui dire qu'il savait tout de lui, y compris ce que lui-même ne savait pas. Il arriva au quai public que la municipalité avait aménagé sur le lac Blue Sea. Le printemps avait fait fondre la neige et le lac était enfin libéré de ses glaces, mais la horde des villégiateurs était encore absente des lieux. En juin et juillet, la surface du lac grouillerait de bateaux, de planches à voile, et le silence serait perturbé par le grondement des moteurs. Mais, en cette journée de printemps, le cours d'eau était calme. Sa surface était lisse, presque sans ride.

Il regarda longuement la photo de la première page avant de se décider à ouvrir le journal. Le texte présentait un bref résumé du livre. Il s'agissait du récit « poignant », disait la journaliste, de la vie de Nicole Lyrette, postière, féministe à une époque où le mot n'existait pas encore. L'auteure du texte indiquait que le livre avait connu le succès dès sa sortie. La remise du prix du Gouverneur général venait couronner le tout et ouvrait la voie à une diffusion internationale. Il était même question de le traduire en anglais. L'éditeur cité dans l'article racontait avoir reçu le bouquin sous forme de huit cahiers écrits à la main, qu'une amie lui avait fait parvenir. Il avait lu les cahiers et avait été immédiatement passionné par le récit.

« Comment a-t-elle pu ? » grommela Antoine.

Il avait réalisé en lisant le texte que le paquet qu'il avait reçu contenait les fameux cahiers, et s'ils provenaient de Montréal, c'est probablement parce qu'ils lui parvenaient directement de l'éditeur. Il avait refusé de les lire. Aujourd'hui, il était trop tard. « Tu aurais dû me le dire avant », avait-il dit à sa mère en quittant la maison, alors qu'elle tentait de lui expliquer.

La ferveur médiatique qui avait entouré l'odyssée d'Achille l'avait grandement affecté. Il avait toujours refusé de répondre aux questions des journalistes. Sa mère aussi d'ailleurs. Mais ça, ce foutu bouquin, c'était pire que le procès. Tout devait y être. Même les choses les plus intimes de sa vie. Il fallait qu'il parte, qu'il disparaisse dans le décor pour qu'on ne le reconnaisse pas. Il était temps qu'il sorte de sa léthargie. Le printemps arrivait et il savait qu'il devrait quitter le chalet dès le mois de juin, lorsque le propriétaire reviendrait pour ses vacances estivales. Mais pour aller où ?

Il aurait voulu partir, faire comme ces héros légendaires et s'engager dans la Légion étrangère ou quelque commando d'élite chargé de missions périlleuses dans de lointains pays. Comme ce père imaginaire, héros de l'aviation qu'il avait créé de toutes pièces pour combler le trou béant de son absence. Le seul obstacle, c'est qu'il ne croyait pas à la guerre. Quand il imaginait son père en pilote de guerre, il était toujours du côté de la défense des faibles et des opprimés. Tous les pilotes qu'il avait abattus ne pouvaient être que des monstres, des Barons rouges vilains et assoiffés de sang. La vie adulte lui avait appris que la réalité était tout autre. Bien sûr, il y a des monstres, mais ce ne sont jamais eux qui reçoivent les balles ennemies. Ceux qui meurent ne sont que des innocents sacrifiés à la bêtise humaine. Antoine n'aurait jamais pu vivre le perpétuel conflit moral auquel le soldat était confronté : tuer pour faire la paix. Mais comment partir, quitter ces lieux chargés de souvenirs si douloureux ?

Il était plongé dans sa réflexion, cherchant dans les eaux calmes du lac Blue Sea une solution à ses problèmes, lorsque, surgissant de derrière une montagne, dans un boucan incroyable, un gros avion apparut. Il se dirigeait en ligne droite vers le quai public et descendait lentement vers la surface de l'eau. L'appareil était énorme, impressionnant. On aurait dit un gigantesque pélican jaune. Il frôla la surface de l'eau, sembla sur le point d'amerrir, mais remit les gaz en laissant son ventre labourer l'onde. Il laissait dans son sillage de grandes vagues qui iraient mourir sur la berge. L'appareil grossissait en direction d'Antoine. Il avait souvent vu les appareils de la Société de protection des forêts contre le feu, la SOPFEU, sillonner le ciel en route vers un incendie de forêt à combattre, mais il n'en avait jamais vu en action, d'aussi près. Antoine commença à s'inquiéter en constatant que l'avion, loin de ralentir, semblait prendre de la vitesse sans pour autant remonter. Puis au dernier moment, le nez de l'appareil se releva et sortit du lac d'un seul coup, laissant une longue traînée d'eau retomber derrière lui. En sept secondes, l'appareil venait de puiser des milliers de litres d'eau qui seraient largués sur les flammes qui dévoraient la forêt quelque part. Le feu devait être tout proche pour que l'appareil vienne écoper sur le lac Blue Sea.

Antoine admira l'habileté du pilote et les dimensions impressionnantes de l'appareil. Il était si bas qu'il crut le voir aux commandes qui lui faisait un signe de la main, derrière la vitre du cockpit. Il aurait voulu que son père soit un de ces valeureux pilotes. Il aurait souhaité voler en sa compagnie, s'en aller à tire d'aile, loin d'ici, combattre les flammes. L'avion était passé depuis plusieurs minutes lorsque l'idée germa dans la tête d'Antoine. C'est ce qu'il voulait devenir. Un pompier de la forêt. Combattre les flammes et devenir pilote d'avion. Le projet semblait d'autant plus réaliste que la base était située tout près et qu'il pouvait s'y rendre immédiatement.

La saison des feux de forêt battait son plein à la SOPFEU et le quartier général situé près de l'aéroport à Messines grouillait d'activité. En avril déjà, les équipes avaient eu à combattre une trentaine de feux de forêt, et le mois de mai s'annonçait pire. Le printemps était arrivé soudainement, marqué par une longue période de beau temps et de sécheresse. La neige était partie aussi rapidement qu'un chagrin d'enfant : beaucoup d'eau en peu de temps et un soleil radieux par la suite. Le sol s'était asséché avant que la verdure ne soit apparue pour retenir l'humidité et réduire pendant une courte période l'inflammabilité. La forêt était maintenant recouverte d'un épais tapis de feuilles et d'aiguilles sèches que la moindre étincelle pouvait faire flamber. Les feux se propageaient si rapidement qu'entre le moment où un incendie était signalé et celui où les pompiers intervenaient, sa superficie pouvait avoir quintuplé.

Lorsque Antoine se présenta au bureau de la SOPFEU, le responsable des troupes de combat, Michel Ledoux, était sur les dents. Un nouveau feu de forêt venait de se déclarer et toutes ses équipes étaient en action. Il lui fallait constituer un nouveau groupe de combattants rapidement, mais tous les hommes d'expérience étaient déjà au combat. La directive était claire dans ces conditions : embaucher tout homme en bonne condition, lui fournir un minimum de formation et l'envoyer sur le terrain. Ledoux n'aimait pas ce genre de situation. C'était risqué. Les nouveaux ne connaissaient pas le feu, et encore moins les feux de forêt. C'est un ennemi sournois. Les envoyer au cœur de l'enfer équivalait à les mettre en péril. Généralement, le feu faisait l'objet d'une attaque initiale de la part des avions-citernes, lesquels étaient suivis par des équipes de choc qui prenaient le relais pour le neutraliser. Les nouveaux arrivaient après que les pompiers de l'équipe d'attaque soient passés et aient réduit le feu à quelques foyers sans danger, mais qu'il fallait rapidement éteindre pour finaliser l'opération. On les chargeait d'un lourd bidon d'eau qu'ils portaient sur leur dos comme un havresac, tenant à la main la pompe que les hommes avaient baptisé la *crosseuse* et qui leur servirait à éliminer les dernières flammes. Les *crosseux* ou *chasseurs de boucanes* étaient considérés comme des « bleus » par le reste de l'équipe, comme dans l'armée, où ce terme désigne les nouveaux combattants. Ils arrivaient alors que l'action était terminée. Ce surnom incitait celui qui en était affublé à monter le plus rapidement possible en grade.

Mais ce qu'on demandait à Michel Ledoux aujourd'hui, c'était de constituer une équipe d'attaque avec des nouveaux. Il n'avait pas le choix et il priait le ciel pour que l'équipe s'en tire bien. Pour s'en assurer, il lui fallait mettre au moins un homme d'expérience dans le groupe. Il se résolut à appeler Edgar Commanda, Algonquin de la communauté de Kitigan Zibi, près de Maniwaki. Commanda avait été un des meilleurs chefs d'équipe de la SOPFEU. Sa connaissance intime de la forêt lui permettait d'anticiper les situations et, parfois, d'orienter les actions des avions. Il savait que dans tel secteur, le sapinage était abondant et brûlerait rapidement, alors que dans tel autre, les grands feuillus viendraient ralentir la progression des flammes.

Commanda avait quitté la SOPFEU en claquant la porte quelques années auparavant. Le conflit avait éclaté alors que les responsables avaient eu un choix difficile à faire : envoyer les avions-citernes protéger les opérations d'une compagnie forestière ou les diriger vers un groupe de cabanes aménagées par les chasseurs et pêcheurs algonquins du Grand-Lac-Victoria. La SOPFEU avait choisi le site des opérations forestières, laissant les cabanes, dont certaines avaient été entretenues depuis des centaines d'années, à la merci des flammes. Quand les équipes étaient arrivées au Grand-Lac-Victoria le lendemain, tout avait été détruit. Commanda leur en avait voulu. Depuis longtemps, il avait supporté le racisme latent qui marquait les relations entre Blancs et Algonquins. Il avait accepté la dictature de la majorité. Mais cette décision lui avait semblé injuste. Le feu avait éclaté dans une zone sous exploitation forestière. Un feu mal éteint ? Un mégot de cigarette lancé par un travailleur ? On n'en savait rien. L'incendie était limité à une zone de feuillus et semblait sous contrôle. Plus au nord cependant, les flammes menaçaient de prendre des proportions importantes. Les nouvelles feuilles n'étaient pas encore sorties dans cette forêt composée principalement de conifères, et le sol était sec. Commanda savait combien ce secteur de la réserve La Vérendrye était important pour les Algonquins. Le territoire regorgeait de bleuets et de fruits sauvages, ainsi que d'herbes médicinales qu'on ne retrouvait nulle part ailleurs. Et puis, il s'agissait d'un important lieu de rencontre pour les chasseurs algonquins du lac Victoria. L'automne, ils s'y regroupaient pour chasser le gros gibier avant l'hiver. Ils y revenaient pour étendre leurs pièges durant l'hiver et l'été, l'endroit était entouré de lacs poissonneux où ils pouvaient tendre leurs lignes. Lorsqu'il était arrivé sur les lieux, Edgar avait vu la désolation. Tout avait brûlé : les herbes, les bleuets et les baies sauvages, les arbres centenaires, les abris de chasse et de pêche que leurs ancêtres avaient érigés ; partis, les orignaux et les animaux. Commanda n'était plus revenu à la SOPFEU.

Ledoux était conscient de la rancœur de Commanda et se souvenait des événements qui avaient conduit à son départ. Lorsqu'il lui téléphona pour avoir son aide, Ledoux utilisa tous les arguments auxquels il pouvait penser pour le convaincre. Il le supplia d'abord, invoqua la vieille amitié qui les liait, puis se rabattit sur le fait qu'il aurait sur la conscience tous ces arbres et ces animaux s'il n'apportait pas son aide. Commanda finit par dire oui lorsque l'autre lui avoua qu'il n'avait que lui pour conduire une bande de « bleus » au combat.

Soulagé, il lui restait maintenant à constituer l'équipe. Il lui fallait une douzaine de gars suffisamment solides pour affronter le travail et le danger. On avait lancé un appel général à la radio pour appeler les hommes valides à venir prêter main-forte. Il y avait une bonne cinquantaine de candidats à la porte du hangar aménagé en salle d'entrevue. Le premier avait été refusé par Ledoux. L'homme était connu comme ayant un problème chronique d'alcool. Son nez rougi le trahissait. Pas question de mettre un élément aussi dangereux dans l'équipe. Puis il y avait eu un groupe d'étudiants. Les classes venaient de se terminer au collège et ils étaient à la recherche d'un emploi. Ils venaient d'avoir dix-huit ans et estimaient être des hommes.

« Ils ont le cuir mou, mais un petit séjour en forêt ne leur fera pas de tort », songea Ledoux.

Il savait que les jeunes en baveraient. Le travail était difficile, pénible et les heures longues. Mais leur jeunesse et leur volonté de prouver leur valeur compenseraient. Il leur annonça séance tenante qu'ils étaient embauchés et leur conseilla de se munir de bottes de travail. Les trois jeunes hommes feignirent la joie, mais leur visage témoignait d'une certaine appréhension. Ils avaient trente minutes pour ramener leurs fesses à l'aéroport de Messines. Le candidat suivant était en fait une candidate. Judith Morin n'avait jamais été attirée par les emplois habituellement réservés aux femmes. Elle avait appris de son père à conduire une débusqueuse pour sortir les billots de la forêt. L'album familial montrait une photo d'elle âgée de sept ans, installée fièrement aux commandes de la gigantesque machine. Elle avait toujours rêvé de faire un métier en rapport avec la forêt, et lorsqu'elle apprit qu'on recherchait des travailleurs pour aller combattre les incendies, elle avait cru sa chance arrivée. Lorsque Ledoux leva les yeux sur elle, il fut surpris. Elle portait des pantalons de travail verts et des bottes de bûcheron. Judith ne devait pas peser plus de cinquante-cinq kilos, mais son corps était probablement aussi musclé que celui de bien des hommes de la troupe, à l'exception du renflement des seins qu'elle cachait sous une large chemise de chasse. Par contre les traits de son visage ne laissaient aucun doute sur sa féminité. Ledoux la connaissait, il l'avait déjà refusée une semaine plus tôt en lui disant : « Désolé, ma belle. La prochaine fois peut-être. »

Elle en avait fait tout un plat, menaçant de le dénoncer à la Commission des droits de la personne et au Tribunal des normes du travail pour discrimination sexuelle, mais Ledoux avait maintenu sa décision. Elle était encore là aujourd'hui et, cette fois, il redoutait qu'elle finisse par mettre ses menaces à exécution. Il estimait que les femmes n'avaient pas leur place dans les troupes de combat, mais il craignait que la SOPFEU ne soit blâmée si jamais l'affaire s'ébruitait dans les médias. « Je vais te mettre à l'essai, mais si tu ne fais pas l'affaire, tu rentres chez toi », lui avait dit Ledoux, persuadé qu'elle demanderait elle-même à retourner chez elle après quelques jours de misère.

Avec d'autres, Antoine attendait à l'extérieur du hangar. Le soleil plombait. Autour d'eux, des équipes s'affairaient à nettoyer et à sécher les boyaux d'arrosage provenant du site d'un feu qu'on était parvenu à maîtriser. Les boyaux étaient ensuite passés dans une essoreuse avant d'être suspendus dans une tour où un ventilateur accélérait le séchage. Quand la tour était pleine de boyaux, l'intérieur avait l'apparence d'une boîte géante de spaghetti. Puis, on les préparait rapidement pour les acheminer sur les lieux d'un autre feu. Sur la pelouse, d'autres travailleurs nettoyaient et réparaient les tentes que les hommes utilisaient pour établir leur campement à proximité du feu. Plus loin, les pelles, pioches et haches étaient emballées dans des boîtes de carton. Généralement, les équipes avaient tout l'équipement nécessaire, préparé à l'avance, pour répondre à leurs besoins, et amplement de temps pour s'organiser. Mais en situation de crise, chaque seconde comptait. On aurait dit des fourmis se déployant autour d'une fourmilière. Antoine espérait qu'il serait affecté aux équipes sur le terrain. Mettre des boyaux en rouleaux était certainement un travail méritoire dans la chaîne des combattants des feux de forêt, mais cela n'avait pas le côté héroïque de celui qui tient la lance et fait reculer les flammes.

Devant lui, le groupe avançait lentement. Il avait compris qu'il leur fallait une douzaine de travailleurs. Il estimait ses chances bien minces. Il avait vu les trois étudiants sauter de joie en entendant qu'ils avaient été choisis. Michel Ledoux y allait rondement. Il n'avait que trois heures pour constituer son équipe, il avait déjà retenu onze travailleurs et il restait beaucoup de candidats à voir. Il allait faire entrer celui qui vraisemblablement serait son douzième homme. Le type devait avoir une quarantaine d'années, son allure était frêle, mais son accoutrement laissait entrevoir qu'il avait longtemps travaillé en forêt. Il allait lui mettre la main sur l'épaule pour l'inviter à entrer, lorsque Antoine fonça en bousculant les gens qui attendaient :

— Moi. Prenez-moi.

Surpris, Ledoux stoppa son geste et regarda le jeune homme qui s'avançait vers lui.

— Et pourquoi je te prendrais toi, ce n'est pas ton tour ? Il y a sûrement plein de bons travailleurs ici qui feraient mieux le boulot que toi.

Ledoux était en fait amusé et intrigué par ce candidat enthousiaste.

— Impossible ! s'écria Antoine. Personne n'est plus convaincu que moi que le métier de pompier des forêts est l'un des plus nobles. Il ne peut pas en être autrement. Je sais ce que je veux faire.

« Misère, un poète », songea Ledoux en souriant. Le jeune homme était en effet convaincant. Il y avait une réelle ferveur dans ses yeux et Ledoux se laissa charmer par sa naïveté. « Un idéaliste, ça ne fera pas de tort. »

— Ça va, le jeune. Je vais te donner une chance.

Antoine était comblé et il se mêla rapidement au groupe des nouveaux. Par contre, Ledoux dut faire des pieds et des mains pour trouver un cuisinier pour accompagner le groupe. Chaque équipe d'attaque était larguée aux abords du feu, là où l'hélicoptère pouvait se poser, avec l'équipement nécessaire pour combattre le feu, des tentes, de la nourriture et un cuisinier. Il monta debout sur la table de pique-nique et demanda à la ronde si l'un d'entre eux savait cuisiner. Son appel fut suivi d'un long silence qui dura quelques secondes. Une voix s'éleva :

— Moi. Moi je sais faire la cuisine, dit un vieil homme.

— Toi ? dit Ledoux un peu surpris.

Le vieil homme avait une longue chevelure blanche et une généreuse barbe dont on ne pouvait dire si elle était grise ou sale. Il aurait pu personnifier le père Noël dans un centre commercial si son apparence générale n'avait été si douteuse.

— J'ai été *cook* dans les camps de bûcheron, ajouta-t-il pour convaincre Ledoux.

— D'où viens-tu ? demanda Ledoux.

— Je suis de Gaspé.

— T'es loin de chez vous. Bon, j'ai besoin d'un cuisinier, je t'embauche, annonça Michel, qui fut sur le point d'ajouter « malgré tout ».

Il n'avait pas le choix et surtout il n'avait pas le temps de vérifier les talents culinaires de Jean Dupré, dit Le Gaspin. Les hommes de son groupe le rebaptiseraient plus tard Jean-la-Bouillotte.

Antoine n'eut que le temps d'aviser le maître de poste de Messines qu'il partait pour quelques semaines. Il souhaitait lui demander de conserver son courrier durant ce temps. Celui-ci était assis à son bureau, lorsque le jeune homme arriva. Un large sourire illumina son visage lorsqu'il le reconnut.

« Je suis en train de lire ça, dit-il en montrant le livre de sa mère, ouvert sur ses genoux, qu'il pouvait ainsi cacher

sous le bureau lorsqu'un client entrait. C'est pas mal bon »,
ajouta-t-il.

Antoine était furieux. Vivement partir d'ici, aller cacher
sa honte, loin dans la forêt, le temps qu'on oublie tout cela.
Il fut de retour quelques minutes plus tard. En arrivant par
la route 105, Antoine eut soudainement une vue d'ensemble de l'aéroport. Un petit appareil de détection venait
de décoller pendant que, sur la voie de garage, deux immenses avions-citernes attendaient pour faire le plein d'essence. Des hommes vêtus de combinaisons orange fourmillaient autour des appareils, vérifiant roues, freins,
moteurs et Dieu sait quoi. Même à cette distance, on sentait la fébrilité du moment. Près du hangar, les équipes qu'il
avait vues auparavant poursuivaient leur manège. Un hélicoptère venait de partir alors qu'un autre atterrissait. Il se
souvint des vieux films qu'il avait vus sur la guerre du
Vietnam, et la scène qu'il avait sous les yeux lui rappela ces
images. Il y avait toujours un aéroport comme celui-ci où
les avions tournaient comme des mouches au-dessus d'un
morceau de sucre. Mais, dans ce cas-ci, il n'était pas question de tuer. La mission de ces pilotes était beaucoup plus
héroïque : ils sauvaient des forêts entières de la destruction.
Antoine fut ragaillardi par cette pensée. Il avait trouvé « sa »
Légion étrangère, « son » Commando de forces spéciales.

Chapitre onze

Denis était intimidé lorsqu'il arriva au lieu de rencontre. Auparavant, il avait eu l'impression de n'être qu'un simple spectateur comme tous les autres qui assistaient aux conférences. Maintenant il entrait dans l'action sans savoir exactement ce qu'il devait faire. Ceux à qui il se joignait lui étaient pour la plupart inconnus. Il fut accueilli par une femme élégante, grande et raffinée. Denis avait l'impression d'être un écolier dans la cour des grands. Elle était toute miel, dans ses paroles et dans ses gestes. « Ah, vous êtes le nouveau que le Maître a choisi ? Nous sommes heureux de vous accueillir », dit-elle dans un français exagérément soigné. Flatté, Denis respira plus librement. Peu avant d'arriver à Saint-Sauveur, il avait été pris de panique. Il ne connaissait que très peu de gens dans l'organisation. Qu'arriverait-il si son ami Paul n'y était pas ? Il pourrait toujours dire qu'il était l'invité de Luc Jouret, mais dans les faits, il n'en était pas certain. C'est ce que Paul Germain lui avait affirmé. Il se souvenait aussi des paroles de Jouret, affirmant qu'il aurait éventuellement besoin de lui dans son organisation, qu'il souhaitait qu'il assiste à cette fameuse séance, mais ce n'était peut-être que paroles en l'air.

Il fut donc rassuré de constater que sa présence était souhaitée. La dame le fit passer dans une autre salle où quelques personnes discutaient entre elles. Denis les salua, la main hésitante tendue vers eux. Il entendit leur nom, mais n'en retint aucun, son esprit étant submergé par la nervosité. Une fois la dernière main serrée, il alla s'asseoir un peu en retrait. Il ne savait trop ce qu'il devait faire et craignait par-dessus tout de commettre un impair. Une gaffe, même involontaire, pouvait l'exclure du groupe. C'est avec soulagement qu'il reconnut son parrain, Paul Germain, que la femme à l'accent français venait d'accueillir.

Germain s'empressa de le rejoindre et de lui présenter son épouse. Le groupe était semble-t-il complet, mais aucune trace de Jouret. Denis en fut désolé. Il était venu ici pour lui. « Vous ne serez pas déçu, mon ami », le rassura Paul.

Ils furent d'abord conduits dans une salle où le conférencier aborda les grands principes de l'Ordre. Denis eut l'impression qu'il était le seul des invités non initié. L'idée que ce mouvement soit millénaire et qu'il ait son origine à l'époque des chevaliers le séduisait. Oui, Denis pouvait se voir en chevalier, et cette image exacerbait sa fierté. Bien qu'il n'ait pas pratiqué sa religion depuis des années, il était heureux de constater que le mouvement des Templiers avait des racines catholiques. C'était rassurant. Denis y retrouvait bon nombre des références religieuses apprises dans son enfance. Même le langage avait des similitudes.

La journée se passa ainsi entre les séances de formation et les pauses au cours desquelles on alimentait les discussions. À la tombée du jour, sa tête était remplie de tant de choses qu'il ne parvenait plus à faire le point. Il était confus à cause de tout ce qu'il avait entendu, du choc de certains de ces enseignements avec les vieilles valeurs de son enfance. Il avait cependant trouvé amis et famille au sein du groupe, et il se sentait réconforté. Denis décida qu'il devait combattre toutes ces vieilles idées et ces doutes qui l'habitaient encore.

Le lendemain, l'hôtesse annonça que le moment de la

grande communication approchait. Denis n'avait encore aucune idée de ce dont il était question, mais Paul le rassura sans pour autant lui donner de détails. Deux personnes portant des plateaux de verres firent leur entrée et commencèrent immédiatement la distribution. Denis songea à refuser ; il n'avait pas soif. Mais, comme si l'hôtesse avait lu dans son esprit, elle l'incita à prendre la consommation. « Vous aurez besoin de toute votre énergie, et ce liquide est fait à base d'extraits purement naturels », dit-elle avec autorité.

Denis ne songea même pas que la plupart des poisons étaient aussi des « extraits purement naturels » et il accepta le breuvage. Il observa les autres qui buvaient, les uns à petites gorgées, les autres d'un seul trait. Il sentit la préparation. Une vague odeur d'amande s'en dégageait. Il y trempa les lèvres, goûta et avala la boisson en deux traits. Il ne savait pas à quoi s'attendre. Bien sûr, les dernières rencontres auxquelles il avait assisté lui avaient donné un avant-goût de certaines pratiques. Par exemple, il avait entendu un conférencier, vêtu d'une grande soutane blanche, parler de l'importance symbolique du blanc. « Le blanc, affirmait-il, représente la pureté, mais c'est aussi la couleur de la communication, de la paix. Ne brandit-on pas un drapeau blanc pour faire la paix ou ouvrir le dialogue avec l'ennemi ? Dans l'éventualité de communications extraterrestres, les hommes qui entreront en contact avec ces habitants d'un autre monde devront porter du blanc pour éviter toute ambiguïté sur le sens des couleurs. »

C'est d'ailleurs ce que l'hôtesse leur répéta pendant qu'on distribuait des aubes pour la cérémonie. Ainsi vêtu, Denis se remémora l'époque où il était enfant de chœur. Il devait avoir sept ou huit ans. Les aubes qu'on venait de leur remettre ressemblaient en tous points à celles de son enfance, sauf le petit cordon autour de la taille avec lequel il s'amusait à déranger ses copains sur le banc d'église. Il se sentit un peu ridicule, mais il finit pas enfiler le vêtement en voyant les autres mettre le leur. Une femme près de lui vint même rectifier le costume dont la manche semblait enroulée sur son bras, enlevant au passage une poussière imaginaire sur son épaule. Il lui adressa un sourire empreint de gratitude.

Puis on les fit passer dans une grande salle ronde. Les participants entraient et longeaient le mur sur leur gauche autour de la salle de façon à former un cercle. Le plafond et les murs de la salle étaient entièrement recouverts d'un lambris de bois verni, de teinte rouge foncé. À tous les trois mètres, une poutre faisait saillie sur les murs, s'élevant vers le plafond puis pointant vers le centre de la pièce. Au milieu, un espace circulaire était délimité par une sorte de balustrade dans laquelle des passages étaient aménagés, de façon à pouvoir accéder au parquet central, où l'on voyait une étoile peinte sur le sol. Des bannières blanches arborant une magnifique croix rouge bordée d'or étaient posées tout autour de l'arène centrale.

Tous se mirent en place et Denis se laissa porter par le groupe. On semblait sensible à son désarroi et il pouvait sentir la solidarité de la communauté à son égard. Lorsque Denis hésitait, quelqu'un le tirait par la manche pour qu'il suive les autres ou lui glissait à l'oreille ce qu'il fallait faire. Paul Germain se tenait à faible distance de lui. La femme qui l'avait aidé à replacer son aube était sur sa gauche.

On avait beau lui avoir expliqué qu'il s'agissait d'une cérémonie particulière, qu'il était question d'entrer en contact avec des esprits supérieurs provenant de la planète

Sirius, tout cela restait abstrait. Il voulait croire ce qu'on lui avait dit, mais il n'arrivait pas à s'y laisser glisser totalement. Comme lorsqu'il devait se rendre à l'église avec ses parents. Sa mère lui avait dit que Dieu était présent dans ces lieux, qu'Il le voyait, qu'Il écoutait ses prières ; lui, il ne l'avait jamais ni vu ni senti. Il fallait y croire sans le voir.

Au fond de la pièce, une porte s'ouvrit et l'hôtesse annonça l'entrée des Templiers. Ils étaient sept dont une femme, tous vêtus de longues aubes blanches sur lesquelles se détachait la croix rouge de l'Ordre. Ils avaient vraiment l'air de ces chevaliers croisés de l'Antiquité. Denis chercha Jouret du regard, quand son attention fut attirée par la voix féminine qui annonça l'entrée du Grand Maître. Ce n'était pas Jouret. Denis en fut surpris. Il croyait pourtant que Jouret était le Grand Maître, car tous le traitaient de la sorte...

« C'est Jos Di Mambro, lui dit Paul à l'oreille, c'est lui l'instance suprême de l'Ordre. »

L'homme s'avança vers le centre et demanda au groupe de se concentrer et, pour favoriser cette concentration, l'on fit jouer une symphonie qu'un Élu avait composée, symphonie inspirée par les divinités *siriussiennes*. La musique éclata comme un coup de massue. Elle était forte, étrange, puissante. Elle pénétrait le corps jusqu'au cœur. Denis en sentit les vibrations jusque dans son ventre, mais il détesta ces sons, envahissants et cacophoniques. Au centre de la pièce, les Grands Templiers psalmodiaient des paroles qu'il n'arrivait pas à comprendre. La voix du Grand Maître était projetée avec force, plus forte même que la musique. Il prononçait des mots mystérieux dans une langue que Denis ne connaissait pas. Il se sentit étourdi. Son esprit s'embrouillait pendant qu'une douce chaleur montait dans ses veines. Était-ce l'effet de ce breuvage qu'il avait consommé ou celui de cette musique tonitruante qu'on leur déversait dans les oreilles depuis… depuis combien de temps au juste ? Denis n'aurait pu le dire, tellement il avait l'impression de perdre tout contact avec la réalité. Puis, il se sentit graduellement plus léger, même la musique lui sembla moins pénible. Tout à coup, un éclair surgit du plafond, frappant l'épée du Grand Maître qui se tordit de douleur. Il y avait de la fumée partout autour de lui. Sa bouche s'ouvrit toute grande, et Denis manqua défaillir lorsqu'il vit un visage démesurément grand apparaître dans le nuage de fumée. Le visage ressemblait à celui d'un humain, mais n'en était pas un. Il prononçait des mots dans la langue étrange du Grand Maître. Denis était fasciné. Enfin, il le voyait. Tout était bien vrai, même l'apparition de la tête en trois dimensions. Il avait même senti l'énergie circuler avec fluidité dans ses veines. Une femme s'évanouit, tremblant de tous ses membres.

La cérémonie dura près de deux heures. L'apparition était effrayante, et lorsque la communication cessa, Denis était épuisé, presque en transe, comme tous ceux qui se trouvaient là. Ils se regardaient, se touchaient et se souriaient, heureux d'avoir assisté à ce grand moment. Dans les heures qui viendraient, le Grand Maître décoderait le message qui lui avait été livré, puisqu'il était le seul initié à connaître les règles complexes de cette langue venue d'un autre monde.

Lorsque Denis reprit la route le lendemain, il était fatigué mais animé d'une grande certitude. Lui savait, alors que les autres vivaient dans le noir. Il avait vu l'œil de Dieu. Il était entré dans le Cercle.

Chapitre douze

Edgar Commanda s'était laissé convaincre par Ledoux. Au nom de leur vieille amitié et au nom de vieux principes que Commanda avait conservés de sa culture algonquine et que Ledoux avait su exploiter. Mais aussi, il y avait cette histoire d'envoyer un groupe de « bleus » sur l'équipe d'attaque initiale. Cela n'avait aucun sens. Ledoux le savait, et lui aussi le savait.

Commanda avait trouvé un autre homme pour les accompagner. Il l'avait rencontré Chez Martineau, l'endroit de prédilection où se retrouvaient les buveurs de bière, les vrais. Louis Lecours vivait à Fort-Coulonge dans le Pontiac, mais comme il n'avait que deux jours avant de retourner en forêt, il avait résolu de demeurer à Maniwaki pour y faire la fête. Personne ne l'attendait là-bas. Il n'avait pas dessoûlé depuis vingt-quatre heures lorsque Edgar Commanda le rencontra. Il n'aurait pas le temps de reprendre ses esprits, mais il avait besoin de lui. Il l'agrippa et l'entraîna. Complètement abruti par l'alcool, Lecours s'était endormi sur la banquette du camion. Mais maintenant qu'il se trouvait sous un soleil de plomb, ses abus commençaient à lui peser.

Chaque travailleur reçut un casque de sécurité et des gants. On leur montra rapidement ce qu'ils devraient faire en descendant de l'hélicoptère qui devait les conduire sur les lieux du sinistre, on les prévint de surveiller les pales de l'appareil et, sans plus de formalités, on se mit en route.

Antoine n'avait jamais volé, pas même dans un petit appareil. La sensation était incroyable. Quatre hommes prenaient place avec le pilote dans chacun des appareils, alors que sous son ventre on avait entassé dans des filets l'équipement de base. Le reste viendrait plus tard. Les appareils prirent la direction nord. Le nouveau feu qui s'était déclaré faisait rage derrière un autre feu près du lac Kondiaronk. Le nouvel incendie menaçait le campement de la première équipe.

Antoine profitait du coup d'œil magnifique qui s'offrait à lui. Sur sa droite, il pouvait voir la rivière Gatineau qui s'étirait comme un long ruban, loin vers le nord, avec en son centre le réservoir Baskatong, qui formait un renflement. Vu du haut du ciel, on aurait dit une couleuvre ayant avalé une grosse grenouille.

Louis Lecours, assis entre Antoine et l'un des jeunes étudiants, subissait les mouvements de l'appareil. Il n'avait que faire de la beauté du paysage. Déjà accablé par le soleil quelques minutes auparavant, il était devenu vert. Antoine s'en rendit compte juste au moment où les lèvres de l'homme formaient un « O ». Ce dernier chercha rapidement où il pouvait vomir et se résolut à vider le contenu de son estomac dans son casque de sécurité.

Antoine et son compagnon faisaient des efforts pour ne pas vomir à leur tour, l'odeur pestilentielle ayant envahi le cockpit. Le pilote songea à atterrir, mais il aurait perdu trop de temps à chercher un endroit pour se poser. Il valait mieux continuer. Tout ce qu'il fallait, c'était retenir sa respiration le plus possible et songer à autre chose lorsque l'odeur vous amenait le cœur au bord des lèvres. On recouvrit d'un sac de plastique le casque de sécurité que Lecours tenait toujours, ce qui limita les émanations désagréables.

Le feu fut bientôt en vue. Il s'agissait en fait d'une ligne de plusieurs feux de forêt. Des équipes combattaient sur trois sites. Les incendies formaient une barrière de flammes et de fumée si épaisse à l'horizon qu'on n'aurait pu dire s'il y avait encore une terre de l'autre côté. Antoine songea à Christophe Colomb qui avait voulu prouver que la terre n'était pas plate, mais ronde. S'il était arrivé devant une telle barrière de feu, il aurait tourné les talons et serait reparti à la Cour d'Espagne dire au roi Ferdinand que la terre était belle et bien plate et qu'au bout se trouvait l'enfer.

Plus le mur de fumée approchait, plus la scène était inquiétante. Les trois feux allumés par la foudre avançaient vers le sud. Ils étaient séparés l'un de l'autre par un mince couloir d'un kilomètre de forêt demeurée intacte. Les hommes et les avions s'acharnaient pour empêcher les trois feux de se rejoindre, car le sinistre aurait alors pris des proportions incontrôlables. C'est probablement un tison emporté par le vent qui avait allumé la veille un nouveau foyer quelques kilomètres à l'arrière du foyer principal. Les flammes du nouvel incendie se limitaient à une petite zone, mais il fallait intervenir rapidement avant qu'il ne s'élance à l'assaut des arbres en direction du camp des autres combattants. Antoine et son groupe arrivèrent alors que les avions-citernes tournaient tels de grands condors au-dessus de la zone de combat. Le premier amorça une courbe serrée à flanc de montagne, larguant son grand nuage d'eau juste au bon moment. La vague porta un coup dur au cœur de l'incendie. Antoine put voir les arbres, même ceux d'un diamètre important, qui se trouvaient sur le trajet de l'eau, s'écraser au sol. Le deuxième appareil suivait tout près derrière. Le pilote évalua la situation en quelques secondes et décida de frapper plus à droite sur la ligne de feu. Il estima que le premier appareil avait suffisamment affaibli le foyer principal pour s'attaquer aux « ailes » du feu. Les avions n'avaient que deux passages pour atteindre leur cible et il fallait agir avec le plus d'efficacité possible. Ils devraient ensuite retourner faire le plein d'eau pour poursuivre le combat sur le front principal.

Antoine était fasciné par le ballet aérien des immenses appareils. Sur le sol, ces avions avaient l'air de gros lourdauds, leur ventre-réservoir démesuré traînant presque sur le pavé de la piste. Mais dans le ciel, ils étaient si gracieux.

Pour le moment, le pilote de l'hélicoptère dans lequel il prenait place cherchait, l'œil inquiet, un endroit pour atterrir. La forêt était si dense qu'il ne parvenait pas à trouver un espace suffisamment dégagé. Il lui fallait débarquer l'équipe le plus près possible du brasier afin que les hommes puissent poursuivre rapidement l'attaque. Autrement, le travail des avions-citernes serait inutile et le feu ne tarderait pas à reprendre là où on venait de l'affaiblir. Le pilote volait si près de la cime des arbres que la pointe des grandes épinettes semblait toucher les patins de l'appareil. L'émerveillement des premières minutes de vol avait fait place à la crainte. Antoine était blême et se demanda s'il n'allait pas remplir son casque lui aussi. Lecours à ses côtés tenait toujours le sien du mieux qu'il pouvait lors des mouvements brusques de l'hélicoptère. Derrière une petite montagne les séparant du feu, le pilote aperçut un étang. Sur une des berges, les longues herbes formaient un épais tapis sur quelques dizaines de mètres. Il jugea qu'il avait suffisamment d'espace. Sur un côté, la surface dégagée était limitée par une grande épinette et de l'autre, par un grand chicot de peuplier. Le pilote descendit doucement entre les deux arbres. Les bouts des pales de l'appareil sifflaient à un mètre à peine des branches. Antoine nota l'inquiétude du pilote qui regardait du côté du chicot. L'arbre mort, debout depuis des années, avait séché dans cette position. Les bourrasques provoquées par le rotor faisaient osciller le tronc dangereusement. Si l'une des pales entrait en contact avec les branches, c'était le *crash* assuré. Quand les patins de l'appareil se posèrent sur l'herbe, le pilote dut le maintenir en vol stationnaire car sur l'un des côtés, l'hélicoptère menaçait de s'enfoncer dans l'eau. « Allez, faites vite, criat-il. Dégagez ! » Il fallait agir rapidement, car l'appareil était dans une situation précaire. Commanda cria des ordres et les hommes firent la chaîne pour débarquer le matériel. Les pieds enfoncés dans l'eau froide et puante de l'étang, ils étaient terrifiés. Leur baptême du feu commençait bien. L'équipement passait de main à main sous les pales menaçantes à seulement quelques centimètres au-dessus de leur tête. En quelques minutes, tout fut déchargé et l'appareil reprit les airs. Il reviendrait plus tard apporter d'autre matériel.

Soudainement, ce fut le silence. Le silence oppressant d'une forêt assiégée. Au loin, on pouvait entendre le bourdonnement des appareils qui combattaient les feux, mais ici, c'était la mort. Pas d'oiseaux pour remplir la forêt de leurs gazouillis, pas d'écureuils pour crier à pleins poumons afin d'avertir les animaux de la présence d'intrus. Rien. Les animaux avaient fui.

Armés de scies mécaniques et de haches, les hommes s'affairèrent à dégager un héliport temporaire afin que l'appareil puisse atterrir sur la terre ferme. Le chicot fut le premier arbre abattu. Il servirait plus tard à allumer le feu du campement. Comme la rive était abrupte, on utilisa des arbres abattus pour construire une sorte de plate-forme qui s'avançait au-dessus de l'eau et sur laquelle l'appareil pourrait poser un patin. L'ouvrage fut achevé juste à temps pour l'arrivée du reste de la troupe. Le pilote vint se poser sur la piste de fortune, comme une libellule sur une fleur. À nouveau, les visages hagards des hommes, les cris de Commanda, la chaîne humaine pour transporter le matériel, et le départ empressé de l'hélicoptère vers la base.

Il s'agissait maintenant d'aller prendre connaissance du feu. Edgar Commanda choisit trois hommes pour l'accompagner, dont Antoine, trop heureux d'amorcer enfin le combat. Mais on ne part pas au combat sans arme et lorsque Commanda lui désigna la pompe pendant qu'il distribuait le reste du matériel nécessaire aux deux autres, Antoine crut qu'il plaisantait. Il estima qu'il aurait fallu deux hommes pour porter cette pompe qui devait peser dans les trente kilos, mais Commanda semblait considérer qu'il pourrait la porter seul. Ce type de pompe, qui fonctionne à l'essence, était utilisé pour tous les feux de forêt. La compagnie Wajax, qui les fabriquait, avait inscrit son nom en grosses lettres coulées dans le métal du moteur, si bien qu'on les désignait par ce nom. Une structure de métal entourait la pompe pour permettre de la manipuler, et des harnais pouvaient y être accrochés pour le transport. Ces pompes constituaient l'arme principale contre les feux au sol. On les installait près d'un cours d'eau, ce qui permettait de dérouler environ cent mètres de boyaux avant qu'il fût nécessaire d'installer une autre pompe pour faire le relais. Parfois il fallait placer cinq ou six de ces pompes à intervalles de cent mètres avant que l'eau n'atteigne les flammes.

Avec l'aide d'un compagnon, Antoine glissa les sangles du harnais sur ses épaules. Aussitôt, le poids fut considérable et douloureux. Il ne parvenait pas à trouver une position confortable pour la marche, les courroies lui cisaillant la chair. Commanda demanda à celui qui transportait les boyaux de se placer derrière Antoine « au cas où ». « Au cas où quoi ? » se demanda Antoine. Quand ils entreprirent de grimper à flanc de montagne, la charge se fit plus lourde. Alors il comprit. Le poids du moteur le tirait en arrière et il lui fallait s'accrocher aux arbres pour ne pas dévaler la pente avec son fardeau. Heureusement, chaque fois qu'il vacillait, son compagnon lui donnait une poussée qui lui permettait de reprendre son équilibre et son ascension.

Il lui fallut près d'une heure pour grimper la montagne. Sur le sommet, le spectacle était saisissant. On pouvait voir la trace du feu dans la vallée et sur l'autre flanc de la montagne. Il y avait de la fumée partout et l'incendie n'avait pas été complètement maîtrisé. En deux endroits, les arbres étaient couchés, témoignant du puissant impact de la masse d'eau larguée par les avions. Il fallait agir vite avant que les flammes qui avaient résisté au déluge ne rallument le brasier. Au milieu de la grande tache noire laissée par le passage du feu, un ruisseau serpentait dans la vallée. C'est là que la pompe devait être rapidement installée.

La descente ne fut guère plus facile pour Antoine qui risquait à tout moment de perdre pied et de dévaler jusqu'au bas. Commanda l'avait encordé à ses compagnons qui suivaient, prêts à servir d'ancre si jamais Antoine se mettait à glisser. La troupe arriva enfin à la ligne de démarcation entre la forêt intacte et la forêt brûlée. Edgar Commanda fit stopper le groupe et observa le spectacle de désolation, humant l'air enfumé. On aurait dit un chien de chasse en arrêt. Antoine songea que ce spectacle devait ressembler à la vision que les soldats avaient en arrivant sur un champ de bataille. Tout était noir. Il y avait quelque chose de magique à franchir d'un seul pas cette étroite démarcation entre deux mondes. Comme dans un de ces films fantastiques où le héros franchit un mur invisible et se retrouve dans un autre monde, une autre dimension. Un pied dans la forêt verte et un autre dans la forêt noire. Chacun de leurs pas soulevait la suie et le sol dégageait encore la chaleur dont il s'était imprégné au passage du brasier. Dans quelques minutes, tous les hommes seraient aussi noirs que la terre brûlée.

Mais pour l'heure, il fallait agir rapidement et Antoine n'avait guère le temps de poursuivre ses réflexions. Quand il déposa la pompe à quelques mètres du ruisseau, il était vidé, brisé, les muscles endoloris. Il se laissa tomber à genoux dans la cendre, afin d'installer le tuyau qui pomperait l'eau du ruisseau, propulsée dans les boyaux que les hommes s'affairaient à installer. Pas de répit, pas de paroles inutiles, pas de temps à perdre. Le premier jet d'eau éclaboussa un arbre que le feu attaquait à nouveau. Il ne s'était écoulé que cinq minutes depuis qu'il avait installé la pompe. Edgar Commanda leur donna quelques ordres avant de repartir vers le campement pour coordonner l'action du reste de la troupe et appeler la base pour faire son rapport.

Comme la plupart des Algonquins, Commanda n'élevait pas souvent la voix. Il fallait être attentif lorsqu'il parlait, car il n'ouvrait jamais la bouche inutilement. Il avait aussi cette façon typique de certains autochtones de marmonner ses paroles en gardant les lèvres presque scellées. Un héritage, peut-être, d'une culture ancestrale où, pour survivre en forêt, il fallait savoir garder le silence et écouter. À moins que ce soit plus de trois cents ans de domination par les Blancs qui aient brisé leur sens de l'affirmation. Quand il passa près d'Antoine, il dit tout bas : « Tu t'es bien débrouillé. » Antoine fut ragaillardi. Le compliment le toucha. Il s'était senti lamentable de ne pas pouvoir se débrouiller facilement avec la pompe. Mais Commanda savait que ces foutues Wajax étaient pénibles à transporter et il avait vu le jeune homme faire des efforts surhumains pour suivre le pas.

Lorsque Antoine revint au bord de l'étang où il était descendu le matin, le paysage avait changé. D'abord en revenant au campement, il constata que quelqu'un était passé et avait défriché un sentier là où lui et ses compagnons avaient été les premiers à mettre le pied. Au bord de l'étang, la zone avait été dégagée plus largement pour l'hélicoptère, qui avait fait plusieurs voyages. Il y avait des boîtes partout. On avait sorti plusieurs tentes qui avaient été montées à flanc de montagne, là où la dénivellation du terrain le permettait. Chaque tente devait faire quatre mètres sur trois et six hommes pouvaient y dormir.

Au centre du périmètre dégagé, un feu avait été allumé et un chaudron y était suspendu. Le Gaspin semblait s'y affairer. Heureusement, car tous avaient faim. Ils avaient travaillé durant des heures dans la suie et la fumée, et un bon repas leur apporterait réconfort. La déception fut grande. Au menu, côtelettes de porc bouillies à l'eau claire sans autre forme d'épice ou de condiment, accompagnées de patates. Seul aliment un peu appétissant : une tranche de pain pour accompagner le tout. En recevant leur assiette, les hommes se demandèrent si les patates avaient été bouillies en même temps que les côtelettes. Ils mangèrent par obligation, se gavant de pain pour oublier la côtelette molle qui trempait dans leur assiette. Ils étaient épuisés et se dirigèrent rapidement vers les tentes après le repas. Pas de matelas ni de sacs de couchage, mais une quantité astronomique de couvertures de laine. Antoine en prit quatre : deux qui lui serviraient de matelas et deux pour se protéger des froides nuits printanières. Les couvertures étaient lourdes, mais elles avaient l'avantage de garder au chaud même lorsqu'elles étaient complètement mouillées. Par contre, pas question de dormir torse ou jambes nues, car la couverture était si rugueuse que celui qui s'y risquait se tortillait toute la nuit en se grattant.

Les hommes étaient debout dès le lever du soleil, vers cinq heures trente, prêts à reprendre le combat. Au menu du petit déjeuner : œufs à la coque et tranches de pain grillées. Des pots de beurre d'arachide et de confiture étaient alignés sur la table improvisée. Le fameux *cook*, surnommé Jean-la-Bouillotte après avoir servi ses côtelettes bouillies, n'avait pas pensé au café et ce fut un des hommes qui prépara l'indispensable boisson. Lorsqu'ils partirent au travail quelques minutes plus tard, plusieurs ronchonnaient contre ce bizarre de cuisinier. Quand ils revinrent le midi, ils eurent droit à un étrange bouilli. Des morceaux de bœuf auxquels il avait ajouté quelques légumes, que les hommes durent saupoudrer de poivre et de sel pour leur donner un peu de goût. Tout le monde avait faim, mais la plupart ne mangèrent que du bout des lèvres. Le spectacle de Jean-la-Bouillotte à la cuisine n'avait rien de ragoûtant. Le vieil homme ne semblait pas avoir lavé ses longs cheveux ni sa barbe grisonnante depuis des lustres. En allant chercher de l'eau, il avait inondé ses bottes et ses bas. Il marchait pieds nus autour de la marmite suspendue à une perche, pendant que ses bas sales dégoulinaient, suspendus à la même la perche.

Au moment de quitter le campement, plusieurs remplirent leur gourde. Dans la chaleur, la suie et la fumée, l'eau était vitale et Commanda leur avait conseillé de boire souvent. Antoine avait rempli la sienne dans le ruisseau et il ne toucha pas aux contenants de plastique que Le Gaspin était allé remplir. Le soir, trois hommes durent être évacués d'urgence, souffrant d'empoisonnement. Il ne fallut pas longtemps pour comprendre que le vieux cuisinier, trop paresseux pour trouver une source d'eau potable, s'était contenté d'eau stagnante. Dès que les malades furent transportés, quelques hommes se dirigèrent vers la tente de Commanda.

— C'est assez. Ça n'a plus de sens, dit Gilles Cadieux, alias Ti-Caille, au nom du groupe. Si on ne change pas de cuisinier, il faudra tous nous sortir d'ici, car il n'est plus question de manger la merde que Jean-la-Bouillotte prépare.

Edgar Commanda avait l'habitude de défendre les hommes de son équipe lorsque l'un d'eux commettait une faute, surtout s'il s'agissait d'une erreur d'inattention ou d'un manque d'expérience. Mais cette fois-ci, ils avaient raison. Non seulement Le Gaspin ne savait pas cuisiner, mais sa paresse et son incurie lui avaient fait perdre trois hommes.

— Tu sais cuisiner, toi ? demanda-t-il à Ti-Caille.

— Je... je crois que je pourrais, dit ce dernier hésitant.

— Alors c'est toi le nouveau cuisinier. Tu prendras Jean-la-Bouillotte comme *cookie*, mais ne le laisse plus approcher des marmites.

Le lendemain, les hommes furent éveillés par le parfum du bacon qui cuisait dans un poêlon si immense qu'un homme aurait pu s'y asseoir. Le café était prêt et son odeur se mêlait à celle du bacon. Dans un poêlon plus petit, une douzaine d'œufs au plat cuisaient dans le beurre. Ti-Caille avait même fait rissoler des patates et des oignons. Les hommes sortaient des tentes et se précipitaient pour manger. Et ils mangèrent, chargeant leur assiette d'œufs, d'une montagne de bacon au sommet de laquelle ils déposaient une pile dangereusement élevée de tranches de pain grillées. Assis autour de la table, ils riaient en s'empiffrant, comme s'ils avaient été privés de nourriture depuis des semaines. Jamais ils n'avaient goûté déjeuner plus savoureux. De pleines bouchées de douceurs dans la tourmente de l'enfer. Après le repas, chacun adressa à sa manière des félicitations au nouveau chef, Ti-Caille Premier.

— Lâche pas mon Ti-Caille, disait l'un.

— Tu l'as, l'affaire, lançait un autre.

— Ça, c'est un vrai lunch.

Cadieux était fier. Jamais il n'avait pensé qu'il arriverait à préparer la nourriture pour un groupe d'hommes, et en recevoir des compliments. Par la suite, il se surpassa. Malgré le peu de moyens dont il disposait, il parvenait à offrir aux hommes des mets simples mais savoureux qu'ils mangeaient avec gloutonnerie. Rien ne lui faisait plus plaisir que de voir leur mine réjouie quand ils revenaient au campement, noirs de suie, et qu'ils venaient rôder autour du feu. Le soir même, il leur servit d'épais biftecks accompagnés de pommes de terre frites et d'une salade fraîche. Ti-Caille avait découvert que Le Gaspin cachait tout aliment qui ne pouvait être bouilli. Il était ravi lorsqu'un des hommes redemandait une seconde portion. Dans des conditions si difficiles, la nourriture est une chose précieuse et appréciée. Tout ce qui est bon, tout ce qui est doux, tout ce qui fait du bien prend une dimension exceptionnelle.

— T'es bonne à marier, mon Ti-Caille, lâcha un des hommes sous les rires du groupe.

Ti-Caille s'assura que Jean-la-Bouillotte ne touche plus à la préparation des repas. Commanda avait eu pitié de lui et ne l'avait pas renvoyé. Chacun doit gagner sa vie et il le comprenait d'avoir menti sur ses talents de cuisinier car à son âge, il avait peu de chance d'être choisi comme combattant. Il était maintenant en charge du feu de camp et de l'approvisionnement en eau potable, après avoir été sérieusement sermonné pour avoir fait boire de l'eau croupissante.

Il fallut sept jours à l'équipe pour éliminer toutes les sources d'incendie sur le site et finir le travail. Durant les premiers jours, les hommes travaillaient de six heures le matin jusqu'à vingt et une heures le soir. Quand ils rentraient, ils étaient si fourbus qu'ils se laissaient tomber sur leur matelas de couvertures et s'endormaient sans prendre le temps de faire leur toilette ou même de se dévêtir. Ils avaient l'air de mineurs avec leurs visages noircis en permanence. Ti-Caille, avec sa face impeccablement blanche, détonnait dans le groupe.

Après l'attaque initiale, il ne resta plus que des *boucanes* à éliminer. C'est ainsi qu'on appelait les fumées qui s'échappaient du sol. Le travail fut beaucoup plus léger. Toute la journée, les hommes organisés en équipes de deux, l'un armé d'une pompe manuelle et l'autre d'une pelle, patrouillaient, étouffant les dernières pulsions du feu monstrueux. Il fallait laisser le temps aux braises encore actives de se manifester avant de faire une nouvelle patrouille. Les pauses étaient longues et soudaient les liens entre les membres du groupe. C'est durant cette période plus calme qu'Antoine apprit à mieux connaître Edgar Commanda. Ce dernier ne se liait pas souvent aux autres... aux Blancs.

Un soir qu'il accompagnait Commanda dans sa tournée d'inspection, Antoine eut cette réflexion en observant le site dévasté par les flammes :

— Quel gâchis. Toute cette forêt perdue, détruite par le feu. Maudite foudre.

— C'est pas la foudre, répliqua Commanda tout bas.

— Comment ça, c'est pas la foudre ?

— D'abord, faudrait que tu saches que les trois quarts des feux de forêt sont allumés par l'homme. L'homme blanc surtout.

— N'empêche que ces feux-là au nord ont bel et bien été allumés par la foudre, non ? Du moins c'est ce qu'on m'a dit.

— C'est vrai. Et on le voit par la ligne de feux à l'avant. L'orage suivait un corridor et a frappé tout le long.

— On nous a dit que ce feu avait été allumé par les braises que le vent avait soufflées ici.

— Si c'était le cas, il y aurait eu d'autres feux à l'avant. Il aurait fallu que ce tison soit bien gros pour rester en feu sur une aussi longue distance, et le vent n'a pas soufflé avec une force suffisante pour déplacer de gros débris. Si ça avait été de la braise, le feu aurait pris plus près du front.

— Alors ? demanda Antoine, intrigué par l'esprit d'analyse dont Commanda faisait preuve.

— Alors, c'est quelqu'un qui a mis le feu.

— Tu veux dire un campeur ou un pêcheur ?

— Non. S'il y avait eu un campeur ici, on aurait vu, même calcinées, les traces de son campement. Quant à pêcher ici, cela me semble impossible. Il n'y a que ce ruisseau et je suis certain qu'il n'y a rien d'autre à y pêcher que des grenouilles.

— Je ne comprends pas. Un promeneur alors ?

— Ça n'a pas de sens non plus. Nous sommes à des kilomètres de tout endroit habité. Qui viendrait se promener ici et pourquoi ? Il n'y a qu'un sentier dans les environs et il est impossible d'y passer en camion. Par contre j'y ai repéré des traces de *trois-roues*[1].

— Ça pourrait être une cigarette qu'il aurait jeté, suggéra Antoine.

— Non. Le feu a été allumé volontairement.

— Tu veux dire que quelqu'un serait venu ici mettre le feu. Comment peux-tu savoir cela ?

— Quand nous sommes arrivés sur le site, j'ai senti une odeur d'essence. Plus tard, j'ai découvert l'endroit où le feu a pris naissance.

Antoine était abasourdi. Il avait entendu parler de ces détraqués qui allumaient des feux pour le plaisir de les voir brûler et tout détruire. Un plaisir malsain qu'il ne parvenait pas à comprendre. Comment pouvait-on être ensorcelé par quelque chose d'aussi destructeur ? Il avait vu le monstre en arrivant, lorsque les avions-citernes l'avaient attaqué. Sa langue brûlante s'étirait jusqu'à trente mètres du sol. Une puissance incroyable qui pouvait tout détruire en quelques secondes. Il essayait d'imaginer un pyromane en action et cherchait à comprendre la jouissance qu'il éprouvait. L'idée que quelqu'un puisse tirer plaisir à semer la destruction le choqua.

Mais en même temps, il avait ressenti lui aussi de la fascination en voyant la beauté dévastatrice du rideau de flammes. Il en avait presque honte. La première fois qu'il l'avait regardé de près, ses yeux étaient restés rivés sur les flammes et il avait été incapable de réagir, hypnotisé par la

1 Véhicule tout terrain.

magnificence de la chose. Il avait fallu le coup d'épaule de Commanda pour que l'enchantement se brise et qu'il se remette au travail, horrifié du sentiment qu'il venait d'éprouver.

Il était hypnotisé, certes, mais il n'éprouvait aucun plaisir, contrairement à celui qui avait allumé cet incendie. La vue du mur incandescent lui faisait revivre ce cauchemar qui le harcelait encore presque toutes les nuits. Chaque fois, il s'éveillait terrorisé au moment où il se trouvait emprisonné par le cercle de feu. Non, vraiment, Antoine ne pouvait s'imaginer lui-même déclencher un incendie, et pourtant il se sentait lié au pyromane par cet envoûtement. Il eut peur de glisser un jour dans ce genre de folie.

Chapitre treize

Denis était transporté, transformé par son expérience. À son travail, il avait retrouvé son enthousiasme, mais il n'était plus le même. Il semblait indifférent à ce qui se passait, mais il pouvait tout à coup s'emporter sur un sujet anodin. Il s'était soudainement mis à prêcher un mode de vie plus sain, une alimentation équilibrée tout en répétant quelques-unes des théories religieuses qu'il venait d'acquérir. Certains de ses commentaires avaient étonné ses camarades qui y avaient opposé leurs propres convictions. Denis était furieux qu'on puisse mettre en doute ce qui lui semblait pourtant incontestable. Son patron, Mike Fournier, s'était inquiété de cette soudaine ferveur, mais Tanguay avait complètement cessé de boire, menait une vie exemplaire, presque monacale. Il arrivait à l'heure, offrait un service impeccable aux clients et respectait toutes les règles de sécurité. Et comme Denis était un très bon pilote, il se réjouit de la transformation et ferma les yeux sur les commentaires parfois étranges qu'il tenait. Après tout, chacun avait droit à ses croyances.

Mike se dit que Denis retrouverait probablement son équilibre lorsqu'il aurait rencontré une femme. Une compagne qui lui ferait alors oublier celle qui l'avait mis à la porte. Aussi, lorsque son épouse lui parla de sa copine enseignante, célibataire depuis un an, Mike songea tout naturellement à lui présenter Denis. Il dut toutefois insister longuement pour le convaincre de venir souper chez lui, se gardant bien de lui parler de l'institutrice. « Allez, viens, il n'y aura que ma femme et moi. Peut-être un autre invité », dit-il sans donner plus de précision.

Denis accepta. En arrivant chez ses hôtes, il fut surpris d'y voir une jeune femme. Lorsque Mike la lui présenta, il comprit qu'il s'était fait prendre dans une embuscade.

— Je te présente Lyne Saint-Jacques, célibataire, dit-il avec insistance, ce qui la fit rougir.

— Ce n'est pas ma seule qualité, vous savez, dit-elle.

Denis trouva la réplique très amusante, et apprécia sa soirée. Lyne était intéressante et cultivée. Elle avait de l'aplomb et clarifia immédiatement la situation, ce qui mit Denis en confiance. En d'autres temps, il lui aurait probablement ouvert les bras, mais sa participation à l'Ordre impliquait que tous les aspects de sa vie soient soumis à l'accord du Maître. Il décida d'en parler d'abord avec Paul Germain.

— Elle n'est pas des nôtres, lui répondit ce dernier. Nous te trouverons quelqu'un.

Denis ne comprit pas très bien ce qu'il avait voulu dire. Quelques jours plus tard, lors d'une rencontre, Paul aborda la question.

— Nous t'avons trouvé quelqu'un qui te conviendra, dit-il avant de se diriger vers une femme qui se trouvait de l'autre côté de la salle. Denis le suivit des yeux alors qu'il se penchait vers elle pour lui prendre la main. Elle se leva et le suivit sans dire un mot. Paul s'arrêta devant Denis, pris sa main et la plaça dans celle de l'heureuse élue, comme s'il s'agissait d'une cérémonie officielle. La dizaine de personnes présentes observaient la scène comme s'il s'agissait d'un rituel.

— Denis, je te présente Ison. Ison je te présente Denis. Autour d'eux, les gens applaudirent.

— Ce sera ta compagne, déclara-t-il.

Denis était si surpris qu'il ne savait que dire

— Je… je ne comprends pas.

Paul l'attira à l'écart.

— Écoute-moi, Denis. Quand viendra le temps du grand transfert sur Sirius, nous aurons besoin de toi. Si tu veux participer à cette grande renaissance, il ne faut pas que tu traînes quelqu'un qui n'est pas un initié. Il faut décider dès maintenant si tu es avec nous.

Denis était bouleversé par ce qu'il entendait. C'était la première fois que les choses étaient ainsi évoquées. Il avait entendu le Grand Maître parler vaguement d'un transfert d'Élus vers Sirius, mais il n'arrivait pas à visualiser comment les choses pouvaient se passer. Il avait imaginé une sorte de machine qui permettrait le transfert des corps, comme dans un film qu'il avait vu dans sa jeunesse. Malheureusement, l'inventeur de l'appareil s'était transformé en homme-mouche lors de son passage dans l'étrange machine. Mais ce détail importait peu, seul l'Ordre comptait. Et l'Ordre obligeait ses membres à certains sacrifices. Il se sentit peiné, car Lyne lui plaisait. Il observa la femme qui s'avançait vers lui et la reconnut enfin. C'est elle qui, lors de la cérémonie, l'avait aidé à enfiler son aube correctement. Elle lui paraissait plus âgée que lui de quelques années. Il apprit plus tard qu'elle avait été mariée, son mari faisant lui-même partie de l'Ordre. C'est d'ailleurs sur la recommandation expresse et formelle des dirigeants de l'organisation que le couple s'était séparé, mais elle avait toujours soupçonné que c'était son mari lui-même qui avait orienté les *recommandations* du Grand Maître. Ison était cependant restée fidèle aux préceptes de l'Ordre et s'était pliée à sa décision. Elle avait partagé quelques nuits avec Jouret lors de ses passages au

Québec, mais était demeurée célibataire. Elle n'avait visiblement pas été consultée et accueillait mal cette *union* avec un homme qu'elle ne connaissait pas, bien qu'il fut admis dans le cercle des intimes du Grand Maître. Elle savait toutefois qu'elle devait se conformer à la volonté des autorités, si elle ne voulait pas être écartée. Denis songea à refuser, mais la menace d'exclusion de Paul l'incita à garder pour lui ses hésitations.

Ils eurent droit à une sorte de banquet de mariage auquel personne ne semblait prendre plaisir et ils se retrouvèrent, étrangers, dans la même chambre.

— Ison, si tu ne veux pas..., commença Denis, mal à l'aise.

— Ne t'en fais pas, ce n'est pas la première fois que ça arrive. Aussi bien en profiter, dit-elle en commençant à se dévêtir.

Ison était jolie et soumise, et Denis se dit qu'il n'y avait aucune raison de s'en priver.

Ils partagèrent le même lit lors de leurs rencontres au sein de l'Ordre, mais n'avaient aucun contact en dehors des murs de la maison de Morin Heights. Leur relation leur procurait du plaisir, mais ni l'un ni l'autre n'éprouvait la passion d'un amour véritable.

Au cours des mois qui suivirent, l'enthousiasme qui animait le groupe au début fit place à une grande nervosité. Les dirigeants affirmaient qu'il y avait un complot visant à détruire l'Ordre. Paul Germain, son parrain, parla de chasse aux sorcières de la part des médias.

— Ils sont comme des chiens enragés, ces médias. Ils reniflent dans toutes les poubelles à la recherche d'ordures, affirma-t-il au cours d'une fin de semaine au chalet de Saint-Sauveur.

L'Ordre avait, semble-t-il, été l'objet d'un reportage calomnieux en Suisse et en Belgique, et leur Maître, Luc Jouret, avait été présenté comme un illuminé et un fraudeur. Il était question de sommes d'argent considérables que le Grand Maître, Jos Di Mambro, aurait utilisées pour acheter de luxueuses propriétés.

— Ces endroits seront des lieux stratégiques quand viendra le moment du grand changement. Comme ici, à Saint-Sauveur. Le monde sera détruit, mais nous, nous serons prêts.

Prenant Denis en retrait, il lui glissa à l'oreille :

— Nous avons besoin de toi. Tu dois piloter jusqu'à Gatineau, puis revenir.

— Pourquoi ? demanda Denis. Et avec quel avion ?

— Tout ce que tu dois savoir, c'est qu'il faut s'y rendre ce soir.

— Qui sera avec moi ?

— Moi, répondit Paul sans donner plus de détails.

L'avion utilisé était le même que la fois précédente. Denis le fit atterrir facilement sur la piste du petit aéroport de Gatineau. L'endroit était peu achalandé et la surveillance minimale. Ils ne devaient rester à cet endroit que quelques minutes, mais Paul demanda à Denis de l'accompagner. Il devait y rencontrer un certain Guy Desormeaux. Comme prévu, l'homme était au rendez-vous, mais il semblait si nerveux que Denis s'en inquiéta. Il remit un sac à Paul en jetant un regard préoccupé autour de lui. Si cet homme était un trafiquant, il était probablement novice.

« J'aurai l'autre prochainement », dit-il à Paul, qui hocha la tête.

Au moment de partir, Denis était inquiet. Qu'y avait-il dans ce sac ? Il aurait fait n'importe quoi pour l'Ordre, mais il craignait que ce qu'il transportait soit de la drogue. Il s'en confia à Paul, qui ouvrit le sac pour lui en montrer le contenu. C'était une arme à feu munie de ce qui semblait être un silencieux. Denis sursauta.

« Ne t'en fais pas, dit-il sur un ton rassurant. Ce n'est que pour nous protéger. Nous avons de plus en plus d'ennemis. Lorsque la fin arrivera, il y aura beaucoup d'errants qui nous agresseront et tenteront de prendre le contrôle. Il faut nous armer maintenant. »

Denis avait bien compris ce que leur avait dit le Maître à ce sujet et il était conscient que dans le chaos, ils devraient probablement se protéger. Il avait lui-même vu comment les autres, les non-initiés, devenaient méfiants lorsqu'il était question de l'Ordre, et comment ils semblaient se liguer contre eux.

Un journaliste avait révélé que le groupe de formation qu'Hydro-Québec avait embauché pour améliorer ses relations avec ses employés était lié à l'Ordre du Temple Solaire. Le groupe, constitué principalement de membres templiers, avait été écarté rapidement par la direction d'Hydro-Québec et livré à la désapprobation populaire. Malgré les paroles rassurantes de Paul, Denis était inquiet. S'il se faisait prendre à transporter une arme prohibée, il risquait son permis de pilote.

Paul savait combien Denis tenait à son travail de pilote et il avait encore besoin de lui. Pour l'amadouer, il réussit à le convaincre qu'il pourrait lui obtenir un bien meilleur emploi. Un des membres de l'Ordre travaillait au sein de la haute fonction publique québécoise. Il pourrait peut-être le faire entrer au Service aérien du gouvernement du Québec, ce qui lui permettrait de quitter cette obscure petite compagnie aérienne pour laquelle il besognait.

Denis s'accrocha à cette promesse, mais il doutait que Paul, ou l'Ordre, puisse lui rendre ce qu'il avait perdu. Il fut le premier étonné lorsqu'il reçut un appel l'invitant à une entrevue. Il en fut si heureux, qu'intérieurement, il jura une fidélité éternelle à l'Ordre.

Chapitre quatorze

Quand le travail fut terminé, l'équipe n'eut même pas le temps de revenir à la base. L'hélicoptère vint les cueillir pour les conduire sur les lieux d'un nouveau sinistre. Ils allaient maintenant sur la vraie ligne de feu. À cet endroit, les flammes s'étaient attaquées aux tentes de l'équipe de secours. L'hélicoptère s'était posé trop près du feu de camp, et des tisons enflammèrent l'un des abris. Le nylon était beaucoup plus léger que la toile épaisse avec laquelle plusieurs anciennes tentes étaient encore fabriquées, mais le délicat tissu pouvait flamber comme une torche. L'appareil avait dû repartir rapidement pour échapper aux flammes qui le menaçaient.

Le feu dévorait les buissons environnant les tentes et risquait d'atteindre les arbres. L'équipe fut rapidement sur les lieux, car le camp qu'ils venaient de quitter n'était situé qu'à une vingtaine de kilomètres du nouveau foyer. Lorsque la journée se termina, l'incendie avait été maîtrisé, mais ils durent déménager le campement pour éviter que les hommes ne soient forcés de coucher dans la suie.

Quand les autres combattants revinrent du feu, ils se rendirent immédiatement vers les nouvelles tentes où on avait mis en vrac les bagages sauvés du désastre. Plusieurs avaient perdu leurs maigres effets personnels et tentaient de récupérer ce qui pouvait l'être.

Le camp était nettement mieux organisé à cet endroit. Il devait y avoir soixante-dix hommes qui y bivouaquaient.

Le jour, l'endroit était presque désert, animé uniquement par les cuisiniers et leurs marmitons. À l'heure du souper, le campement grouillait d'hommes noircis de suie. Pendant que les uns se préparaient à souper ou faisaient leur toilette, d'autres repartaient pour le feu faire une dernière ronde avant la nuit. C'est à cette heure que les petites victoires se gagnent. Au moment où le jour cède le pas à la nuit, les éléments qui se sont déchaînés durant la journée se calment. Le vent tombe soudainement, le soleil diminue et l'humidité de la rosée ralentit le feu. Durant cette dernière heure, les pompiers parviennent parfois à faire reculer le feu, à briser un front de flammes et à éliminer les braises sournoises qui risquent de rallumer la forêt dès les premières lueurs du jour. La dernière attaque avant la trêve de la nuit.

Antoine avait changé d'équipe. Dans sa tente se retrouvaient deux des étudiants que Ledoux avait embauchés ainsi que cette fille, Judith Morin. Sa présence avait piqué la curiosité de tout le campement. Durant les premières journées, les hommes venaient flâner autour de leur campement pour voir « la femelle ». Elle était la première femme à faire un tel travail et les rumeurs allaient bon train le soir autour des feux de camp. On disait qu'elle était plutôt jolie ; il n'en fallait pas plus pour que tous veuillent la voir de leurs propres yeux. Judith détestait être l'objet d'une telle curiosité et son caractère bouillant provoquait souvent des étincelles... Lorsqu'un homme s'avança vers elle alors qu'elle se préparait à souper et lui demanda bêtement « C'est-tu vrai que t'es une femme ? », elle répondit du tac au tac, en soulevant son chandail : « À ton avis ? ». Lorsque le type avança la main pour toucher, comme saint Thomas qui avait besoin d'une preuve, Judith lui décocha un puissant coup de poing sur le nez dans le plus parfait style pugiliste de rue. L'homme retourna à sa tente en jurant et en tenant son nez ensanglanté sous les rires de ceux qui avaient assisté à l'événement.

Judith était une tigresse et elle frappait sans retenue quiconque osait lui faire une blague de mauvais goût ou osait mettre en doute ses capacités. Elle avait déjà planté sa hache à moins d'un centimètre du pied d'un autre homme qui lui avait dit qu'elle devrait travailler à la cuisine plutôt que sur les feux. Le type avait été terrifié et ceux qui avaient assisté à la scène avaient compris qu'il valait mieux tourner sa langue sept fois avant de parler en présence de *La P'tite*.

Antoine avait, lui aussi, vite réalisé qu'il valait mieux prendre Judith Morin avec des pincettes, d'autant plus qu'elle partageait sa tente. Les premiers soirs, il avait volontairement détourné les yeux du coin de la tente où Judith couchait, mais la curiosité avait finalement été plus forte que la prudence. Il avait jeté un coup d'œil pendant qu'elle retirait sa chemise à carreaux. Elle portait une petite camisole serrée sans soutien-gorge. Les mamelons pointaient avec arrogance, et les seins étaient d'une belle grosseur. Ni trop gros ni trop petits. Il admirait ses rondeurs lorsqu'il rencontra le regard furibond de Judith. On aurait dit deux poignards. Elle fit un pas dans sa direction et l'agrippa au collet :

— T'es-tu un petit voyeur, toi, mon beau ? dit-elle furieuse.

Antoine repensa à la scène de la hache et il avala sa salive avec peine. Il se dit qu'il était inutile de mentir.

— Écoute, tu as un très beau corps, de très beaux seins. C'est difficile de ne pas regarder. Je trouve que tu fais un excellent boulot sur la ligne de feux, mais ça ne change rien au fait que tu sois une femme, lui dit-il, convaincu qu'elle allait exploser. Judith, au contraire, interpréta cet aveu sincère comme un compliment. Elle cherchait cette reconnaissance. Bien sûr, elle n'avait rien d'une féministe, ni d'une femme d'intérieur, mais cette façon qu'Antoine avait eu d'exprimer la chose correspondait exactement à ce qu'elle souhaitait. Elle relâcha son étreinte, lui fit un grand sourire et déposa un baiser sur sa joue.

— Merci, dit-elle.

Dans les jours qui suivirent, l'attitude de Judith à l'égard d'Antoine devint très amicale. Aux repas, c'est avec lui qu'elle mangeait et sur les feux, elle s'organisait pour faire partie de son équipe. Antoine ne s'en plaignait pas. Elle était travaillante et ne reculait devant rien. Un jour qu'ils étaient en patrouille, elle avait insisté pour porter la pompe manuelle et son lourd réservoir pendant qu'Antoine était armé d'une simple pelle. Les autres les regardaient avec amusement et Antoine avait l'impression qu'ils le jugeaient comme un fainéant de laisser sa compagne de travail se charger si lourdement. Il savait cependant qu'il serait inutile d'argumenter avec Judith.

Ils arrivèrent sur un petit îlot d'environ quarante mètres carrés qui avait été miraculeusement épargné par le feu. Les flammes, stoppées dans leur course par un ruisseau, avaient sauté au-dessus du cours d'eau pour reprendre plus loin. La furie dévastatrice du feu avait semble-t-il oublié cette petite parcelle pour mordre dans la grande forêt de la colline plus invitante. Judith se laissa tomber dans l'herbe verte, émerveillée par cette oasis de verdure. Antoine était, lui aussi, sous le charme. Il s'imaginait comme les Bédouins traversant le désert brûlant pour arriver sur une petite tache de verdure au milieu d'une mer de sable brûlant.

Sans pudeur et sans même faire attention à son compagnon, Judith retira sa chemise et sa camisole pour la tremper dans l'eau et s'éponger le visage. Puis elle décida de se laver les cheveux. Ils empestaient la fumée. En réalité, tout finissait par s'imprégner de cette odeur. Antoine se moqua d'elle. « Je t'ai mal regardée l'autre soir », dit-il avec un petit sourire en coin, tu as des seins beaucoup plus jolis que je croyais.

Encore une fois, il se demanda si Judith n'allait pas empoigner la pelle pour lui en asséner un coup sur le crâne, mais elle lui sourit et lui tendit la main lascivement. Antoine n'avait pas prévu cela. Il n'avait même pas imaginé une telle chose. Comme plusieurs autres dans l'équipe, il avait cru qu'elle était attirée par les femmes. Il s'avança, maladroit comme un gamin, ne sachant plus quoi faire. Elle lui prit la main et le fit asseoir près d'elle. Sans même lui laisser le temps de dire un mot ou de protester, elle posa ses lèvres sur les siennes et dirigea sa main sur son sein sans se préoccuper de la suie qui tachait ses doigts. La langue de Judith fouilla sa bouche avec rage. Antoine n'avait pas d'attirance particulière pour elle, mais il se laissa aller. Elle était jolie, certes, mais elle était loin de représenter son idéal féminin. Toutefois en plein air, dans cette oasis de verdure ayant miraculeusement échappé au fourneau de l'enfer, cela avait quelque chose de biblique. Adam et Ève. Il ne manquait plus qu'un pommier et un serpent pour que le tableau soit complet. Il la prit avec fougue, et elle le reçut de la même façon.

Revenu au camp, Antoine était partagé entre deux sentiments. Il avait apprécié cette aventure. Il ne s'attendait certainement pas à une telle expérience. Il y avait quelque chose d'animal, d'exaltant dans ce qui s'était passé entre eux et tout son corps était excité à cette seule évocation.

Elle n'était pas le genre de femmes qui l'attirait, se répétait-il inlassablement. Mais au fait, quel était donc son genre de femmes ? Il ne le savait pas trop. Il avait passé la majorité de sa vie avec une seule femme, sa mère. Antoine avait eu plusieurs petites amies et ne s'était pas privé des plaisirs de la chair. Il y avait quelque chose de libérateur dans le sexe : moments de grâce où plus rien n'a d'importance que la vague qui vous submerge. Pourtant, aucune ne l'attirait suffisamment pour envisager de partager plus que les quelques semaines que duraient leurs fréquentations.

Comme les autres, Judith ne l'incitait pas à ouvrir son cœur. Il y avait quelque chose d'étrange en elle. Antoine ne se reconnaissait pas dans cette génération d'hommes, comme il y en avait beaucoup au camp, qui considérait que les femmes n'avaient pas leur place dans ce genre de travail. Lui-même préférait Judith comme coéquipière à bien des hommes. Il considérait qu'elle était pleinement dans son droit de revendiquer sa place, si c'est ce qu'elle souhaitait. On était en 1992, à l'aube de l'an 2000, et les femmes, Judith la première, avaient démontré qu'elles étaient parfaitement capables d'occuper les mêmes fonctions que les hommes. Ce n'est pas cet aspect de sa personnalité qui le mettait mal à l'aise. C'est plutôt ce qui était arrivé lors de leurs ébats. Malgré le fait qu'il ait été actif, il avait l'impression que c'est elle qui l'avait pris. Bien sûr il était une « victime » heureuse, mais il n'avait pas l'impression d'avoir été pleinement consentant. « Ouin, fit-il songeur. Si quelqu'un nous avait observés, je ne crois pas qu'il m'aurait considéré comme une victime. » Il réalisa alors qu'on aurait pu les voir, ce qui l'aurait placé dans une étrange situation. Bien sûr il en tirerait probablement une gloriole auprès de certains, mais il y avait les autres qui le jalouseraient. Il n'osa en parler à Judith qui, une fois leurs ébats terminés, sembla avoir tout oublié. Cependant, dans les jours qui suivirent, lors de leur patrouille, elle le coinça à nouveau et, malgré ses résolutions, il se laissa prendre au piège sans protester. Le feu brûlait aussi en eux.

Alors que tous étaient des nouveaux dans le premier campement, il y avait ici beaucoup d'anciens. Les « bleus » écopaient de toutes les corvées du soir, en plus de faire l'objet de la curiosité et des quolibets du groupe. C'était le passage obligé du statut de nouveau à celui d'ancien. Antoine s'en accommoda volontiers. Il désirait s'intégrer au groupe, rire avec eux des nouveaux et participer à cette étrange vie sociale qui s'organisait dans le camp. Sa vie était ici, il le sentait. Il acceptait facilement qu'on se moque de lui, sauf en ce qui concerne sa famille, dont il ne parlait jamais. Il avait appris quelques semaines plus tôt que Paul avait été libéré, mais il n'avait pas cherché à communiquer avec lui. Antoine n'était pas certain de vouloir nouer des relations avec Paul depuis sa visite au pénitencier.

Mais il ne put échapper longtemps à son passé. Cela arriva le soir de leur troisième journée dans le grand camp. Luc Lafond faisait partie des équipes de combattants depuis trois ans et était considéré comme le porte-parole non seulement de son groupe, mais de la majorité des hommes. Il avait le sens de l'humour et trouvait toujours une blague à raconter. En sa compagnie, on s'amusait ferme et Lafond ne ratait jamais une occasion de se payer la tête de l'un ou l'autre des hommes. Ses blagues étaient toujours amicales, mais pouvaient parfois piquer des cordes sensibles.

— Aye le jeune, comment c'est que tu t'appelles ? demanda Lafond à Antoine.

— Antoine... Antoine Lyrette, répondit-il surpris et étonné de la question.

— T'es de quel endroit ?

— J'suis de Sainte-Famille-d'Aumond, mais ça fait un bout que je ne vis plus là.

— Attends. « Antoine Lyrette », ça me dit quelque chose.

Antoine avait anticipé ce moment. Il aurait préféré que personne ne le connaisse.

— Tu serais pas le petit-fils d'Achille Roy par hasard ?

Ça y était encore une fois. Il n'était plus Antoine Lyrette, mais Antoine, le petit-fils d'Achille Roy ou Antoine, le fils de la postière d'Aumond. Mais il y avait pire, et d'association en association, on finissait aussi par dire ou penser : « le fils de Paul Cole ».

— Tu sais, mon grand-père a travaillé avec le tien, dit-il. Ils ont fait la drave ensemble.

Antoine fut surpris d'entendre parler de quelqu'un qui avait connu son grand-père alors qu'il était jeune. Et Lafond sembla heureux de cette rencontre, comme si tous deux se découvraient un lien de parenté insoupçonné. Le grand-père de Luc, Omer Lafond, avait été contremaître dans les chantiers et il se souvenait fort bien d'Achille Roy. Il se rappelait même de l'incident qui avait amené Achille à affronter deux hommes qui s'apprêtaient à violer celle qui allait devenir sa femme, Adela Cole.

— Il a fallu du temps à mon grand-père pour nous parler de ce qui était arrivé avec ton grand-père. Il répétait toujours « Ce qui s'est passé en forêt reste en forêt ». Pis après le procès, quand Achille a disparu en mer, il s'est mis à en parler, comme si sa promesse venait de prendre fin. Paraîtrait que c'était un *sapré* bon homme.

Antoine le harcela de questions sur cette époque et sur

ce que son grand-père lui avait raconté au sujet d'Achille. Lafond avait eu le tact de ne pas aborder le sujet du rôle de son père et Antoine lui en fut reconnaissant. Ce genre de diplomatie et de discrétion n'était pas le lot de tous. « T'es le fils de qui, toé, mon jeune ? », lui demandait-on invariablement. Antoine était toujours embêté par cette question. Il savait bien que ces hommes voulaient savoir qui était son père. Quand il leur répondait qu'il était le fils de sa mère, il s'en trouvait toujours un pour dire qu'il en avait entendu parler, soit durant le procès, soit par ce foutu livre qui commençait à sérieusement empoisonner l'existence d'Antoine. « Ma femme a lu ça, c'te livre-là. Paraît qu'y en a des bonnes dedans. En tout cas, ç'a l'air de marcher parce qu'ils en parlent partout. » S'il leur répondait qu'il était le fils de Paul Cole, la discussion tournait sur le procès et, bien que chacun se soit gardé de faire des commentaires, leur réserve soudaine ne laissait aucun doute sur le cours de leurs pensées. Ils se rappelaient le fils indigne qui avait essayé de flouer ses parents. Leur histoire avait été étalée dans tous les médias. Plusieurs en connaissaient plus que lui sur sa propre vie. Même ici en forêt où il avait cru trouver l'anonymat, on le reconnaissait et cette histoire le poursuivait. Antoine se fit discret.

Ses petites aventures avec Judith ne tardèrent pas à faire l'objet de commérages dans le camp. Les blagues et les allusions à caractère sexuel se multiplièrent et les hommes, le soir autour du feu, commencèrent à évoquer la possibilité de séduire la belle pompière. La plupart soutenaient qu'elle était lesbienne, mais certains alléguaient qu'elle s'envoyait en l'air avec Antoine. Quelques chefs d'équipe manifestèrent des réserves face à cette montée de testostérone dans les rangs masculins et Ledoux, de sa base de

Messines, décida qu'il était temps de rappeler la jeune femme. De toute façon, pensait-il, elle priait probablement le ciel pour qu'on la sorte de cet enfer. Et puis, le nombre de feux allait en déclinant et il faudrait réduire le nombre des équipes sur le terrain.

Lorsque Judith apprit qu'elle serait ramenée à la base, elle manifesta vivement sa frustration. Elle empoigna le contremaître venu annoncer la nouvelle aux travailleurs qui devaient rentrer au bercail. La plupart d'entre eux faisaient partie des jeunes nouveaux sous la responsabilité de Commanda. Jean-la-Bouillotte, qui avait réussi à garder sa place de marmiton, faisait partie des combattants démobilisés, au plus grand bonheur de ceux qui avaient fait l'expérience de ses talents culinaires. La plupart étaient heureux de sortir de la forêt après des semaines de cette vie difficile, et plusieurs se promettaient de ne plus y revenir.

Antoine était surpris de ne pas avoir été ramené à domicile avec le groupe des nouveaux. Edgar Commanda avait, semble-t-il, insisté pour le garder. « C'est un des rares hommes qui est convaincu de l'importance de son travail », avait-il dit.

Antoine fut presque soulagé du départ de Judith. Il avait beau être le seul homme du camp à jouir de ses faveurs, la situation le rendait mal à l'aise. Il avait presque l'impression d'être victime de harcèlement sexuel. Il l'avait réalisé lorsqu'il s'était mis à faire des détours dans le camp pour éviter de se trouver en compagnie de Judith-la-Tigresse. Il ne pouvait tout de même pas s'en plaindre à son contremaître. Il serait devenu la risée de tous. Un homme se plaignant des avances d'une femme ! Antoine aurait passé pour un homosexuel, un *fifi*.

Il était surtout heureux d'avoir été choisi parmi les nouveaux pour rester dans le groupe. Il était devenu un combattant. Un vrai.

Chapitre quinze

Martin Éthier avait accepté l'emploi que Poulin lui avait offert au journal *Le Droit*, même s'il n'avait pas aimé la façon dont le quotidien l'avait traité, alors qu'il était encore dans les classes mineures du journaliste hebdomadaire. Reporter oublié dans un petit milieu, il avait malgré tout du talent, et il l'avait démontré en publiant cette histoire sur Achille Roy et son incroyable odyssée vers Terre-Neuve. L'affaire avait fait beaucoup de bruit. On en avait parlé à travers le pays ; on en avait même parlé dans des journaux étrangers. Mais c'est *Le Droit* qui s'était approprié la paternité de la nouvelle et qui en avait retiré toute la gloire.

Le quotidien avait même remporté une distinction décernée par la Commission des droits de la personne pour le traitement de cette nouvelle. Ce reportage, avait-on affirmé lors de la remise du prix, avait permis de sensibiliser les gouvernements à la défense des droits des aînés. La Loi sur l'incapacité mentale avait même été modifiée pour éviter, comme cela avait été le cas avec Achille Roy, que des membres de la famille puissent y recourir pour abuser de leurs parents. François Poulin, le directeur du journal, en avait tiré gloire et honneur pour lui-même… et son papier.

Martin n'était pas naïf. Il savait bien que l'emploi qui lui avait été offert par Poulin visait surtout à acheter son silence. Quand il était arrivé dans le bureau de Poulin, encore mal à l'aise de cette rencontre, celui-ci avait été clair.

— On ne se contera pas d'histoires, mon jeune !

Martin, qui s'apprêtait à s'asseoir, figea sur place, les fesses à quelques centimètres de la chaise. Il releva les yeux en se laissant descendre avec précaution sur le siège, comme s'il s'attendait à recevoir un choc électrique au postérieur. Poulin poursuivit :

— J'ai entendu dire que tu réclamais la paternité de cette histoire avec le vieux au canot. Tu peux bien crier sur tous les toits que c'est toi qui mérites les honneurs, y a personne qui va t'écouter. La Fédération des journalistes ou le Conseil de Presse ? Pour ce que ça vaut ! Mais si tu veux sortir de ton trou pis faire autre chose que des nouvelles sur les Clubs de l'âge d'or, on a intérêt à s'organiser.

Martin n'était pas dupe, il avait compris cela depuis longtemps. C'est pour cette raison qu'il avait accepté son invitation. Autrement, il l'aurait envoyé se faire voir et serait resté chez lui. Il voulait un emploi qui soit à la mesure de ses rêves : faire du vrai journalisme. Poulin le savait aussi et se sentait en position dominante. Martin répliqua sur le même ton, en pointant du doigt la plaque suspendue au mur :

— Ce que je pense, c'est que vous ne voulez pas d'une mouche qui viendrait ternir la plaque que vous a remise la Commission. Parce que vous savez que je ne lâcherai pas le morceau. Par contre, vous avez raison. J'aimerais bien un nouveau défi, pas boucher des trous. Les chiens écrasés à Maniwaki, ça vaut bien les chiens écrasés ici. Là-bas, au moins, je suis chez moi, à cinq minutes de la nature. Le coût de la vie n'est pas élevé et je dîne avec mon voisin tous les midis, qui est médecin à l'hôpital de Maniwaki. Alors vous comprendrez qu'un arrangement, comme vous dites, ça ne devrait pas se faire à votre seul avantage. Je ne veux pas d'un petit job de misère, je veux un vrai poste de journaliste.

François Poulin fut surpris de la réplique de Martin. Il s'attendait à le trouver docile, prêt à accepter n'importe quoi pour travailler dans un quotidien. La plupart des jeunes postulants qui se présentaient dans son bureau lui auraient baisé la main pour un tel emploi. Martin venait de lui annoncer ses couleurs et il n'était pas question d'un baisemain. Poulin apprécia cette attitude.

— Nous sommes faits pour nous entendre, conclut-il en éclatant de rire.

Martin échappa, passage obligé pour les nouveaux, aux informations sportives et s'était retrouvé à la section judiciaire. Un domaine passionnant, mais parfois assommant aussi. Des heures dans les couloirs du Palais de justice à suivre les histoires sordides, puis à étaler sur la place publique tous les drames humains, en faisant preuve du moins de retenue possible. Ce qu'il détestait dans ce type de nouvelles, c'est ce côté voyeur. Mais les lecteurs en demandaient plus. Il fallait aller plus loin. Ne pas manquer un détail qu'un autre média aurait pu glaner. Et puis il y avait ce petit jeu de relations publiques entre journalistes, avocats et policiers. La défense laissait couler certaines informations, les avocats en laissaient couler d'autres, pour tenter d'influencer l'image de l'accusé qui serait présentée dans les journaux. Martin essayait de garder une certaine pudeur face à la nouvelle judiciaire. S'il devait donner des détails sordides, il se faisait un point d'honneur de les situer dans leur contexte. Il avait vu lors du procès d'Achille comment il était possible de forger une fausse image d'une personne à partir de quelques éléments. Poulin lui avait demandé plus de « jus ».

— Écoute, Martin, tu pourrais faire un beau *vox pop* quand il y a une histoire comme celle-là. Le gars a violé la fille de sa conjointe avant de la tuer. Me semble que ce serait facile de ramasser cinq ou six personnes pour faire des commentaires chocs.

— C'est con !

— Comment ! explosa Poulin, furieux.

— Je dis que c'est bête et stupide. On le sait bien ce que les gens vont dire. Quel idiot va venir dire devant la presse qu'il faut donner sa chance au violeur ? On est en train de faire le procès de ces gens-là sur la place publique. Avec moi, ce genre de lapidation, ça ne marche pas.

— Écoute Martin. J'haïs pas ce que tu fais. T'as du style. Mais t'es naïf. Chaque fois que je me fais damer le pion par le *Ottawa Journal*, ou par la télévision, ou pire encore, par le *Journal de Montréal*, j'entends les presses qui ralentissent en bas. Le monde, c'est ça qu'ils veulent. Tu ne leur donnes pas ce qu'ils veulent, alors ils vont ailleurs. Et si les lecteurs vont ailleurs, toi aussi tu risques d'aller ailleurs.

Martin aurait voulu protester, mais il savait que Poulin avait raison. Les purs avaient beau crier, c'est encore la boue qui attirait les lecteurs. Il avait obtempéré mais en tentant d'éviter les dérapages. Malgré ce côté sensationnaliste de la nouvelle judiciaire, il y trouvait un certain intérêt. Dans le lot des petits drames de la vie qui se succèdent à cet endroit, il se produisait parfois une histoire intéressante. Un bout de fil rattaché à une énorme pelote de laine. Cette histoire de fraude fiscale, par exemple. L'accusé s'était révélé être un ami proche d'un ministre du gouvernement fédéral, et les sommes d'argent qu'on lui reprochait d'avoir empochées provenaient d'un pot-de-vin qui lui avait été versé par une entreprise qui souhaitait obtenir des contrats du gouvernement. L'affaire avait fait grand bruit et mobilisé la une de tous les quotidiens canadiens durant quelques jours. Le ministre avait finalement dû remettre sa démission.

Martin y avait gagné en notoriété. Bien sûr ce n'était pas le Watergate, mais l'affaire serait passée sous silence, et le ministre serait encore en poste s'il ne s'y était pas intéressé. Il avait eu sa petite heure de gloire. Une gloire bien éphémère.

Depuis la condamnation par un tribunal ontarien le 18 janvier 1993 de Rock « Moïse » Thériault à l'emprisonnement à vie pour le meurtre de Solange Boilard, une des anciennes disciples de la secte dont il était le gourou, rien de bien excitant n'était arrivé en terme d'actualité judiciaire. Martin avait été dépêché par le journal pour suivre cette histoire qui avait fasciné et révolté tout le Québec. Il avait rédigé le récit des horreurs de ce Moïse, incapable de comprendre comment des personnes sensées avaient pu se laisser manipuler et entraîner dans la folie de cet homme. Les mois suivants ne lui avaient apporté que des petites affaires sans grande importance.

Comme il le faisait chaque fois que la cour siégeait, Martin arriva tôt au Palais de justice et scruta la liste des accusés de la journée. Il y avait plusieurs salles et il ne pouvait être partout à la fois, aussi faisait-il le tri des sujets. Il y avait cette tentative de meurtre sur un chauffeur de taxi qui retenait l'attention. L'auteur présumé de cette agression devait comparaître brièvement. Il ne s'y passerait rien. Le juge déterminerait la date de comparution et l'homme reprendrait le chemin de la prison en attendant. Dans ce genre de procédure, il fallait se borner à répéter les chefs d'accusation et à donner une description de l'accusé. « Il avait l'air de ceci ou de cela. Il a regardé le juge dans les yeux. L'accusé n'a exprimé aucune émotion ». C'était le genre d'inepties qu'il fallait utiliser. Des phrases vides, dont la vérification était pratiquement impossible et qui laissaient une impression indélébile chez le lecteur. Martin les utilisait avec prudence. Dans la salle suivante, un chauffard qui avait fauché un piéton était accusé de conduite avec facultés affaiblies. L'homme qui avait été happé était mort sur le coup. Dans la troisième salle, un autre était accusé de possession d'une arme prohibée.

— Ce Desormeaux dans la salle 3, c'est sûrement un autre petit criminel?, demanda-t-il à Nathalie, la gardienne de sécurité qui surveillait la porte d'entrée.

Nathalie était employée d'une compagnie de sécurité privée qui assurait la surveillance de divers immeubles gouvernementaux, dont le Palais de justice. Malgré un fort joli visage, Nathalie avait le physique de l'emploi. Elle devait faire cent dix kilos et était capable de repousser n'importe quel agresseur. Quand elle bloquait de son corps l'accès à la porte de la salle de cour, il n'y avait plus assez d'espace de chaque côté d'elle pour glisser un journal. Encore moins un journaliste. Mais elle occupait cette fonction depuis si longtemps qu'elle en savait plus sur les habitués des Palais de justice que les policiers ou les avocats.

— Je ne crois pas, répondit-elle. Je n'ai jamais vu ce gars-là. Et en plus, il paraît que c'est un cadre d'Hydro-Québec.

— Un cadre d'Hydro-Québec? T'es certaine?

— Ben c'est ce que les deux avocats marmonnaient en entrant.

Cette information piqua la curiosité de Martin. Malheureusement, l'histoire du chauffard intéressait plus les lecteurs que celle d'un cadre d'Hydro-Québec qui avait fait joujou avec un pistolet. Et puis, l'affaire semblait bien banale. Le type était probablement un collectionneur qui s'était fait prendre à acheter une arme de prestige illégale à laquelle il n'avait pu résister. Il choisit de se rendre à la salle 2.

Martin se fraya un chemin parmi les curieux et parvint à se dénicher une place. Les avocats de la défense et de la poursuite étaient en train de discuter afin de s'entendre sur les causes qui ne nécessitaient pas de comparution et sur celles dont il ne s'agissait que de déterminer la date de procès. Le sort de dizaines de gens expédié en quelques minutes. Quand vint le tour de l'homme accusé de conduite avec facultés affaiblies, l'avocat de la défense demanda un report de la date de comparution pour lui permettre de convoquer un spécialiste chimiste. La requête fut acceptée et la cause reportée au mois suivant. Martin était déçu. Il sortit précipitamment avec l'idée de se rendre dans la première salle, mais l'affaire de l'homme au pistolet lui revint en mémoire et il entra plutôt dans cette salle, juste au moment où Desormeaux se présentait à la barre. Pas beaucoup de curieux pour cette cause, les autres journalistes s'étant rabattus sur la comparution de l'agresseur du chauffeur de taxi. Martin se glissa discrètement sur une des chaises.

Guy Desormeaux avait acheté une arme, un pistolet muni d'un silencieux, d'un trafiquant connu et surveillé par les policiers. C'est d'ailleurs en sortant de chez l'individu louche qu'il avait été intercepté. Desormeaux n'avait aucun antécédent criminel. Au contraire, il jouissait d'une situation avantageuse et n'avait aucun ennui financier qui eut justifié de commettre un acte criminel. Les policiers étaient curieux de savoir à quoi cet homme destinait une telle arme. Les braqueurs de banque et les criminels de rue n'utilisaient jamais de silencieux. La plupart d'entre eux affirmaient d'ailleurs ne pas vouloir utiliser leur arme et ne s'en servir que pour faire peur. Raison de plus de ne pas utiliser de silencieux. Un coup de feu en l'air pouvait faire plus d'effet qu'une balle en plein cœur, disaient-ils. Les choses ne se passaient pas souvent ainsi. L'arme à feu finissait presque toujours par provoquer la mort. Mais un silencieux, c'était autre chose. C'était habituellement la marque d'un tueur. Quelqu'un dont l'objectif n'était pas de faire peur, mais de donner la mort.

Martin s'avança pour observer l'homme. Desormeaux n'avait rien d'un tueur. Visiblement, l'accusé n'était pas à sa place dans cette cour. Peut-être s'agissait-il d'un complot pour un meurtre passionnel ? Sa femme par exemple. Mais l'hypothèse de Martin tomba lorsqu'un des policiers révéla que Desormeaux avait été arrêté devant l'immeuble du trafiquant alors qu'il montait dans la voiture que sa femme conduisait. Bien qu'elle ait été en compagnie de son mari au moment de l'achat de l'arme, elle ne fut pas accusée. Cependant, s'il y avait complot, ils étaient impliqués tous les deux. « De plus en plus curieux », songea Martin.

L'homme était mal à l'aise de se trouver à cet endroit. Il bredouilla en expliquant qu'il avait acheté cette arme pour quelqu'un d'autre, mais refusa de révéler son nom. « C'est pour quelqu'un qui fait partie de notre groupe », se contenta-t-il de répondre aux questions du procureur de la Couronne. « Notre groupe », nota Martin dans son carnet. Ainsi, il faisait partie d'un groupe. Il glana le plus d'informations qu'il pouvait sur le couple. Il apprit qu'ils vivaient à Laval et qu'ils avaient été mis en contact avec un trafiquant de la région de Hull, appelé Le Kid. Pas une grosse prise, mais les policiers le suspectaient d'être affilié au groupe de motards criminalisés les Hell's Angels. Le Kid se limitait surtout au trafic de la drogue, mais il lui était arrivé de servir d'intermédiaire pour la vente d'armes, des pistolets généralement. Lors de son témoignage, il dit que la demande de Desormeaux l'avait étonné car c'était la première fois que quelqu'un lui demandait un silencieux.

Quand les policiers virent la première fois le couple se présenter pour passer une commande, ils firent enquête sans obtenir quoi que ce soit. Lorsque, quelques jours plus tard, Desormeaux sortit de l'appartement du Kid avec un sac de sport sous le bras, les policiers aux aguets déclenchèrent la trappe, croyant prendre le cerveau du groupe, une éminence grise qui aurait agi en retrait. Mais Desormeaux n'était rien de cela. Le seul groupe avec lequel il avait un lien, selon les policiers, était un groupe religieux. Des « sans taches ». Rien. Il était cadre à Hydro-Québec, elle travaillait dans un bureau de médecins. Aucun acte criminel à leur dossier, même pas une lointaine relation avec les Hell's.

— De quel groupe religieux s'agit-il ? demanda Martin à l'un des policiers qui sortait de la salle d'audience après avoir témoigné.

— Le Temple du Soleil, je pense, répondit le policier, le plus sérieusement du monde.

— Comme dans Tintin ? rétorqua Martin, amusé.

— Attends un instant, dit le policier en jetant un coup d'œil rapide à ses notes : pas le Temple du Soleil, non, l'Ordre du Temple Solaire.

Martin n'avait jamais entendu parler de ce groupe et son esprit resta un moment accroché à cette vieille bande dessinée qu'il avait lue et relue durant sa jeunesse. Tintin, qui était lui aussi journaliste, s'était rendu jusqu'au lieu d'une secte inca, le Temple du Soleil. Il s'imaginait, amusé, l'homme qu'il avait vu dans le tribunal en adorateur du soleil, vêtu d'une longue robe comme les prêtres incas attendant une éclipse pour offrir un sacrifice humain au Dieu Soleil. Il ressemblait plus au capitaine Haddock qu'à un prêtre inca. Martin se figea. Et si c'était cela ? Si le groupe auquel il appartenait avait décidé de faire un sacrifice humain ? Bonne raison de vouloir un silencieux lorsqu'on ne veut pas ameuter les voisins. Il se dit qu'il lui faudrait poursuivre ses recherches. Il alla d'abord glaner des informations sur des dossiers qui faisaient la manchette, puis traîna dans les corridors du Palais de justice pour compléter un article.

Il entra au bureau en fin d'après-midi et entreprit la rédaction de son papier. Trente minutes plus tard, il avait terminé. Le texte était relativement sobre, mais il faisait le tour des éléments découverts durant la journée. Il lui restait du temps et il alla rencontrer la responsable de la section Société du journal. « Responsable » est un bien grand mot. Elle était en fait la seule journaliste de ce département. Madeleine (« Mado », insistait-elle, chaque fois que quelqu'un l'appelait ainsi) était une journaliste branchée. Elle était toujours au fait des nouvelles tendances et des nouvelles religions.

— Dis Mado, l'interpella directement Martin, connais-tu un groupe qui se désignerait par le nom de l'Ordre du Temple Solaire ?

— Comme dans Tintin ?

— J'ai posé la même question… Je vois que tu n'en sais pas plus que moi.

— Non, mais j'ai un copain qui travaille dans un groupe d'information sur les sectes à Montréal. Le gars s'est fait siphonner par un de ces groupes ésotériques. Il en est sorti et depuis, il les combat en informant les gens sur les dangers de certaines pratiques.

— T'es un amour. J'espère que tu le sais ?

— Je le sais… et j'aimerais bien te le prouver, un de ces soirs, dit Mado avec un sourire aguichant.

Elle savait le faire rougir et ne s'en privait jamais. De toutes les personnes qui pouvaient avoir des comportements sexistes dans l'équipe du *Droit*, Mado était la pire. Elle ne ratait jamais une occasion de faire des allusions de nature sexuelle à tous ses collègues, ou de leur pincer les fesses au passage. Plusieurs rasaient les murs en la rencontrant pour éviter ses mains baladeuses. Elle en avait attiré quelques-uns dans ses draps. Mado avait quarante ans, avait connu deux maris et deux divorces. Elle avait décidé de ne plus s'attacher et multipliait les brèves relations. Quelques jours, quelques semaines, rarement plus. Elle avait lancé des flèches à plusieurs reprises à Martin et celui-ci n'était pas insensible au charme de la journaliste. Mais il s'y refusait. Sa relation avec Anne Blais, la jeune avocate qui avait défendu avec succès Achille Roy, le « Vieil homme au canot », battait de l'aile. Anne avait connu un succès professionnel instantané et elle était très sollicitée. Ils s'étaient vus pendant plusieurs mois, mais la distance grandissait entre l'avocate de Montréal et le journaliste de Gatineau. Au début, ils étaient ensemble toutes les fins de semaine, puis Anne avait été occupée à une cause qu'elle ne pouvait délaisser. Lui, il avait été affecté à la couverture des élections municipales, ce qui devait le mobiliser durant tout un mois. De rendez-vous manqués en occasions gaspillées, les amants s'étaient éloignés l'un de l'autre. Même leurs échanges téléphoniques n'étaient plus quotidiens. Martin aurait pu se laisser aller dans les bras de Mado. Il n'avait même pas à le lui dire. Et Mado ne désirait rien d'autre que le corps d'un homme. Il ne souhaitait pas,

malgré tout, finir sa relation avec Anne de cette façon.
Voulait-il seulement que cette relation se termine ? Chose
certaine, ils devaient faire le point et cela ne pouvait se faire
au téléphone. Il laissa Mado sur un grand sourire nostalgique. Elle considéra que cette émotion lui était destinée et
elle en fut satisfaite. Un jour, il craquerait bien.

Ce n'est que le lendemain que Mado donna suite à sa
demande de renseignements.

— Dis donc, mon beau, commença-t-elle, histoire de
faire surgir des couleurs sur le visage de Martin. C'est un
drôle de groupe, ton Ordre du Temple Solaire. Ils se disent
guidés par une force extraterrestre. Leur gourou serait un
certain Luc Jouret, un médecin belge.

— Je n'ai jamais entendu parler d'un tel groupe. Par
contre ce nom, « Jouret »... il me semble avoir vu une in-
terview à la télévision avec lui, mais je ne me rappelle pas
qu'il ait parlé de ce groupe religieux.

— Peut-être pas, mais le groupe Archedia, ça pourrait
te dire quelque chose ?

— Pas du tout. Qu'est-ce que c'est ?

— C'est une société spécialisée en management. Elle
donne des cours de formation à des dirigeants d'entreprise.
Devine qui est leur plus important client ?

— Hydro-Québec ! répondit Martin sans hésiter.

— En plein ça ! Comment le sais-tu ?

— J'avais déjà quelques indices.

Décidément, la ficelle dont il avait trouvé le bout dans
cette salle du Palais de justice semblait conduire à un tissu
de mystères.

Chapitre seize

L'intensité des feux avait ralenti et les hommes avaient réussi à faire reculer la grande langue de feu. Il avait plu un peu, ce qui avait abaissé l'indice d'inflammabilité. Pas suffisamment pour étouffer tous les feux cependant, mais assez pour permettre à certaines équipes de gagner de petites batailles. Le nombre de feux en activité avait diminué, si bien que plusieurs hommes avaient pu rentrer à la maison pour un repos de quelques jours. Les derniers combattants à rejoindre les premières unités de pompiers ne seraient probablement pas rappelés, mais Commanda avait prié Antoine de revenir dans quelques jours. Le jeune homme en était très fier.

Entre deux feux, Antoine s'était déniché un petit logis au-dessus d'un commerce de location de films vidéo à Maniwaki, et y avait rapidement déménagé ses choses pour laisser la place au propriétaire du chalet pour l'été. Il y avait toujours foule devant le commerce, mais les gens étaient pressés, entraient et sortaient rapidement avec leurs films sous le bras. Antoine ne regardait personne et ne voulait voir personne. Plusieurs affichaient une mine un peu gênée et Antoine imaginait facilement en les voyant sortir qu'ils avaient franchi les petites portes battantes qui conduisaient à la salle des films pour adultes.

Entre deux missions, Antoine regardait tous les nouveaux films, les bons comme les navets. Il aurait pu aller prendre un verre dans les bars de Maniwaki, mais il n'avait pas le goût de socialiser. Le cinéma situé de l'autre côté de la rue présentait, parfois, des films récents et il n'en ratait aucun. Dans son appartement, Antoine s'était entouré d'un certain confort. Il ne comprenait pas que des hommes solitaires puissent vivre dans un minuscule appartement pratiquement vide, sans meuble. Certains couchaient sur un simple matelas, disposaient de deux chaises, d'une table et d'un téléviseur monté sur une boîte ou sur des caisses de bières vides empilées dans un coin.

Habitué à vivre avec sa mère, il avait accordé une attention particulière à la disposition de son modeste mobilier. Il avait acheté pour quelques dollars une petite table carrée en merisier et quatre chaises. Il avait masqué les imperfections en dessinant des feuilles de vignes aux endroits les plus abîmés. Il avait recouvert le tout d'une épaisse couche de vernis. Durant son premier congé, il avait entièrement repeint l'appartement. Le propriétaire des lieux lui avait cédé un ancien divan-lit. Le meuble était affreux, mais il avait trouvé une couturière qui lui avait fabriqué une housse qui masquait le tout. Il était ensuite allé rencontrer un fermier à Déléage, près de Maniwaki. L'homme, un certain Wilson, venu des États-Unis pour fuir la guerre du Vietnam, avait installé un petit moulin à scie sur sa terre. Il avait un caractère de chien, détestait les Noirs, sans honte et sans retenue, et ses prix pouvaient varier selon son humeur et le degré de sympathie que le client lui inspirait. Il coupait le bois sur sa terre, le sciait et le vendait : un produit de qualité à bien meilleur prix que chez les marchands de bois. Antoine avait ramené du moulin à scie de Wilson de belles planches de pins sur lesquelles il avait dessiné le même motif que sur sa table de cuisine, puis les avait vernies. Il s'en servit comme tablettes dans le salon, sur lesquelles il posa son téléviseur mais aussi d'autres objets, des plantes. Pas de drap aux fenêtres comme dans l'appartement de certains célibataires, mais des rideaux dont les couleurs s'agençaient avec celle de la housse du divan et des motifs qu'il avait dessinés. Quiconque entrait dans l'appartement s'imaginait facilement qu'Antoine avait une petite amie qui l'avait décoré.

Ses loisirs se limitaient à peu de chose. Quand il revenait du bois, il allait parfois prendre un verre avec les autres. La bière avait alors un goût qu'elle n'avait à aucun autre moment. Les gorges étaient asséchées par la suie et la fumée et le houblon goûtait bon. Le liquide blond versé dans les verres était le prélude au retour à la maison et les hommes se sentaient comme des soldats en permission. En dehors de ce cérémonial avec les camarades de travail, Antoine préférait éviter les lieux publics en raison de l'attention dont il devenait l'objet chaque fois que quelqu'un le reliait au succès du livre de sa mère, ou à l'histoire d'Achille Roy, que tous dans la région connaissaient maintenant dans ses moindres détails.

Loin de la camaraderie des collègues, Antoine vivait difficilement cette solitude. Lorsqu'en 1993, le service Internet devint accessible aux citoyens de Maniwaki, il fut l'un des premiers à s'y intéresser. « Une fenêtre sur le monde » disait la publicité. Antoine avait vu les possibilités de ce moyen de communication lors de sa visite à la bibliothèque publique et il estima qu'il pouvait se payer ce luxe. Il y avait là quelque chose de merveilleux dans cette possibilité de communiquer, d'obtenir des renseignements sur le monde entier. On prévoyait d'ailleurs qu'Internet deviendrait aussi incontournable que le téléphone. Plusieurs en doutaient.

Dès qu'il fut branché, Antoine devint totalement

intoxiqué par toutes ces images, ne décrochant que quelques heures pour dormir. L'écran était devenu une drogue. Il allait d'un site à l'autre, découvrant ici un pays, là une recette et, bien sûr, d'innombrables sites osés qui avaient envahi cet espace libre de toute règle.

Il s'attarda aussi sur quelques sites de clavardage, curieux de découvrir ceux qui s'y adonnaient. Quand, pour accéder à l'un de ces sites, on lui demanda de choisir un surnom sous lequel les gens pourraient l'identifier, Antoine inscrivit presque instinctivement « Achille ». Il y avait une foule de surnoms pour le moins étrange. Les « Miss Blue », les « Monsieur Muscles », et les « Adultes consentants » côtoyaient les « Elvis », « Napoléon » et « Jules César ». « Achille », c'était parfait, comme ce héros de la mythologie grecque. Il fut rapidement déçu des propos qui s'y échangeaient, la plupart étant infestés d'internautes, des hommes surtout, à la recherche d'une compagne pour assouvir leurs fantasmes.

En réalité, Antoine s'était intéressé à ce médium pour ce qu'il y avait vu la première fois qu'il était allé à la bibliothèque. Il lança une recherche avec le seul mot « Fogo », mais la multitude de références qu'il obtint était si imposante qu'il reprit sa recherche en spécifiant « Fogo Island ». Il cliqua sur le premier lien. Il s'agissait d'un site personnel dont l'auteur était un Américain de Boston qui, par un curieux hasard, était allé visiter cette petite île perdue, et qu'il avait adorée. Il en avait rapporté des clichés qu'il présentait sur sa page ainsi que quelques commentaires. Il avait visité les petits villages Joe Batt's Arm, Seldom et Tilting. Antoine fut amusé par le nom des villages cités. En traduction libre, le premier village aurait été « Bras de Joe Batt ». Que s'était-il passé avec le bras de cet homme pour qu'on donne un tel nom à cet endroit ? Antoine jeta un coup d'œil sur les images. On voyait le voyageur américain en premier plan devant une plage qui, affirmait-il dans le bas de vignette, était celle de Sandy Cove. Il avait aussi photographié quelques maisons typiques, la plupart abandonnées et en état de délabrement. Le paysage était rude, constitué surtout de roches, mais on sentait l'océan omniprésent. Il se rendit ensuite sur un autre site qui présentait le musée de la Maison Bleak, laquelle avait été la résidence d'un riche commerçant de poissons qui avait été transformée en attraction touristique. Plusieurs images illustraient la page qui présentait aussi une brève description du contexte historique. L'un des sites était celui d'un agent immobilier qui vantait la tranquillité des lieux et offrait quelques bicoques à vendre autour de l'île.

Le lien suivant était plus intéressant. Il s'agissait d'un site d'informations touristiques et Antoine se souvint que c'est justement à cette adresse que la bibliothécaire avait tenté d'obtenir des renseignements un an plus tôt. Contrairement à ce qu'il avait vu la première fois, le site était cette fois plus attrayant. Des panoramas enchanteurs accueillaient le visiteur. Le menu était clair et dirigeait l'internaute vers les bonnes rubriques : histoire, hébergement et restauration, voies d'accès et cartes, attraits touristiques, communautés.

Antoine regarda d'abord la carte avant d'arrêter son choix sur Tilting. C'est de ce village qu'Adela Cole, sa célèbre grand-mère, était originaire, et c'était ce qui instinctivement l'avait amené à s'intéresser à cette île. Il cliqua sur le lien qui conduisait à une photo aérienne du port. Cela donnait une bonne idée de l'organisation des lieux. Si au Québec l'église avait été le centre de l'organisation des villages, les pêcheurs de Terre-Neuve s'établissaient d'abord autour du quai, du magasin général et du commerçant de poissons, les trois étant situés au même endroit. L'église était venue plus tard, construite plus haut sur la rive.

On vous offrait d'ailleurs une visite en images de la Maison Lane, l'une des attractions touristiques du village. C'est justement la maison du marchand du village qui avait été restaurée et qui servait aujourd'hui de musée local. Antoine scrutait chaque photo, cherchant inutilement un indice, quelque chose qu'il aurait pu reconnaître et qui l'aurait relié au passé de sa grand-mère. Rien. Tout cela lui était inconnu. Son attention fut attirée par le titre d'une des pages : *Tilting knowned around the world* affirmait-il pompeusement. Antoine le sélectionna, curieux de savoir ce qui faisait de cet endroit perdu un lieu connu à travers le monde. Situé à l'extrême limite Est du continent américain, il y avait même un endroit, Brimstone Head, qui prétendait être un des quatre coins de la terre, à l'époque où on croyait qu'elle était plate et reposait sur quatre colonnes.

Le lien suivant révéla ses images et Antoine eut un pincement au cœur. Le souffle lui manqua. Il s'agissait d'un amalgame de journaux d'un peu partout dans le monde, dont plusieurs québécois, ayant relaté l'histoire d'Achille et Adela, le procès et la mort de ce dernier. On y voyait quelques photos d'Achille en compagnie de personnes de Tilting, puis devant un bateau, en compagnie de John Owen, le capitaine terre-neuvien qui l'avait aidé dans son aventure. Achille avait disparu en mer quelques jours plus tard.

Antoine en eut les larmes aux yeux. Pourquoi donc n'avait-il pu mieux connaître cet homme ? Pourquoi n'avait-il rien su de lui auparavant ? Quel gâchis. Il referma cette page porteuse d'histoires manquées. Il allait terminer sa session, quand il décida de répondre à l'invitation des concepteurs du site qui demandaient de laisser un message pour recevoir de plus amples informations sur Fogo Island. Dans un anglais laborieux, Antoine demanda plus de détails sur Adela Cole, « cette femme dont vous parlez sur votre site », écrivit-il d'une façon exagérément détachée. Il envoya le message.

Ses vacances furent abruptement écourtées par un appel de la SOPFEU. Deux nouveaux feux menaçaient un petit village. Tout le monde était à nouveau mobilisé. Il eut à peine le temps de mettre quelques articles dans son sac de voyage et de se rendre à l'aéroport à Messines. Un nouveau foyer d'incendie avait été signalé dans la région de Grand-Remous. Il y avait non seulement des forêts menacées mais plusieurs habitations aussi. Les pompiers locaux avaient évacué les maisons et se préparaient à combattre le feu qui progressait rapidement. Mais ils ne disposaient pas de l'équipement pour faire face à ce type d'incendie. Quand ils combattaient le feu, ils encerclaient généralement la maison ou l'édifice en flamme. En forêt, les flammes semblaient marcher sur les arbres, s'accrochaient d'une cime à l'autre et avançaient si rapidement que les hommes devaient les fuir en courant.

À son arrivée, le bruit des moteurs était assourdissant. Sur la piste, un aéropointeur, ces petits avions munis de deux puissants moteurs utilisés pour guider l'attaque des avions-citernes, prenait son envol. Ces appareils sont rapides et, surtout, ils sont d'une incroyable maniabilité. Un pilote adroit, et il faut l'être pour piloter dans ces conditions, file entre les montagnes et suit le tracé sinueux d'un cours d'eau, virant sur une aile dans une gorge étroite entre les rochers. Les aéropointeurs arrivent sur les lieux les premiers, déterminent le type de feu, sa progression, le meilleur endroit pour l'attaquer et les plans d'eau disponibles à proximité. Les pompiers aériens n'ont plus qu'à laisser tomber leur cargaison d'eau à l'endroit voulu, ce qui réduit grandement le temps d'intervention.

Les avions patrouilleurs sont de petits Cessna, moins rapides que les aéropointeurs mais tout aussi utiles. Ils remplaçaient les anciennes tours à feu que les compagnies forestières nichaient sur les plus hautes montagnes et dont le rôle était de donner l'alerte lorsqu'ils apercevaient de la fumée. L'avion couvrait un bien plus large territoire, pouvait monter très haut, ce qui augmentait encore sa capacité d'apercevoir la fumée d'un feu naissant, et surtout, il lui était possible de se rendre directement sur les lieux, de survoler l'endroit et de déterminer s'il s'agissait de la fumée du feu d'un campeur ou du début d'un incendie. Il pouvait alors non seulement donner l'alerte mais également informer l'avion-citerne sur les conditions d'attaque.

L'aéropointeur qui venait de décoller fut immédiatement suivi sur la piste par les CL-215 dont les bruyants moteurs tournaient à fond. Il ne restait plus que l'équipe de l'attaque initiale qui s'envolerait en hélicoptère, prête à prendre le relais lorsque les gros pélicans jaunes auraient régurgité toute l'eau de leur ventre.

Ceux qui avaient été appelés en renfort arrivèrent. Antoine se dirigea vers Commanda qui l'informa de la situation. Les deux incendies faisaient rage dans le même secteur. En raison de la présence d'habitations, il fallait une réponse rapide et énergique. Commanda irait avec son équipe sur le premier feu pendant qu'une seconde équipe s'occuperait du second. Antoine était concentré sur la carte de localisation lorsqu'il sentit un petit pincement sur une fesse. Il eut un sursaut.

« Alors t'es revenu, beau gosse. Dommage qu'on ne soit pas sur la même équipe. »

Antoine reconnut Judith. Toujours au même camp, elle avait toutefois été affectée au second groupe. Il eut immédiatement envie d'elle. Elle avait envie de lui, c'était évident. Ses yeux le lui disaient. Mais il fut malgré tout soulagé qu'elle ne fasse pas partie de son équipe. Il savait bien qu'il n'aurait pas résisté à ses avances. Elle étalait une beauté sauvage et son corps musclé en faisait rêver plus d'un. C'était justement là tout le problème. Cela irritait les autres et provoquait leur jalousie. Être séparé d'elle lui éviterait le dilemme de choisir. Mieux valait une chasteté forcée qu'une abstinence qu'il n'aurait pu tenir.

Le travail des pilotes fut impeccable. Deux CL-215 se relayèrent pendant une heure, profitant de la présence toute proche du réservoir Baskatong pour inonder le secteur en feu. À toutes les huit minutes, un appareil revenait alourdi de milliers de litres d'eau et ouvrait les trappes sous son ventre. Il ne fallut pas beaucoup de temps pour venir à bout de la ligne de feu qui dévorait les sapins. L'hélicoptère suivit immédiatement, débarquant Commanda et ses hommes. Antoine connaissait maintenant son rôle à la perfection. Il savait que le temps comptait et que tout se jouait en secondes et en minutes. Pas question de se traîner les pieds, car il fallait que tout soit opérationnel le plus rapidement possible. Ils avaient identifié avant que l'hélicoptère se pose une mare de laquelle ils pomperaient l'eau vers les flammes. Tout fut installé en quelques minutes. Commanda excellait dans son travail. Il savait toujours où elles réapparaîtraient en premier et les lances étaient prêtes avant qu'elles ne relèvent la tête. À la fin de la journée, le feu était mort. Ne restaient plus que les *boucanes* à éliminer.

— C'en est encore un, dit Commanda.

— Un quoi ? demanda Antoine.

— Un incendie criminel. Et je ne serais pas surpris que l'autre feu que nos hommes combattent actuellement ait été aussi allumé par le même fou.

— Allons, ça n'a aucun sens. Un incendie criminel, c'est généralement allumé par quelqu'un qui veut brûler sa maison, ou son commerce, pour l'assurance. Pourquoi quelqu'un mettrait-il le feu à la forêt ?

— L'esprit de l'homme est bien étrange, répondit Commanda.

— L'esprit de l'homme blanc ? suggéra Antoine.

— Non. J'aimerais bien croire ce que tu supposes et te dire oui, mais la folie n'est pas une affaire de race ou de couleur. Et il est bien difficile de comprendre les couloirs tortueux de la pensée de celui qui s'est égaré dans sa propre tête. C'est ce qui fait que ces gens sont dangereux et imprévisibles.

— Comment sais-tu que le feu est un incendie criminel ? Je n'ai pas senti d'odeur d'essence.

— Le gars sait ce qu'il fait. Regarde sous cet arbre. Il s'agit d'une fusée d'urgence comme celles que les policiers utilisent. Quand on les allume, elles brûlent durant quarante-cinq minutes. Le gars a placé la fusée de telle façon qu'elle brûle presque en entier avant de mettre le feu. Ça lui a donné le temps de quitter les lieux.

— Mais pourquoi faire ça ?

— C'est là toute la question. Pourquoi ?

— Un pyromane, tu crois ?

— Difficile à dire. Je ne suis pas psychologue.

Commanda ramassa précautionneusement le bout de la

fusée de détresse dont il ne restait plus grand-chose, sauf les broches servant à la tenir en position et quelques centimètres de la base. Il la glissa dans un sac de plastique et avisa la base d'opérations de sa découverte et de ses soupçons. Il leur recommanda d'informer l'autre équipe de sa découverte pour qu'ils recherchent des indices similaires. Une heure plus tard, l'opérateur radio confirmait qu'on avait trouvé là aussi une fusée de détresse.

Antoine fut révolté par cette nouvelle. Il imaginait le type caché dans les bois, en train de les observer. À cette pensée, il jeta un inutile coup d'œil aux alentours, s'attendant à voir une ombre bouger derrière un arbre. On passa la zone au peigne fin pour y découvrir des indices, au-delà même du feu. Non loin de l'endroit où le feu avait pris naissance, on pouvait distinguer clairement les sillons laissés par les roues d'un véhicule tout terrain. « Encore un *trois-roues* », constata Antoine.

Il y avait aussi quelques traces de pas là où le VTT s'était arrêté, puis tout disparaissait dans la zone détruite par le feu. Il ne devait y avoir que trois ou quatre traces de pas clairement imprimées sur le sable du sentier. Antoine n'avait rien d'un Sherlock Holmes, mais il essaya de faire fonctionner ses méninges. Les empreintes étaient de petite taille. L'homme devait chausser du neuf au maximum, mais à part cela, elles n'avaient rien de particulier : lui-même portait le même style de bottines et, n'eut été de la pointure, on aurait pu croire qu'il s'agissait de ses empreintes. Il en fut déçu et se sentit ridicule dans son rôle de détective. Il aurait voulu faire une photo, comme les enquêteurs dans les films policiers, mais il n'avait pas d'appareil. « Tout un Inspecteur Gadget[2] », se dit-il tout haut.

---

2 Personnage de dessins animés particulièrement naïf, mais équipé d'une multitude de gadgets. D'où son nom.

Il essaya de tracer un croquis de la semelle, conscient cependant que cela ne lui apporterait rien. Il sortit un bout de papier et entreprit de faire le dessin de la première trace. Il s'agissait du pied droit. On en vendait partout de ces godasses et leur prix abordable faisait qu'un travailleur sur deux en portait. Il jeta un dernier coup d'œil sur les autres traces pour s'assurer qu'elles provenaient toutes du même marcheur. Il allait repartir lorsqu'il constata que l'empreinte, celle du pied gauche, avait une entaille au talon de la semelle. Le genre d'entaille en V que l'on fait machinalement avec un canif en veillant au bord du feu. Quand il était adolescent, il s'était fait chauffer les oreilles par sa mère à quelques reprises pour avoir fait subir la même chose à ses souliers. Il nota le détail sur son croquis et retourna au camp.

L'affaire du pyromane avait semé l'émoi à la base. Il y avait tant de feux et la SOPFEU était débordée. Il n'en faudrait pas beaucoup plus pour perdre totalement le contrôle et cet individu risquait de frapper à nouveau.

Chapitre dix-sept

Martin chercha à en savoir plus sur ce Desormeaux, mais ses recherches aboutirent à bien peu de chose : il travaillait à Hydro-Québec et menait une vie sans histoire ; il n'avait pas de souci financier, bénéficiait d'un généreux salaire et avait même accumulé, disait-on, un joli pactole pour sa retraite ; sa luxueuse maison de Laval était presque payée. Bref, rien qui puisse laisser croire, par exemple, qu'il se soit préparé à commettre un vol de banque. Aucun ennemi connu non plus dont il aurait pu vouloir se débarrasser. Au travail il était apprécié, bien qu'en dehors du bureau il ait peu de relations avec ses collègues.

Quant à ce groupe religieux dont il faisait partie, Martin n'en savait rien du tout. Il se proposait de pousser ses recherches plus loin, mais le temps lui manquait. Il devait écrire en priorité pour son journal, et cette histoire ne lui fournirait pas de copie à court terme. Il semblait même qu'elle ne lui fournirait rien d'autre que ce qu'il avait glané au tribunal, aussi oublia-t-il Desormeaux, son pistolet et son silencieux.

L'affaire lui revint cependant à la mémoire quelques semaines plus tard lorsqu'un texte du *Journal de Montréal* attira son attention. Ce journal avait beau être édité à Montréal, il était le principal compétiteur du quotidien de l'Outaouais. Sa formule populaire lui attirait beaucoup de lecteurs à travers le Québec. Martin le feuilletait donc le matin au bureau, question de savoir de quoi parlait le concurrent.

Ce matin-là, dans le coin d'une page, un texte était coiffé d'un titre qui attira son attention : « Une secte qui s'arme ». Il lut rapidement le premier paragraphe. Un certain Luc Jouret, citoyen suisse détenant un passeport canadien, venait de plaider coupable à une accusation de possession d'une arme à feu illégale et avait été condamné à un an de probation. Martin aurait probablement sauté à un autre article si la phrase suivante n'avait pas donné une précision sur l'arme : elle était munie d'un silencieux. À part cette précision, l'article ne donnait que des informations générales : l'accusé, médecin originaire de Belgique, était un homme respectable. La cour avait tenu compte du fait que ce dernier n'avait aucun casier judiciaire. « Un pistolet avec un silencieux, songea Martin, entre les mains d'un homme respectable... Étrange. » Le texte soulignait en terminant que Jouret avait affirmé qu'il s'était procuré l'arme pour permettre à leur communauté établie dans la région de Sainte-Anne-de-la-Pérade de se défendre contre d'éventuels agresseurs.

Cette histoire ressemblait beaucoup trop à ce qu'il avait déjà entendu. Il demanda à Mado de le mettre en contact avec son copain qui travaillait avec le groupe Info-sectes de Montréal.

Marc Gray avait été un adepte de l'Église de scientologie. La secte lui avait volé une bonne partie de sa vie : son épouse, qui avait préféré le groupe à son mari, son argent et sa santé mentale. Il était aujourd'hui tout aussi ardent dans sa croisade contre les sectes religieuses qu'il l'avait été dans sa foi. Quand Mado lui parla de son collègue qui cherchait des informations sur un certain Jouret, il accepta sans hésiter de le rencontrer. Martin ne se déplaça pas pour rien.

— Je connais votre Jouret, lui annonça le type d'Info-sectes. C'est le chef de l'OTS.

— L'OTS ? demanda Martin, intrigué.

— L'Ordre du Temple Solaire.

— Merde, s'écria Martin, mais j'ai déjà entendu parler de cette secte.

Il raconta à son interlocuteur qu'il avait récemment assisté au procès d'un homme *au-dessus de tout soupçon.*

— Pouvez-vous me trouver tout ce qu'il sera possible sur cette secte ? Il y a quelque chose d'inquiétant dans cette manie de se procurer des pistolets.

— Plein d'organisations ont des armes beaucoup plus dangereuses, objecta Marc. À commencer par les Hell's Angels, bien qu'on ne puisse pas dire qu'il s'agisse d'un groupe religieux.

— Vous avez raison, mais celles qui s'équipent de silencieux sont plutôt rares. Surtout dans le cas des sectes religieuses, vous ne pensez pas ?

L'homme reconnut qu'il y avait là quelque chose d'intrigant et promit de le tenir au courant de toute nouvelle information qu'il pourrait glaner. Le journaliste avait cette fois l'impression de tenir quelque chose et il décida de se rendre à Sainte-Anne-de-la-Pérade, ce village dont avait parlé Jouret. Mais, avant toute chose, il devait avoir l'accord de son patron, François Poulin, qui ne reçut pas sa proposition avec enthousiasme :

« On en a plein les bras ici, hurla-t-il. Je n'ai rien contre l'idée que tu fasses ta petite recherche là-dessus, mais pas question d'aller perdre ton temps à Sainte-Anne-de-la-Pérade. »

Cela équivalait à un refus, ou d'y travailler en dehors

des heures de bureau. Or Martin considérait qu'il manquait de temps pour s'occuper de sa vie privée. Anne glisserait lentement vers la porte de sortie s'il n'y prenait garde. « Pourquoi ne pas joindre l'utile à l'agréable », songea-t-il. La fin de semaine approchait. Il pourrait d'abord se rendre à Montréal pour voir Anne et reprendre la route le lendemain jusqu'à Sainte-Anne-de-la-Pérade, histoire d'aller constater de quoi il retournait avec ce groupe. Un bon prétexte pour rétablir enfin le contact avec Anne. Il avait besoin de faire le point. Il composa son numéro de téléphone en souhaitant que, pour une fois, elle soit chez elle. Elle répondit immédiatement.

— Bonjour Anne… c'est moi.

Il laissa s'écouler un long moment de silence avant de poursuivre.

— Je dois aller à Montréal et j'ai envie de te voir. Est-ce que je peux trouver refuge chez toi vendredi soir ?

— J'avais besoin d'entendre cela, répondit Anne. Je t'attendrai.

Martin fut agréablement surpris. Il s'attendait à ce qu'elle refuse, ou qu'elle lui dise qu'elle avait un dossier important dont elle devait s'occuper. Au contraire, sa réponse avait été invitante.

Une fois la semaine terminée, il fut heureux de prendre la route de Montréal. Mais en même temps, il était inquiet. Il avait cru, d'après le ton d'Anne, qu'elle souhaitait le voir. Elle lui avait dit « je t'attendrai ». Mais peut-être l'attendrait-elle tout simplement pour lui annoncer qu'elle voulait rompre. Cette idée l'obsédait. Il voyait bien que leur relation battait de l'aile, mais il ne souhaitait pas rompre. Anne était une jeune femme magnifique, physiquement et spirituellement. Il aimait l'entendre s'enflammer quand elle parlait des causes et des principes qui lui tenaient à cœur. Il savait aussi que sa beauté ne laissait pas les autres hommes indifférents. Les cours de justice qu'elle fréquentait étaient remplies de jeunes avocats talentueux, riches et vêtus à la dernière mode. Tribuns, ils savaient parler, et surtout ils savaient parler aux femmes. Quand on est en amour, la flamme se rallume, se nourrit chaque fois que le couple est réuni. Mais lorsque la distance vous sépare et que les contacts se font de plus en plus espacés, la flamme perd de sa vigueur, devient chancelante et s'éteint. Il suffit qu'un autre passe par là pour l'éteindre définitivement et en allumer une nouvelle.

Le cœur de Martin battait à tout rompre lorsqu'il grimpa les marches de l'escalier menant à l'appartement d'Anne. Serait-elle là ? Lui laisserait-elle au moins le temps d'entrer avant de lui annoncer que tout était fini ? Comment survivrait-il à cette cruelle séparation ?

Lorsque son doigt s'approcha du bouton de la sonnette, la porte s'ouvrit avant même qu'il l'ait touché. Anne lui sauta au cou, plaquant ses lèvres sur les siennes. Leurs langues s'enlacèrent. La panique qui avait grandi en lui durant les cent derniers kilomètres s'évanouit d'un seul coup. Elle l'attendait. Anne était pieds nus, mais ne semblait pas incommodée par l'air frais. Ils étaient soudés l'un à l'autre, cherchant à reprendre en quelques minutes des semaines de séparation. « Nous devrions rentrer », dit-elle finalement.

Elle avait préparé un magnifique repas, mais ni l'un ni l'autre n'avait le goût de briser l'intensité du moment. Collés l'un à l'autre, ils passèrent au salon, s'arrachant tant bien que mal leurs vêtements. Ils firent l'amour avec passion sur le divan. La lampe ne résista pas aux mouvements de va-et-vient du canapé. Dans sa chute, l'ampoule se brisa et ils se retrouvèrent dans la pénombre, ce qui ne diminua en rien leur ardeur. Lorsqu'ils eurent atteint l'extase et qu'ils retombèrent haletants dans les bras l'un de l'autre, ils furent pris d'un fou rire qui se prolongea durant plusieurs minutes. Le salon avait l'air d'un champ de bataille. La petite jupe en cuir d'Anne était allée choir sur la tringle du rideau et y était toujours suspendue. Par ses vêtements jetés çà et là, on pouvait suivre Martin à la trace, de la porte d'entrée jusqu'au salon. La lampe reposait sur le sol, et le divan, qui se trouvait normalement le long du mur, avait complètement changé d'angle. Le soutien-gorge d'Anne était accroché à l'abat-jour de l'autre lampe du salon qui avait survécu à l'hécatombe et qui fournissait une douce lumière aux amants.

Ils mangèrent et firent à nouveau l'amour immédiatement après avoir retourné la bouteille de vin dans le seau à glace. Ils ne sortirent du lit que le samedi après-midi, juste à temps pour aller faire quelques emplettes au marché et acheter une nouvelle bouteille de vin. Le désir presque animal qui les avait soudés l'un à l'autre dans un intense marathon d'amour s'était apaisé pour faire place à la béatitude et à la joie de se retrouver. Ils parlèrent longtemps, beaucoup et, sans s'en rendre compte, ils commencèrent à évoquer des idées et des projets qui les réunissaient.

Martin quitta Montréal à regret le dimanche en fin d'après-midi. Lui et Anne se reverraient vendredi. Ce n'est qu'à ce moment qu'il se rappela qu'il devait se rendre à Sainte-Anne-de-la-Pérade. Il était beaucoup trop tard, aussi dut-il remettre son investigation à plus tard. Les moments passés avec Anne étaient beaucoup plus importants que cette histoire de secte et il n'eut aucun regret.

La semaine suivante, Anne lui fit une surprise en se pointant à son appartement le vendredi matin. Il devait être à peine six heures quand Martin ouvrit la porte, les cheveux en bataille et l'œil hagard. Elle lui sauta au cou. Elle devait faire quelques recherches pour une cause à la bibliothèque de la Cour Suprême à Ottawa. Son agenda s'était soudainement libéré la veille alors que la cause qui devait être entendue s'était abruptement terminée par un non-lieu. Elle avait d'autres dossiers sur lesquels elle aurait pu travailler, mais elle avait décidé de s'offrir le plaisir de revoir Martin. Ils déjeunèrent, heureux de se retrouver. Le déjeuner se composait de café au lait, de croissants et de confiture dont ils s'étaient barbouillés en échangeant un baiser entre chaque bouchée. Leurs yeux brillaient. Ils se quittèrent en se donnant rendez-vous dans quelques heures, au lit.

Ces moments de retrouvailles devinrent le ciment de leur couple et chacun comptait les jours avant de revoir l'autre. En semaine, ils plongeaient dans la mer houleuse de leur travail sachant que le week-end les ramènerait sur l'île qu'ils s'inventaient lorsqu'ils étaient ensemble.

L'automne 1994 s'annonçait merveilleux pour Martin. Il était retourné à quelques reprises à Montréal et Anne était venue profiter de la chaleur des couleurs de l'automne en Outaouais.

Un jour, ils allèrent pique-niquer dans le parc de la Gatineau qui explosait déjà de son coloris automnal et, étendus sur l'herbe, ils parlèrent de vivre ensemble. Martin lui dit qu'il n'avait jamais envisagé d'aller travailler dans une grande ville comme Montréal. Il avait l'impression d'y étouffer. Par contre, il savait qu'il lui était possible de s'adapter.

« Lorsque je suivais le cours de journalisme, dit-il, j'habitais une chambre si petite qu'elle faisait tout juste la largeur du lit. Je devais monter dans mon lit en enjambant le pied. Je serais encore prêt à vivre dans un placard, pourvu que ce soit avec toi. »

Anne était heureuse, car elle s'était fait la même réflexion au cours de la semaine en évaluant la possibilité de déménager à Gatineau. Elle avait songé qu'elle pourrait peut-être se refaire une clientèle dans cette ville. La cause d'Achille Roy avait été largement médiatisée et elle s'était attirée une clientèle grâce à elle. Il lui en coûtait cependant de fermer son bureau de Montréal et de dire à ses clients qu'elle partait. Mais s'il lui fallait prendre un virage, elle devait le prendre maintenant. Elle aimait Martin et appréciait sa présence. Il n'avait pas ce côté superficiel de certains de ses collègues avocats. La plupart étaient prétentieux et respiraient la magouille. Ce n'est pas ce qu'elle voulait. Elle souhaitait quelque chose de vrai. Une relation bâtie sur le respect et la sincérité... comme pour ce vieil homme qui avait un jour décidé de ramener les cendres de sa conjointe à Terre-Neuve en canot. Le fait qu'ils soient prêts tous les deux à laisser tomber leur milieu respectif pour être ensemble, leur apporta la certitude qu'il y avait quelque chose de solide entre eux. Ce fut Anne qui prit la décision. « Je vais déménager ici. Si un jour nous devons avoir des enfants, j'aime autant que ce soit hors de Montréal », dit-elle.

Martin ne s'attendait pas à ce qu'elle lui annonce tout de go qu'elle était prête à emménager avec lui, mais, surtout, il ne s'attendait pas à ce qu'elle parle d'avoir des enfants. Quelqu'un d'autre aurait peut-être pris ses jambes à son cou, mais Martin en fut au contraire transporté de joie. Ils restèrent au parc jusqu'au coucher du soleil, enlacés, heureux de la vie qui s'offrait à eux.

Elle prévoyait déménager en janvier, ce qui lui permettrait de finaliser son travail auprès de ses clients. Martin devait entre-temps sous-louer son appartement, trop petit pour le couple, et dénicher un logement adéquat.

Le train-train avait repris au bureau, mais Martin vivait sur une sorte de nuage. Même Poulin s'en rendait compte. C'est un appel de Marc Gray qui le sortit de son euphorie. Gray lui avait pourtant fait parvenir quelques semaines auparavant des informations sur l'Église de scientologie. Il s'agissait d'une liasse de documents incluant des témoignages, dont la lecture était fastidieuse, mais qui permirent à Martin de mieux comprendre comment des gens sensés pouvaient croire à de telles divagations.

— J'ai réussi à trouver quelques renseignements concernant le groupe sur lequel vous enquêtez, dit Marc.

Il lui apprit notamment que l'OTS était issu d'un ordre très ancien, l'Ordre des Templiers, fondé au XIIe siècle par Hugues de Payns, un chevalier parti en croisade pour éliminer les « infidèles ». L'Ordre n'avait au départ aucune base ésotérique. Il était constitué de mercenaires que le pape soutenait car leurs attaques, souvent sauvages, décimaient les incroyants des peuples barbares. Par la suite, l'Ordre accueillit des moines soldats, qui lui donnèrent ses titres de noblesse. Il fut finalement dissous en 1314 par le roi de France, Philippe le Bel, et sombra dans l'oubli jusqu'en 1950, alors que certaines organisations aux croyances obscures s'en seraient inspirées. Ce serait le cas de l'Ancien et mystique Ordre de la Rose-Croix fondé en France par un certain Joseph Di Mambro. Marc n'avait pas beaucoup d'informations sur Luc Jouret, mais il savait qu'il était intimement lié à ce Joseph Di Mambro, et que le groupe qu'il avait créé était devenu l'Ordre rénové des Templiers, puis l'Ordre du Temple Solaire.

— Il y a quelque chose d'étrange, ajouta Marc au moment où Martin s'apprêtait à rompre la conversation.

— Étrange ? Expliquez-vous.

— J'avais déniché un contact près de l'OTS en France et quand je lui ai parlé de l'histoire des armes, il m'a dit qu'il y avait un « passage » qui se préparait. Quand j'ai voulu en savoir plus, il a pris panique et m'a fermé la ligne au nez.

Martin promit de replonger le plus rapidement possible dans ses recherches, mais son intérêt pour cette histoire était loin d'être partagé par son patron. Comme toujours au journal, la semaine commençait en faisant un survol des journaux concurrents pour s'assurer qu'on ne s'était pas fait couper l'herbe sous le pied. Pas de *scoop* retentissant qui aurait fait hurler Poulin, que des peccadilles. En ce matin du 5 octobre, rien ne semblait vouloir marquer l'actualité. C'était d'ailleurs la période morte de l'automne. Dans un coin de la salle des nouvelles, le téléviseur était allumé comme toujours, mais le son était coupé. De temps en temps, on jetait un coup d'œil à l'écran. Entre les romans-savons et les quiz télévisés, on montait parfois le volume pour entendre les manchettes. Ce matin-là, on présenta des images d'un incendie qui avait détruit un chalet luxueux de Morin Heights, dans les Laurentides. Pas de quoi intéresser un média d'Ottawa, sauf lorsqu'un nom apparut à l'écran : « L'Ordre du Temple Solaire ». Martin était en train de lire un communiqué que venait de lui remettre son chef de nouvelles. Il leva distraitement les yeux vers le téléviseur et aperçut le nom en grosses lettres. Son cerveau mit quelques secondes avant de réaliser qu'il s'agissait du groupe dont il tentait de suivre la trace. Il courut monter le son. Cinq personnes étaient mortes, dont un bébé. Les journalistes se perdaient en conjectures et, selon les premières constata-tions, il s'agissait d'un suicide collectif. Les occupants avaient tout mis en œuvre pour retarder la progression des pompiers. Un système de mise à feu, constitué de bon-bonnes de propane reliées à deux radiateurs électriques et à deux réservoirs d'essence, était relié à une minuterie qui avait déclenché l'incendie. Au moment préalablement dé-terminé, tout s'était enflammé. Il faudrait, disait-on, plu-sieurs jours avant de connaître avec certitude la cause des décès.

Martin se précipita dans le bureau de François Poulin et il demanda à se rendre sur les lieux. Poulin avait beau être pingre pour les déplacements des journalistes, il savait flairer les histoires et celle-ci risquait de faire l'actualité pendant quelques jours. Il accepta et Martin partit sur-le-champ. Il prit le temps d'avertir Anne de sa venue dans la région montréalaise, qui l'invita à partager son petit appar-tement s'il en avait besoin. Quand il arriva à Morin Heights quelques heures plus tard, le feu avait été maîtrisé, mais de la fumée s'élevait encore des décombres. Les poli-ciers lui refusèrent d'abord l'accès, mais Martin insista pour que l'agent, qui bloquait l'entrée, lui permette d'aller discuter avec un des enquêteurs. Celui-ci se montra avare de renseignements. Visiblement, cette histoire ébranlait l'inspecteur Leblanc qui comptait pourtant plusieurs an-nées d'expérience. Durant la conversation, Leblanc laissa cependant tomber : « Nous ne sommes pas sûrs que c'est un suicide. » Martin essaya d'obtenir quelques informa-tions auprès des voisins. C'est ainsi qu'il apprit que les pro-priétaires du chalet ne venaient qu'à l'occasion et qu'il ser-vait de lieu de rencontre à un groupe d'individus. L'une des dames interrogées ne savait pas combien de membres comptait le groupe, mais elle précisa avoir vu au moins vingt personnes lors de rencontres précédentes.

La police et les journalistes cherchaient encore à comprendre ce qui s'était passé lorsque la nouvelle arriva de Suisse : quarante-huit personnes, membres de l'Ordre du Temple Solaire, s'étaient également donné la mort, ou avaient été tuées. Ce fut le branle-bas de combat. Poulin communiqua avec Martin : « Ton histoire de l'Ordre du Temple Solaire, qu'est-ce que t'as fait avec ça ? », demanda-t-il sur un ton accusateur, oubliant qu'il lui avait interdit de faire ses recherches durant les heures de bureau.

Il s'agissait d'un véritable carnage. Des gens, tous de bonne famille, intelligents, riches, s'étaient donné la mort. Une lettre expliquant le geste avait été envoyée aux médias et à certaines personnalités. Les membres du groupe se disaient persécutés et entreprenaient prématurément leur transfert sur Sirius, une planète, disaient-ils, habitée par les Esprits supérieurs. Au total, cinquante-trois personnes étaient mortes. Certains détails sordides avaient été révélés et donnaient des frissons dans le dos. Parmi le groupe de Morin Heights, un bébé de trois mois avait été tué de cinquante-quatre coups de couteau et un pieu lui avait été enfoncé dans le cœur, comme dans les films de vampires que Martin avait vus dans sa jeunesse. Cinquante-trois victimes, cinquante-quatre coups de couteau... Se pouvait-il qu'il y ait un lien ? Martin nota son observation, puis il se replongea dans les notes que Marc Gray lui avait fait parvenir. Il apprit ainsi que le chiffre cinq symbolisait l'Homme dans la croyance du groupe rosicrucien. Il découvrit aussi que cinquante-quatre chevaliers avaient été brûlés vifs le 10 mai 1310. La tuerie qui venait de survenir serait donc une reconstitution de ce tragique événement qui avait alors précipité le bannissement et la disparition de l'Ordre.

Quelque chose ne collait pas. Tout avait été respecté pour recréer l'événement. Les morts étaient, semble-t-il, vêtus de soutanes arborant la croix du mouvement, mais ils n'étaient que cinquante-trois. Martin était persuadé qu'il manquait une victime. Quelqu'un avait échappé au massacre. « Ces gens-là accordaient trop d'importance à la symbolique des chiffres pour avoir fait une telle erreur de calcul », songea-t-il.

Lorsqu'il retourna sur les lieux du drame, il comprit aussi que cet acte insensé ne pouvait avoir été perpétré sans une aide extérieure. La barrière menant à la propriété avait été cadenassée, mais, surtout, la principale porte d'accès avait été fermée de l'extérieur. Quelqu'un avait sinon participé, du moins assisté au massacre, puis avait quitté les lieux avant que la minuterie ne déclenche l'incendie. Se pouvait-il qu'il s'agisse du Templier manquant ? Il en doutait. L'opération avait été effectuée froidement et celui qui était parti en fermant la porte à clé ne l'avait pas fait en s'enfuyant, mais plutôt en exécutant un plan.

Au cours des jours suivants, il analysa la liste des victimes. Il connaissait déjà Di Mambro et Jouret, les deux chefs de la secte, et découvrit le nom de Robert Ostiguy, riche propriétaire de quincailleries au Canada. Martin était effaré par ce qu'il découvrait. Lorsqu'il apprit plus tard que Joël Egger, une des victimes du drame survenu en France, était venu au Canada le 29 septembre pour un voyage de moins de vingt-quatre heures, il eut la conviction que c'était cet homme qui avait fermé la porte et la barrière. Ils étaient morts depuis plusieurs jours lorsque, le 4 octobre, le système de mise à feu s'était déclenché. Ce délai,

semble-t-il, avait permis d'organiser la dramatique cérémonie finale à La Rochette et à Granges-sur-Salvan, en
Suisse. Les derniers détails du rapport d'autopsie révélaient
que la plupart des victimes avaient absorbé une substance
chimique qui les aurait rendues indolentes. Plusieurs cependant avaient été tuées froidement. Celles-là avaient
probablement accepté difficilement le sacrifice de leur vie.
Des victimes présentaient des marques de coups de couteau
alors que d'autres avaient été abattues avec un revolver...
muni d'un silencieux.

« Merde » se dit Martin en songeant à toutes ces vies qui
auraient pu être épargnées si quelqu'un avait tiré la sonnette d'alarme lors de l'arrestation de Jouret... ou de
Desormeaux. « Desormeaux », pensa-t-il. Il n'avait pas vu
son nom sur la liste des victimes de Morin Heights ni dans
celle de l'hécatombe en Suisse. Il était donc encore vivant.

De retour à Ottawa, il demanda la transcription de la
comparution de Desormeaux. Le document n'était pas vo-
lumineux et ne contenait rien que Martin ne sache déjà. Il
nota cependant l'adresse que l'homme avait déclinée au
début du procès.

Après avoir sonné à la résidence de Laval, Martin n'eut
pas à attendre longtemps. C'est Desormeaux qui vint lui-
même répondre à la porte, offrant même un sourire chaleureux au jeune homme qui se trouvait devant sa porte.
Cependant, lorsque le journaliste se présenta, son sourire
se figea et fit place à une expression de colère. Il refusa de
répondre et lui ferma la porte au nez. Martin essaya de le
joindre par téléphone, mais Desormeaux raccrochait
chaque fois. Martin détestait cette forme de harcèlement
pour laquelle certains journalistes étaient de véritables ex-
perts. Il comprenait combien cette façon de faire avait

quelque chose de malsain, surtout quand la cible de cette guerre psychologique ne méritait pas un tel traitement. Mais Martin avait besoin de savoir. Il savait que tous les membres de l'Ordre n'avaient pas péri dans le massacre. Dans les journaux, on parlait de centaines voire de milliers de membres vivant un peu partout à travers le monde, mais ces évaluations ne reposaient sur rien de sûr. Ce qu'on savait, c'est que l'organisation était concentrée en France, en Suisse et au Canada. On craignait que d'autres illuminés entraînent des innocents dans leur folie meurtrière. Il y avait aussi cet énigmatique cinquante-quatrième Templier. Il se pouvait bien que cet adepte ait manqué le rendez-vous fatal avec Sirius en Europe, mais Martin avait la conviction intime qu'il était ici, au Canada.

Le reporter résolut donc de se rendre sur le lieu de travail de Desormeaux. Il demanda à le rencontrer en inventant une histoire de projet de développement et déclina un faux nom pour éviter de se faire claquer la porte au nez une nouvelle fois. Il fallait faire attention. Le type n'était certainement pas un imbécile. Il espérait pouvoir lui parler au moins quelques minutes. Martin estima que Desormeaux n'oserait pas faire d'esclandre au bureau.

Celui-ci ne se doutait de rien lorsqu'il se présenta à l'entrée pour accueillir le visiteur. Encore une fois, son sourire se figea en reconnaissant le journaliste. Il regarda autour de lui et l'agrippa par la manche pour l'entraîner dans son bureau avant qu'il ne lui pose des questions compromettantes. Il n'avait pas dit à ses supérieurs qu'il avait été arrêté en possession d'une arme à feu et l'affaire n'avait pas fait de bruit. Il avait bien remarqué Martin lors de son passage devant le juge, mais le journaliste s'était limité à une mention à la fin d'un long texte sur deux autres causes beaucoup plus médiatisées. Lorsqu'il ferma la porte du bureau, il se tourna vers Martin, complètement paniqué.

— Écoutez, Monsieur, je ne sais pas ce que vous voulez, mais cessez de me harceler.

— Je ne vous veux aucun mal, Monsieur Desormeaux, répondit Martin sur un ton qui se voulait rassurant. Tout ce que je souhaite, c'est comprendre un peu plus cette organisation à laquelle vous appartenez. Je ne crois pas que vous soyez associé à la tragédie de Morin Heights. Ce que je sais cependant, c'est que vous faisiez partie de cet Ordre et que vous vous êtes procuré une arme avec un silencieux, tout comme celle utilisée en Suisse pour tuer plusieurs des victimes.

— Je ne peux pas vous parler, balbutia Desormeaux désespéré.

— Pourquoi ? insista Martin.

— Parce que j'ai peur des autres membres de l'Ordre. Je ne peux rien vous dire. Si vous publiez quelque chose sur moi et sur cette affaire… J'ai peur pour ma femme et pour moi-même. Ils nous ont fait faire des choses…, dit-il sans compléter sa phrase.

Martin ne doutait pas de sa sincérité et il vit que l'homme était terrorisé. Il lui promit de ne pas citer son nom ni rien qui puisse le compromettre. Ce qui le rassura et l'incita à parler un peu.

Desormeaux lui raconta qu'il avait adhéré à ce groupe lors de sessions de formation données par Hydro-Québec à ses employés. Plus tard il était devenu Frère du Parvis, le premier des trois degrés de l'Ordre. Il avait rencontré le chef Jouret et avait été subjugué par ses paroles. Au ton de sa voix, Martin comprit que Desormeaux était encore sous le charme. La fascination marquait encore ses explications comme si une part de lui-même voulait croire encore. Il s'était donné à fond à l'Ordre. L'un des proches de Jouret lui avait un jour demandé de lui procurer des armes à feu. On recherchait surtout des pistolets munis de silencieux. Desormeaux avait commencé à prendre conscience de la dérive du mouvement lorsqu'il avait été arrêté avec l'arme à feu.

— Jamais je n'ai pensé qu'ils s'en serviraient pour tuer des gens, dit-il en sanglotant.

On lui avait fait croire qu'il faudrait des armes pour se défendre quand viendrait la fin des temps. Selon les explications de Jouret, leur groupe serait probablement attaqué par les survivants au moment de l'apocalypse. Il avait cru cette explication. L'arche de survie décrite par le Maître existait bel et bien à Sainte-Anne-de-la-Pérade, où il avait fait construire un véritable bunker.

— Je ne sais pas comment j'ai pu croire à cela. Encore aujourd'hui, j'ai des doutes. Il y en a sûrement d'autres qui sont toujours persuadés que c'était vrai.

— Vous a-t-on invité à cette... rencontre à Morin Heights ? demanda Martin.

— Non. J'en ai entendu parler la première fois en apprenant la tragédie, annoncée par la télévision. Ça m'a démoli. Je me suis senti... abandonné. Mais c'est seulement quand j'ai vu tout ce qui s'était passé, les magouilles de Di Mambro et de Jouret, que j'ai compris que nous avions été possédés.

— Parmi les victimes, connaissiez-vous certaines personnes ?

— Oui. Je connaissais Jouret. Je connaissais aussi Paul Germain. C'est lui qui m'avait demandé de lui procurer des armes, dit-il.

Desormeaux lui expliqua qu'il avait été mis en contact avec Le Kid par un ami, à qui il vendait parfois de la marijuana. Il lui avait fallu plusieurs semaines pour trouver la première arme. Desormeaux l'avait achetée et l'avait immédiatement apportée à l'aéroport de Gatineau, où un petit appareil l'attendait. Il avait remis l'arme à Paul Germain et la seule autre personne qui l'accompagnait était le pilote de l'appareil. C'était ce même pilote qui accompagnait Jouret à Ottawa. Il devait livrer une autre arme plus tard, mais avait finalement été arrêté par les policiers qui surveillaient Le Kid. Desormeaux savait peu de chose sur les autres membres de la secte, mais il craignait que certains aient constitué un arsenal et soient responsables du meurtre des membres restants.

Martin le remercia et l'invita à faire part de son histoire à des groupes comme Info-sectes. Cette seule mention ranima la panique. Pour le rassurer, Martin dut répéter sa promesse de ne rien écrire qui puisse lui nuire.

Il y avait donc un pilote d'impliqué dans le transfert. Un homme suffisamment proche de Jouret pour être son pilote privé. Peut-être y avait-il là une piste, mais elle était difficile à suivre, car l'Ordre imposait une implacable règle du silence. D'après Desormeaux, les groupes étaient subdivisés en loges, qui étaient reliées entre elles uniquement par leurs Maîtres. Si tous se trouvaient dans le même état d'esprit que Desormeaux, ils étaient soit terrorisés, soit en préparation pour un autre « grand passage ».

Martin ne savait pas trop comment il pourrait remonter la filière. Il voulut se rendre à Sainte-Anne-de-la-Pérade. Assaillis par les médias, les occupants de la ferme avaient refusé de répondre aux journalistes. Ils s'étaient bornés à dire qu'ils se dissociaient des incidents de Morin

Heights, mais affirmaient du même souffle comprendre ce qui avait incité le groupe à participer au « transit ».

La chasse aux sorcières pour retrouver les membres survivants avait scellé toutes les lèvres. Plus personne n'osait se proclamer de cet Ordre tant par crainte des survivants que pour éviter d'avoir à subir les sarcasmes et la réprobation du public.

Martin aurait voulu poursuivre son investigation, mais au fil des jours le sujet s'épuisa… comme tous les autres. La machine médiatique, qui se nourrit de nouveautés, est capricieuse. Poulin se chargea de le lui rappeler quelques semaines plus tard en le sommant cette fois d'abandonner ses recherches sur une affaire « morte et enterrée ». Martin n'eut d'autre choix que de s'y plier. De toute façon, il n'avait aucunement l'intention de rogner sur le temps qu'il partageait avec Anne pour plonger dans une atmosphère morbide. Cependant, une petite voix en lui criait son inquiétude.

Chapitre dix-huit

Dès que le nombre d'incendies diminuait, le pyromane venait relancer le branle-bas de combat en allumant un autre foyer. Parfois, le feu se déclarait à l'opposé du territoire où se trouvaient les équipes, mais il arrivait aussi qu'un nouveau feu soit allumé tout près du lieu où les équipes de combat s'affairaient déjà.

On avait d'ailleurs cru le prendre sur le fait. Lorsque le feu s'était déclaré, il n'y avait probablement que trois ou quatre minutes que le pyromane avait enflammé l'essence dont il s'était servi. Comme le territoire était limité et difficilement accessible, les policiers avaient pu fermer toutes les routes rapidement pendant que les hélicoptères scrutaient les environs. Commanda avait été catégorique : « C'est impossible qu'il s'échappe. »

Et pourtant, c'est en vain qu'on avait pratiquement retourné chaque pierre. Même les équipes de combattants avaient organisé une battue pour tenter de le débusquer. Les pilotes d'hélicoptère n'avaient aperçu que les travailleurs de la SOPFEU se frayant un chemin parmi les buissons. Aucun individu suspect. Il s'était semble-t-il volatilisé. L'équipe avait dû demeurer sur place pour circonscrire ce nouvel incendie, ce qui avait retardé de quelques jours le retour d'Antoine à la civilisation.

En rentrant chez lui pour un bref repos de quarante-huit heures, il fut heureux de constater qu'il avait reçu plusieurs messages de ses amis internautes. Il était fasciné par ce médium, et surtout par tous ces gens en contact à travers le monde. Antoine se disait que sa passion pour le Web était sûrement une conséquence de son enfance passée derrière le comptoir postal dont sa mère avait la responsabilité. Il avait vu des lettres provenant d'un peu partout dans le monde et se plaisait à imaginer leur auteur. Quand il découvrait un timbre étranger, il tenait la lettre dans sa main et fermait les yeux. Le pouce pressé bien fort sur le timbre, il s'imaginait pouvoir tout deviner, non seulement de la lettre mais aussi de celui ou celle qui l'envoyait. Il devait avoir huit ans lorsque, regardant les piles de lettres sur le bureau du comptoir postal, son regard fut attiré par un timbre magnifique. La lettre provenait de Rome. Le pape avait envoyé une lettre pour souligner le centième anniversaire de naissance de la doyenne de la paroisse, Eugénie Grondin. La lettre était beige et toutes les inscriptions sur l'enveloppe étaient dorées. Sa mère avait retiré précieusement la lettre de ses mains. Il ne s'agissait pas d'une lettre ordinaire. Il ne se rappelait plus du nom du Pape, mais de penser qu'il l'avait touchée lui donnait un caractère sacré. « C'est la seconde fois que je vois ce type de lettre depuis que je suis ici, lui dit Nicole. La première fois, c'était pour souligner la retraite du curé Perras. C'est le pape lui-même qui l'avait signée. »

Antoine avait tenu le timbre du Vatican entre ses doigts et avait entrevu la Cité sainte dans sa tête. Il y avait quelque chose dans Internet qui lui rappelait cette époque. Il n'avait plus à serrer les timbres entre ses doigts, il lui suffisait maintenant de cliquer avec le bouton de la souris pour que les images surgissent de son ordinateur.

Lorsqu'il consulta ses messages, il constata avec surprise qu'il avait reçu un courriel en réponse à sa demande d'information sur Adela Cole. En lisant le nom du signataire, il ne put s'empêcher de rigoler : c'était encore ce Jean Fisher.

Celui-ci le référait à diverses sources, lui rappelant bien sûr le procès d'Achille, et lui envoyant aussi une copie numérique du *Evening Telegram*, le quotidien de St. John's, où il était question d'Adela Cole et de sa famille. Il se disait étonné d'une demande d'informations de la part d'un francophone du Québec et se demandait comment il avait découvert ce site Web. Antoine se garda de lui donner tous les détails, car il se rappelait que Jean Fisher avait été perspicace la première fois ; il l'avait presque identifié. Il lui révéla qu'il était de la région de Maniwaki, sans donner plus de précisions. Étant donné le caractère particulier de l'histoire de cette Adela Cole, il disait s'y être intéressé par simple curiosité. Jean l'inonda immédiatement de questions sur le village de Sainte-Famille-d'Aumond, sur ses habitants, mais surtout sur Achille et sur l'endroit où lui et Adela avaient vécu.

Malgré sa difficulté à rédiger en anglais, Antoine amorça une longue correspondance avec Jean, lui donnant le plus de détails possible sur l'endroit, sans dévoiler son identité. Au moment de signer, il décida d'utiliser le pseudonyme « Jean ». Il avait cherché quel nom emprunter. Le seul qui lui venait à l'esprit était Achille, qu'il utilisait dans les forums de discussion. Pas question cependant d'utiliser ce prénom avec Fisher. Comme il avait tout lu sur cette histoire, il n'aurait pas manqué de faire le lien. Il avait donc choisi le même prénom que son interlocuteur, sans préciser de nom de famille. Il avait résisté à la tentation un peu enfantine de signer « Jean Narrache », « Jean Vie » ou « Jean Peupu », même s'il savait que son interlocuteur anglophone n'aurait probablement pas saisi la blague.

Il apprit que Jean Fisher faisait partie d'un groupe militant pour assurer la survie de Fogo Island. Depuis le début de la crise sur les pêches, ces petites communautés de pêcheurs avaient connu une hémorragie de leur population. Les pêcheurs, contraints à l'inactivité, partaient. Ils avaient pris le bateau avec armes et bagages pour s'en aller sur le *Main land*, à la recherche d'un autre moyen de survivre que les allocations d'assurance-emploi du gouvernement fédéral ou de l'aide sociale du gouvernement provincial. Dans les villages autour de Fogo Island, la saignée avait été dure au point où le gouvernement avait envisagé de fermer ces villages comme il l'avait fait ailleurs. Un comité de citoyens avait été mis sur pied pour trouver d'autres avenues. On avait fondé beaucoup d'espoir sur le potentiel touristique de Fogo Island et Jean Fisher, qui avait vu les possibilités qu'offraient les nouvelles technologies, avait proposé de créer un site Web d'information touristique pour attirer les visiteurs. Le groupe avait bénéficié de l'aide des deux paliers de gouvernement pour réaliser le site, en plus d'une subvention dont Fisher avait profité pour adapter son poste de travail à son handicap. Antoine se garda de lui demander des détails, mais il imaginait facilement combien la vie pouvait être difficile en chaise roulante sur une île au relief si accidenté.

Il découvrait cette communauté par les messages de son nouvel ami, et parvenait à s'imaginer l'enfance de sa grand-mère. Il apprit notamment qu'Adela Cole était née d'une famille de pêcheurs de Tilting. William Cole, son père, avait élevé cinq enfants dont elle était l'aînée. On racontait parmi les anciens de Tilting que, jeune fille, elle avait été séduite par le fils du commerçant du village, mais que celui-ci l'avait repoussée en apprenant qu'elle était enceinte.

C'est ainsi qu'Adela aurait quitté Tilting, en se cachant dans un bateau, apparemment pour fuir à St. John's, bien qu'elle se soit retrouvée au Québec.

Adela était devenue une source d'intérêt, une sorte d'attraction touristique pour le petit village de Tilting. Depuis la médiatisation du grand voyage d'Achille, le nombre de demandes de renseignements avait triplé. C'est pourquoi on avait ajouté au site un volet consacré exclusivement à cette affaire. Et puis Jean Fisher ne cachait pas sa fascination pour ce couple. « Je suis très intéressé par l'histoire de cette femme, expliqua Fisher dans un de ses messages à Antoine. J'ai entendu dire qu'il y a une femme de cet endroit, Aumond, qui a écrit un livre à ce sujet dont le titre est *Lettre à mon fils*. En avez-vous entendu parler ? Je serais très heureux si vous pouviez m'en procurer un exemplaire, même s'il est en français. J'ai un ami qui pourra me le traduire. »

Antoine ne savait plus trop quoi lui répondre. Fisher ne se doutait pas que son correspondant était le petit-fils de celle qui était devenue le centre de ses recherches et le fils de l'auteure du livre en question. Il lui répondit qu'il s'informerait. « Vous devriez en avoir entendu parler. J'ai cru comprendre que ce livre a eu un certain succès », lui répondit Fisher, quasiment incrédule de la prétendue ignorance d'Antoine. Est-ce qu'il n'affirmait pas faire des recherches sur la famille Cole ?

La vérité était qu'Antoine avait bien vu *Lettre à mon fils* un peu partout dans les librairies, et même dans plusieurs dépanneurs de la région, mais qu'il s'était toujours refusé à l'acheter. Il avait même le manuscrit quelque part dans une boîte. Il esquiva les questions de Fisher en soulignant qu'il n'avait pas eu le temps de consulter cet ouvrage.

Antoine commençait à développer une relation d'amitié avec son nouveau correspondant. Ils se connaissaient mieux chaque fois qu'ils communiquaient, et qu'ils apprenaient mutuellement à découvrir et à comprendre le milieu dans lequel chacun vivait. Cela avait permis à Antoine de mettre sa connaissance de l'anglais à l'épreuve et il se rendait bien compte de ses limites. Il devait souvent se référer au dictionnaire. Cependant, chaque fois qu'il était à la maison, il recevait ses courriels avec joie. Peu à peu, leur correspondance devint plus personnelle. Jean l'informait de son travail et le questionnait sur le sien. Fisher fut fasciné d'apprendre qu'Antoine était pompier des forêts, et il multiplia ses questions sur ce travail fascinant. Antoine ne se fit pas prier pour expliquer avec force détails en quoi consistait son travail. Il lui fit même parvenir des photographies dont la SOPFEU disposait et qui illustraient bien la tâche de pompier. Fisher lui dit que les avions québécois étaient venus dans le passé prêter main-forte aux pompiers de Terre-Neuve lors d'un grand feu de forêt. « Le bruit de ces avions est incroyable, écrivit Fisher. J'ai toujours imaginé que les avions de guerre devaient faire un bruit aussi terrifiant. »

Antoine sourit de cette comparaison. Fisher avait raison. Quand le bombardier décollait, le son du moteur était assourdissant. Il adorait ce bruit puissant et envahissant. Et puis, effectivement, les premiers avions qui avaient servi au combat des incendies étaient des bombardiers recyclés de la Seconde Guerre.

Quelques jours plus tôt, Antoine remarqua sur le babillard à la base de Messines une note de service annonçant pour l'automne un programme d'échanges avec des groupes de pompiers d'autres provinces ou d'autres pays.

Il s'agissait de rencontres de travail au cours desquelles les participants échangeaient sur leurs pratiques et leurs connaissances dans le domaine du combat des incendies forestiers. Comme le Québec avait développé une expertise reconnue de par le monde, les travailleurs de la SOPFEU étaient souvent invités à se rendre dans une autre province, et même à l'étranger. La France notamment, qui avait fait l'acquisition de CL-215 et de CL-415, sollicitait souvent les équipes québécoises pour profiter de leur expérience. Bien sûr, ils étaient payés pour ce genre d'activités et leurs dépenses étaient remboursées, mais la plupart des combattants ne s'y inscrivaient pas, sauf quand il s'agissait d'aller à l'étranger. On se réunissait durant plusieurs jours et on parlait. De quoi assommer quiconque est habitué à l'action. De plus, ce genre de rencontres avait lieu en pleine saison de la chasse, alors que les travailleurs peuvent enfin profiter de vacances bien méritées. Dans la région de Maniwaki, la chasse était presque un culte. Mais cette année, annonçait le babillard, le programme d'échanges avait lieu avec Terre-Neuve et Antoine avait décidé de se porter volontaire. La rencontre devait se tenir en novembre à Gander, une base militaire située au centre de Terre-Neuve. Il se porta immédiatement candidat, espérant trouver un peu de temps pour aller visiter Tilting, situé à faible distance.

En rentrant chez lui, il était décidé de prévenir Fisher. Il souhaitait pouvoir le rencontrer et espérait aussi qu'il lui indique quelques bonnes adresses. Il aurait pu le faire par courriel, mais il décida que, s'il fallait rencontrer ce type, il serait plus convenable de le prévenir de vive voix. Le site d'information touristique donnait un numéro de téléphone qu'il nota sur un bout de papier. Pendant quelques minutes, il pratiqua les phrases qu'il comptait lui dire en anglais. Fisher l'avait avisé lors de leurs échanges qu'il ne connaissait pratiquement rien de la langue française. Antoine faisait exprès pour lui glisser quelques mots de français, histoire de le forcer à chercher.

Il composa le numéro de téléphone en se rappelant que Terre-Neuve se trouvait dans un autre fuseau horaire, et qu'il y avait quatre-vingt-dix minutes de décalage avec le Québec. Une voix féminine répondit :

— *Fogo Island Tourism Information Center. May I help you*[3] ?

Antoine hésita. Il cherchait la bonne prononciation.

— *May I speak to Jean Fisher, please*[4] ?

— *Speaking*[5].

« *Speaking* », qu'est-ce que ça voulait dire ? Il savait bien que « *speak* » voulait dire « parler », mais « *speaking* » aurait normalement signifié « parlant ». Visiblement, la dame à l'autre bout du fil ne l'avait pas compris.

— *Is Mr. Fisher there*[6] ? demanda-t-il.

— *I am sorry, there is no Mr. Fisher. May I help you*[7] ? répéta la dame.

— *I was trying to find Mr. Jean Fisher*[8].

La voix se tut. La dame cherchait elle aussi à comprendre.

— *There is only one Jean Fisher here… and it's me*[9].

Antoine réfléchissait et son cerveau n'arrivait pas à

---

3 Centre d'information touristique de Fogo Island. Est-ce que je peux vous aider ?

4 Puis-je parler à Jean Fisher, s'il vous plaît ?

5 C'est moi.

6 Est-ce que Monsieur Fisher est là ?

7 Je suis désolée, il n'y a pas de Monsieur Fisher ici. Est-ce que je peux vous aider ?

8 J'essaie de joindre Monsieur Jean Fisher.

9 Il n'y a qu'un seul Jean Fisher… et c'est moi.

réaliser sa méprise. L'idée que Jean Fisher soit un homme était si bien ancrée dans sa tête qu'il lui demanda de répéter.

— *I am Jean Fisher*[10], dit-elle.

Antoine ne savait plus quoi dire. Il s'était même fait une représentation de son correspondant. Il s'était imaginé qu'il était âgé d'une soixantaine d'années, probablement un fonctionnaire ou un professeur à la retraite, à en juger par le niveau d'éducation dont il faisait preuve. Il le voyait grisonnant, penché sur son ordinateur, donnant son temps libre pour sauver sa communauté déclinante.

— Je... *I... am Antoi...* dit-il se ravisant, en se rappelant tout à coup que ce n'était pas le nom qu'il lui avait donné. *My name is Jean... from Maniwaki in Québec*[11].

Cette fois, c'est Jean qui fut interloquée, sans voix. En voyant la signature de son correspondant québécois la première fois, Jean avait cru qu'il s'agissait d'une femme. Quand elle prit conscience de son erreur, elle laissa échapper:

— *Oh my God! You're Jean? You're a man*[12]?

Antoine était coincé. Il n'avait pas songé à cela. Il n'avait pas anticipé le fait qu'il aurait à lui révéler sa véritable identité. Bien sûr, au fil des messages et de la relation qui s'établissait entre eux, il s'était dit qu'il lui faudrait bien lui révéler son vrai nom, mais il avait repoussé le moment de le faire, de plus en plus honteux d'avoir à lui admettre qu'il lui avait menti.

— *To tell you the truth, my name is not Jean*, dit-il hésitant. *My name is Antoine*[13].

---

10 Je suis Jean Fisher.
11 Mon nom est Jean... de Maniwaki au Québec.
12 Oh, mon Dieu! Vous êtes Jean? Vous êtes un homme?
13 Pour être franc, mon nom n'est pas Jean. Mon nom est Antoine.

— *You know that Jean is a female name… in English*[14], répondit-elle encore sous le choc de la surprise.

— *In French, it is a male name… meaning John*, ajouta-t-il. *In fact, my name is Antoine Lyrette… from Sainte-Famille-d'Aumond*[15].

— *Antoine Lyrette? Do you mean Adela Cole's grandson*[16]?

— *Yes*, admit-il, honteux.

Mal à l'aise et désireux de mettre fin à l'appel le plus rapidement possible, il lui dit qu'il pensait aller à Terre-Neuve un de ces jours et qu'il aimerait recevoir des brochures touristiques de Fogo Island. Il se garda cependant de lui avouer qu'il devait s'y rendre en novembre, soudainement embarrassé du fait que son correspondant soit une femme. Jean était tout aussi troublée de cette méprise. Elle se souvenait qu'elle s'était montrée très familière dans certains messages qu'elle lui avait envoyés. Normalement, elle limitait ses relations avec les étrangers qui lui écrivaient à de strictes communications d'affaires. Elle connaissait les dangers de l'amitié sur Internet. Mais dans le cas de *Jean*, elle n'avait rien vu de menaçant dans le fait de se livrer à une autre femme. Elle avait normalement glissé vers une certaine familiarité comme elle l'aurait fait avec une copine. C'est d'ailleurs le fait qu'elle soit, avait-elle cru, une femme pompier qui l'avait tant fascinée au début. Elle nota froidement son adresse et promit de lui envoyer de la documentation, tout en lui adressant le petit boniment qu'elle faisait à tous pour les inviter à visiter Terre-Neuve et Fogo Island. Elle raccrocha aussitôt.

---

14 Vous savez que Jean est un nom de femme… en anglais ?

15 En français, Jean est le nom d'un homme… qui se traduirait par John. Mon vrai nom est Antoine… de Sainte-Famille-d'Aumond.

16 Voulez-vous dire, le petit-fils d'Adela Cole ?

Dès qu'il eut terminé la conversation, Antoine se sentit ridicule. Ce petit jeu de cache-cache sur son identité avait quelque chose de puéril, il le sentait bien. Il ouvrit son ordinateur et lui adressa un long message. Il était à la fois honteux et amusé de s'être trompé sur le prénom de *Jean*. « J'ai lu en français » lui écrivit-il. Puis il lui expliqua que c'est le procès qui lui révéla qu'il était le petit-fils d'Adela. Il lui parla aussi de sa douleur causée par le mensonge de sa mère, évoqua cette longue lettre qu'elle avait écrite pour s'expliquer, une lettre qu'il n'avait jamais reçue mais qu'elle avait finalement publiée sous la forme d'un livre. Ce n'est qu'après la publication du livre qu'il avait reçu le manuscrit. C'est pour cette raison qu'il avait préféré taire son identité.

Il se sentit gêné d'être ainsi capable d'exprimer sa colère et sa douleur à une parfaite étrangère, alors qu'il n'avait jamais osé en discuter avec quiconque autour de lui. Pas même avec sa mère. Surtout pas avec sa mère !

Lorsqu'elle reçut le long message d'Antoine écrit dans un anglais laborieux, Jean fut touchée. Elle s'était juré de restreindre les contacts avec cet homme aux renseignements qu'elle pourrait lui fournir sur le village, mais elle sentit beaucoup de sincérité dans ce long courriel. Elle resta prudente, mais poursuivit néanmoins l'échange. Après tout, se disait-elle, un océan nous sépare.

Maintenant qu'Antoine savait que Jean était une femme, il comprenait mieux comment il avait pu développer un tel degré d'intimité avec un internaute. Leur échange de courriels reprit, mais sur un ton beaucoup plus retenu. Au téléphone, il avait trouvé sa voix belle, douce, très harmonieuse. Le timbre était grave et chaud. Chaque fois qu'elle répondait à l'un de ses courriels, il imaginait l'entendre. Il dut chasser l'image du professeur bedonnant qui lui venait toujours à l'esprit en voyant le nom de Jean. Il essayait de trouver un visage féminin à accrocher à cette voix, mais n'y parvenait pas.

Au cours de leur correspondance, Jean aidait Antoine à exprimer sa peine et sa colère, ce qui permettait à ce dernier de retrouver la paix intérieure. Elle lui suggéra de lire le livre de sa mère, mais il s'y refusait.

« Il faut voir au-delà de la portée de votre regard, lui dit-elle. Je suis certaine que votre mère ne pensait pas vous faire du mal. »

Jean devint la seule personne à qui Antoine pouvait parler de ses états d'âme. Jamais elle ne lui disait qu'il avait tort, ni qu'il avait raison, mais ses messages étaient toujours empreints d'empathie. Ce n'est pas la timidité qui retarda le moment de lui demander si elle était mariée ou si elle avait un petit ami, mais la crainte qu'elle ne lui réponde par l'affirmative. Il appréhendait aussi de dévoiler quelque chose qu'il n'arrivait pas à définir ou qu'il refusait d'admettre. Cette attirance qu'il avait pour elle, si elle s'en était rendu compte, aurait pu inciter Jean à couper toute communication. Quand il osa enfin, elle répondit simplement : « Bien sûr que non ! »

Il se trouva ridicule d'avoir posé une telle question. Il n'avait aucune idée de ce à quoi elle ressemblait. Jean ne fut pas très enthousiaste lorsque Antoine lui demanda de lui faire parvenir une photo.

— Je ne crois pas que ce soit une bonne idée, répondit-elle. J'ai peur que tu sois déçu.

Antoine se moqua immédiatement d'elle.

— Je crois que cette coquetterie est un trait commun à toutes les femmes. Je demande à juger par moi-même.

Elle promit de lui faire parvenir la copie d'une photo qu'un de ses amis photographe avait prise d'elle, « si je peux la dénicher », avait-elle écrit. C'est le même photographe qui avait fait les photos de l'île qu'on voyait sur le site Web. Antoine dut insister à quelques reprises pour qu'elle lui envoie la photo, si bien qu'il se mit à craindre que Jean soit affublée d'une telle laideur qu'elle n'ose se montrer. On parlait d'ailleurs souvent des déceptions d'internautes tombés amoureux d'une personne virtuelle et qui en découvraient une toute autre au moment de la rencontre. Il est vrai que plusieurs se forgeaient des images si attirantes et si affriolantes, que la déception était inévitable. Le beau jeune homme grand et musclé s'avérait souvent être un vieillard, gros, chauve, marié et qui menait une vie parallèle sur Internet. Mais Jean Fisher n'avait jamais essayé de se forger une identité. C'est lui, Antoine, qui avait menti sur la sienne.

La photo finit par arriver et Antoine retint sa respiration lorsqu'il ouvrit le fichier. Cette Jean, songea-t-il, serait probablement assez commune physiquement, mais il aimait sa personnalité et il ne voulait surtout pas que son jugement soit affecté par son apparence. Il eut le souffle coupé en voyant la photo apparaître à l'écran. Jean était loin de ressembler à ce qu'il s'était imaginé. Elle avait de magnifiques cheveux blonds bouclés, qu'elle laissait en bataille et qui lui donnaient un charme irrésistible. Ses yeux semblaient regarder au loin, très loin, au-delà du photographe qu'elle ignorait, vers la mer dont ses yeux avaient semble-t-il volé la couleur.

Lorsqu'il avait envisagé de lui demander sa photo, il s'était dit que son opinion serait la même une fois qu'il l'aurait vue. Sa personnalité était attirante, son humour irrésistible, et cette façon particulière qu'elle avait de s'exprimer et de décrire son milieu l'avaient charmé. Au fil de leurs conversations, le désir de la voir s'était transformé en obsession. Il avait même anticipé le pire scénario : elle serait peut-être si laide que cette image l'empêcherait de l'apprécier comme il l'avait fait jusqu'à maintenant. La réalité s'avérait tout autre. Son cœur fit un bond. Il l'aima dès ce moment.

Antoine lui envoya une photo de lui prise par un de ses amis sur le site d'un feu. Il estimait qu'il y était à son meilleur, mais il craignait maintenant que cette perle rare ne veuille plus de lui. Après tout, il n'avait rien d'exceptionnel. Il lui fit parvenir le cliché, mais ne reçut aucun commentaire en retour. Quelques jours plus tard, n'y tenant plus, il lui demanda si elle avait reçu la photo et ce qu'elle en pensait.

« Pour quelqu'un qui m'accusait de coquetterie, tu sembles peu sûr de toi, écrivit-elle. Rassure-toi. Si je me fie aux commentaires de ma mère, tu es un " beau prétendant ". »

Antoine se sentit soulagé, encore qu'il ait été gêné d'apprendre que la mère de Jean avait vu sa photo. Mais la dame l'avait qualifié de « beau prétendant » et Jean n'avait semble-t-il pas protesté, ce qui lui donna le courage de passer à l'étape suivante. Il fallait lui apprendre qu'il irait à Terre-Neuve en novembre et qu'il souhaitait se rendre à Tilting. Il décrocha le téléphone et fut heureux d'entendre la voix chaude au bout du fil. Ils parlèrent timidement comme deux gamins jusqu'à ce qu'Antoine lui annonce qu'il espérait la voir lors de son passage.

— Je ne crois pas que ce soit une bonne idée. Je... je ne suis pas convaincue d'être prête, et je ne crois pas que tu le sois non plus. Tu pourrais être déçu.

— Je ne vois pas ce qui pourrait me décevoir, et puis je crois que nous sommes maintenant des amis. Il n'y a rien de plus normal pour un ami que de rendre visite à un autre ami.

— Je vais y penser, dit-elle.

Il eut tout juste le temps de poser l'appareil qu'il reçut un appel l'avertissant qu'un nouveau feu avait éclaté. Avant de partir, il écrivit à Jean pour lui demander de réfléchir à sa proposition. Lorsqu'il arriva à l'aéroport, plusieurs personnes s'y trouvaient déjà. Commanda rassemblait ses hommes. Judith Morin s'y trouvait aussi. Elle lui adressa un clin d'œil. Il y a quelques semaines, Antoine aurait salivé à l'idée de reprendre ses petites rencontres secrètes avec elle, mais depuis qu'il avait découvert la femme derrière son mystérieux correspondant terre-neuvien, il ne pouvait plus envisager les choses de la même manière. Bien sûr, Jean n'était pas officiellement sa petite amie et il ne lui devait donc pas fidélité, mais il se proposait d'y travailler dès son retour.

Quand Judith s'approcha discrètement et lui passa une main sur les fesses, Antoine s'éloigna. Il était résolu à mettre fin à cette relation.

— Nous sommes dans la même équipe cette fois, lui dit-elle.

— Nous sommes dans la même équipe, mais c'est tout. Je ne veux plus, Judith.

Elle lui jeta un regard où la fureur se mêlait à une sorte de supplication amoureuse. Elle ne voulait pas être rejetée. Elle l'avait été trop de fois.

Dès que l'équipe descendit de l'hélicoptère, Commanda constata qu'il s'agissait encore d'un incendie criminel. Il avait repéré l'endroit où le feu avait pris naissance et découvert une fusée éclairante. En fait, il y avait deux de ces fusées attachées bout à bout. Cela doublait le temps dont le pyromane disposait avant que le feu ne se déclare. Il se pouvait même que cet incendie ait été allumé la veille.

Judith n'avait pas dit son dernier mot avec Antoine. Elle fit une nouvelle tentative au campement, après que l'attaque initiale eut permis de maîtriser les flammes. Il ne leur restait plus qu'à effectuer des patrouilles pour éliminer les *boucanes*. Elle déboutonna sa chemise, l'invita à faire de même et tenta de se coller à lui. Antoine lui demanda de se rhabiller et tourna les talons immédiatement. Le soir, Judith avait changé de tente et il en fut soulagé.

L'incendie fut maîtrisé rapidement. Les combattants devaient revenir à la base le lendemain matin. Les travailleurs permanents, dont Antoine faisait maintenant partie, seraient probablement envoyés en renfort vers d'autres feux alors que les occasionnels retourneraient chez eux en attendant, peut-être, qu'on les rappelle. Dans le camp, les hommes avaient commencé à regrouper le matériel pour leur départ. Antoine alla récupérer une pompe au ruisseau. Sur la rive, le sol était marqué par les innombrables empreintes des bottes, alors que le secteur était vierge quelques jours auparavant. Antoine aimait à penser que l'homme n'avait jamais mis le pied sur certaines parcelles de la planète. Quel dégât, pensa-t-il en regardant le sol, qui semblait avoir été piétiné par un troupeau humain venu s'abreuver.

Son attention fut soudainement attirée par une trace de pas dans la boue. Il fouilla immédiatement dans sa poche et sortit le croquis qu'il avait fait de la semelle du suspect quelques semaines auparavant. L'une des empreintes dans la boue avait la même encoche au pied gauche que sur son esquisse. La trace était de la même dimension que celle qu'il avait déjà vue. Il se refusait d'y croire. Se pouvait-il que le pyromane soit un des hommes de l'équipe? Il aurait dû informer immédiatement Commanda, mais la trace était fraîche et il décida de la suivre. Celui qui portait ces bottes était passé par ici au cours de la dernière heure.

Tout en suivant la trace du présumé pyromane, il réfléchissait. Cela tombait sous le sens. C'était pour cette raison qu'il s'était échappé de la souricière qu'on avait essayé de mettre en place. Les hélicoptères n'y avaient vu que du feu, c'est le cas de le dire, en reconnaissant la combinaison que les combattants de la SOPFEU portaient. L'homme avait rejoint le reste de l'équipe et s'était caché dans leurs rangs. Mais pourquoi un pompier commettrait-il un tel crime?

Il marcha pendant une heure dans un petit sentier où l'empreinte de la semelle était toujours visible. Puis elle disparut subitement dans la forêt. Il marcha le plus silencieusement qu'il put, regardant et cherchant à travers les branches. Il aperçut soudainement une combinaison orange, de dos, penchée sur quelque chose. L'individu était concentré sur sa tâche et n'entendit pas le bruit des pas d'Antoine. Un bidon de plastique rouge reposait à ses côtés. Antoine reconnut les réservoirs qu'ils utilisaient pour faire le plein des pompes. Il ne parvenait pas à discerner son visage et s'approcha encore. Le pyromane empoigna le bidon d'essence et, dans un geste circulaire, aspergea un buisson et une épinette. Antoine n'arrivait pas encore à croire que l'auteur de cette destruction puisse être l'un des leurs lorsqu'il vit la flamme de son briquet. Il l'approcha du liquide inflammable et Antoine put entendre l'essence s'enflammer. Wouuuuch! Le feu monta rapidement dans l'arbre. Sans même prendre le temps de réfléchir, il sortit de sa cachette et se mit à crier. «Nooon!»

Pris de panique, l'incendiaire se retourna et lui lança instinctivement le bidon débouché. Pour Antoine, l'instant qui suivit parut se fragmenter à l'infini. Il leva le bras pour parer le projectile tourbillonnant d'où giclait l'essence. Sa combinaison en fut aspergée et lorsqu'il releva les yeux, celui qui avait tenu la SOPFEU sur les dents durant toutes ces semaines lui faisait maintenant face. Leurs regards s'accrochèrent. Il reconnut avec stupeur ce visage au moment où l'essence s'embrasait. La flamme, suivant la trace du liquide, semblait courir vers lui. Antoine s'immobilisa, terrifié. Le feu venait à lui comme dans ses cauchemars. Au moment où la flamme arriva à un mètre, elle se divisa en deux, puis forma un cercle de feu autour de lui. Les flammes s'élevèrent de plus en plus haut comme si elles s'alimentaient de la peur qui le paralysait. Le rideau de feu dépassa sa tête. Impossible de sortir du cercle. Il pouvait sentir la chaleur insoutenable, le feu mordant sa peau. Le cauchemar qui le hantait depuis si longtemps se réalisait. Lorsque ses cheveux se mirent à brûler en crépitant, Antoine cria, mais, cette fois, il ne s'éveilla pas. Tout cela était réel. Il sentit le feu sauter sur sa combinaison et vit ses mains s'enflammer comme des torches.

Les flammes, sur lui et autour de lui, semblaient dissoudre le visage de son agresseur qui ne bougeait pas, comme pétrifié par ce qu'il venait de faire. Il regardait Antoine se tortiller de douleur dans les flammes, médusé et incapable de réagir pour lui venir en aide. Puis il s'enfuit en courant, l'abandonnant à son horrible sort.

Antoine se roula sur le sol en hurlant, mais sa combinaison, imbibée d'essence, flambait. Il sentait le feu dans ses cheveux et il lui semblait que les flammes léchaient son visage. Instinctivement, il essaya de se protéger les yeux. Il retira rapidement sa combinaison, fit passer le chandail par-dessus sa tête, ce qui éteignit le feu dans ses cheveux. Ses mains trempées d'essence flambaient. Il les enroula dans le chandail pour étouffer les flammes. Il resta à genoux dans ce brasier durant ce qui lui sembla une éternité. Le feu se propageait dans les arbres et les buissons autour de lui. Il songea d'abord à éteindre l'incendie, mais lorsqu'il regarda ses mains, il vit que la peau pendait en lambeaux, comme si, faites en cire, elles fondaient sous la chaleur.

À demi conscient, étourdi de douleur, Antoine ne pensa plus qu'à une chose : rejoindre le campement. Il savait qu'il avait besoin de secours rapidement. Il avait d'abord pensé que son visage était épargné mais maintenant qu'il marchait, il sentait sa peau se craqueler comme si la chaleur l'avait vitrifiée. La douleur augmentait à un tel point qu'Antoine crut qu'il allait perdre la raison. Sa conscience finit par lâcher et ses réflexes, son instinct de survie, prirent le relais. La torture était atroce. Il continua néanmoins à marcher tel un zombie, émergeant du noir à l'occasion pour constater qu'il était tombé ou qu'il était sorti du sentier. Il perdit la notion du temps. Au camp, les hommes aperçurent des flammes à l'horizon et se précipitèrent vers ce nouveau sinistre. À mi-chemin, ils découvrirent Antoine, brûlé, titubant vers le camp. Torse nu, il était gravement brûlé aux bras, aux mains, au visage et au dos. L'un des membres de l'équipe eut un haut-le-cœur en apercevant les lambeaux de chair qui pendaient de ses mains et de son visage. On força Antoine à s'asseoir pendant que le responsable du groupe communiquait avec le camp pour demander du secours. « C'est elle ! C'est elle ! » répétait Antoine aux hommes qui ne comprenaient rien à ce qu'il racontait.

Edgar Commanda fut informé de la situation et demanda immédiatement un hélicoptère. Le soleil était couché et, en théorie, les hélicoptères ne volaient plus, mais lorsque Commanda les avisa qu'un homme était gravement brûlé et qu'on devait le sortir de toute urgence de la forêt, le pilote remit immédiatement le moteur en marche. Commanda se rendit ensuite au chevet d'Antoine.

— Ne parle pas, lui dit-il, repose-toi.

— Il faut que je te parle avant de sombrer, dit Antoine. Le pyromane... le pyromane c'est... c'est Judith.

Commanda avait beau réfléchir, il n'arrivait pas à replacer ce nom, comme si Antoine parlait d'une étrangère. Ce qui ne lui rentrait pas dans la tête, c'est que le pyromane puisse être un membre de l'équipe et encore moins une femme.

— On verra ça plus tard, dit-il. Pour le moment, il faut s'occuper de toi.

Il divisa le groupe d'hommes en deux équipes. Les uns iraient combattre le feu pendant que les autres iraient éclairer la piste d'atterrissage. Antoine sombrait dans l'inconscience pour n'en ressortir que lorsqu'on le touchait ou qu'on s'adressait à lui. Il entendit le bruit des pales dans la nuit et sentit qu'on le hissait à bord. La douleur empirait. Il n'arrivait plus à réfléchir, il perdait la raison. La dernière image qui lui vint à l'esprit avant de sombrer fut celle de Jean.

Chapitre dix-neuf

Ils étaient entrés dans le Cercle de feu et ils étaient morts. Tous morts. Partis, disparus sans lui. Ceux qui avaient été sa raison de vivre s'étaient enlevés la vie. Ils avaient transité vers Sirius et se trouvaient probablement en compagnie de ces forces cosmiques dont Jouret leur avait parlé. Ils avaient fait le saut tandis qu'il restait seul dans ce monde qui ne le comprenait pas. Comment se faisait-il qu'ils l'aient laissé ici, lui, « les ailes du ciel » ? Jouret l'avait assuré qu'ils auraient besoin de lui sur Sirius pour créer le Nouvel ordre.

Denis se rendit compte que le départ du groupe vers Sirius avait fait beaucoup de bruit. Toute la presse ne parlait que de cela. Il y avait eu des morts en Suisse et ici à Morin Heights où leur lieu de rencontre avait été incendié. Tels des vautours tournoyant au-dessus d'un cadavre encore chaud, les journalistes hantaient les lieux des deux sinistres à la recherche de détails inédits. Chacun essayait d'en savoir plus, de donner de nouvelles révélations croustillantes. On parlait de suicide collectif, mais il était également question de meurtres. Selon ce qu'on rapportait dans les journaux, plusieurs victimes avaient été assassinées d'une balle dans la tête provenant d'une arme achetée à Ottawa. On soupçonnait Guy Desormeaux, un cadre d'Hydro-Québec, membre de ce même Ordre, qui avait été arrêté par les policiers quelques semaines auparavant, alors qu'il essayait de se procurer un pistolet.

Desormeaux avait cependant un alibi en béton ; au moment du drame, il participait à une rencontre et au moins vingt personnes pouvaient en témoigner. Il avoua cependant avoir fourni l'arme et révéla que quelqu'un était venu en prendre livraison par avion. Il ne savait pas à quoi elle était destinée ni si elle avait servi.

Denis était inquiet car partout, médias et policiers cherchaient des membres de l'Ordre ayant survécu au massacre. Il s'attendait à ce que les policiers se lancent sur la piste du mystérieux avion et de son pilote. Jouret avait raison, il y avait bel et bien une conspiration contre les membres de l'Ordre et Denis était le prochain qui tomberait aux mains des policiers.

Il fut navré en consultant la liste des disparus dans les journaux : Paul et Ison en faisaient partie. Denis avait reçu un message urgent de Paul le 28 septembre. Celui-ci l'enjoignait, lui ordonnait de se rendre au chalet de Morin Heights. « Il va se passer de très grandes choses, avait-il dit. Il faut que tu sois là si tu veux être des nôtres, car ce sera le moment du passage. » Le *moment du passage*. Ces mots revenaient souvent dans les propos du Maître au cours des dernières semaines.

Ils étaient traqués par la police. Denis le savait. Il avait noté à quelques reprises une voiture stationnée près de chez lui. Il n'y avait pas fait attention, mais lorsque le type qui devait leur fournir des armes, ce Desormeaux, s'était fait prendre, Denis avait immédiatement fait le lien entre ces deux événements, et conclu au complot. Jouret aussi avait été harcelé par les policiers pour cette histoire d'arme. Quand il avait reçu l'invitation pressante de Paul, il avait dit qu'il y serait, mais au moment de partir, Denis fut appelé. Il ne travaillait que depuis quelques mois au Service aérien gouvernemental, le SAG comme on désignait ce département, et il devait piloter l'appareil utilisé pour le transport d'urgence des malades et des blessés. On avait besoin de lui pour évacuer un enfant qui s'était blessé et personne ne pouvait le remplacer. Impossible d'y échapper, mais il avait estimé qu'il aurait le temps d'effectuer le transport de l'enfant et de revenir à temps pour la rencontre. De toute façon, les cérémonies de l'Ordre étaient souvent précédées de longs préliminaires destinés à préparer les esprits à recevoir les messages du Maître.

Quand il posa son appareil, il ne prit même pas la peine de quitter son uniforme. Il avait à peine deux heures de retard. Selon ses estimations, les Templiers ne seraient même pas encore entrés dans le Cercle où avaient lieu les cérémonies. Il fut surpris en arrivant à l'entrée du terrain de constater qu'elle était cadenassée. Il laissa sa voiture sur le côté de la route et franchit facilement la barrière en jetant des regards inquiets et nerveux autour de lui. Lorsqu'il arriva à la porte, il essaya de tourner la poignée, mais elle était barrée de l'intérieur. Il sonna et cogna bruyamment, mais personne ne vint répondre. Il ne voyait rien, aucun mouvement. Il fit le tour du bâtiment en essayant de regarder à l'intérieur par les fenêtres. Il songea que la rencontre avait peut-être été annulée à cause de la surveillance dont l'Ordre était l'objet, mais un détail attira son attention alors qu'il scrutait les lieux à travers la fenêtre de la cuisine. Des manteaux avaient été déposés pêle-mêle sur les chaises, et il reconnut celui d'Ison dont le collet était orné de cuir. Il vit aussi les carafes contenant le breuvage qu'ils absorbaient avant les cérémonies. Les bouteilles étaient ouvertes et à moitié vides. Il y avait quelqu'un à l'intérieur, mais on refusait de lui répondre. Il songea à briser une vitre, mais se ravisa. C'était probablement de cette façon qu'on le punissait de ne pas avoir été à l'heure au rendez-vous. Il resta là une dizaine de minutes, en vain, guettant tout mouvement à l'intérieur. Il décida de rentrer chez lui en attendant que Paul le contacte. Il se sentait honteux d'avoir préféré son boulot au groupe. L'Ordre devait passer en premier, c'était la règle principale. Ceux qui ne s'y pliaient pas en étaient écartés.

Quatre jours plus tard, il apprenait avec stupeur le transfert du groupe vers Sirius. Comment allait-il survivre dans ce monde qui ne le comprenait pas? Il aurait voulu lui aussi faire partie du voyage. Il songea à se donner la mort, mais il se rappela les mots de Jouret:

«Nous aurons besoin de toi», avait-il dit à deux reprises. Ils auraient besoin de lui, mais quand? Devait-il lui aussi faire partie du groupe qui venait de transiter? Sûrement car, s'il n'avait pas été en retard, il aurait été du voyage. Ils auraient dû être cinquante-quatre. Avaient-ils réussi à transiter vers Sirius malgré le nombre insuffisant? Devait-il mettre fin à ses jours pour compléter le transfert? Le moment choisi, le 5 octobre, correspondait à la nouvelle lune. Devait-il attendre la prochaine nouvelle lune, ou alors attendre octobre de l'année suivante? Toutes ces questions ne cessaient de tourner dans sa tête et Jouret n'était pas là pour lui dicter les réponses. Quand le Grand Maître interprétait les messages qu'il recevait de Sirius, ce qu'il disait avait un sens. Maintenant qu'il avait perdu l'interprète, Denis n'arrivait plus à comprendre les choses. Il résolut d'attendre un signe. Les Maîtres ne manqueraient pas de le guider de leur étoile, puisqu'ils le savaient toujours vivant.

Denis aurait voulu recevoir le réconfort des autres membres, mais ceux dont il avait été proche étaient tous morts.

Les autres, il les avait vus lors de certaines rencontres, mais il n'aurait pu citer leur nom. Il savait cependant qu'il lui faudrait se faire petit et discret, car on les rechercherait probablement, maintenant que la presse du monde entier traitait abondamment de cette affaire.

Lorsqu'ils étaient jeunes et se rendaient au chalet familial, Denis et ses frères organisaient des battues dans l'herbe pour en faire sortir les couleuvres. Sa mère et sa sœur n'osaient mettre le nez dehors tant qu'ils n'avaient pas frappé de leur bâton chaque mètre carré d'herbe et soulevé chaque pierre. La chasse aux disciples de l'Ordre du Temple Solaire qui s'était amorcée depuis le drame de Morin Heights lui faisait penser à ces battues. Les journalistes retournaient chaque pierre dans l'espoir de faire sortir les derniers membres. Il valait mieux faire le mort et ne pas bouger, même si les coups tombaient près de lui.

Il se concentra sur son travail. La plupart du temps son appareil servait d'ambulance aérienne, mais il lui arrivait parfois de piloter pour un ministre, le premier ministre même, généralement vers des destinations éloignées de la province. Denis connaissait les autres pilotes à l'emploi du Service aérien gouvernemental, mais ne s'était jamais lié d'amitié avec eux. L'Ordre supportait mal les relations avec les non-initiés. Ils refusaient la Vérité que les membres de l'OTS avaient comprise. Ils n'appartenaient pas à l'Élite. Denis avait évoqué à quelques reprises sa participation à un groupe de croissance personnelle qui lui avait permis, disait-il, de découvrir une nouvelle facette de Dieu. Il avait même évoqué Sirius lors d'une discussion avec les autres pilotes à la cafétéria de l'aéroport. Cet aveu avait été suivi d'un silence gêné. Après le massacre de Morin Heights, l'un des pilotes à qui il avait parlé se rappela de ses paroles en lisant des reportages sur l'Ordre du Temple Solaire. « Sirius…, dis-moi Tanguay, c'est pas l'étoile dont tu nous parlais ? » Denis nia et feignit d'en rire. Il songea à saint Pierre qui avait nié à trois reprises être un disciple de Jésus, et il se sentit honteux de sa couardise. Il ne reparla plus de ce sujet avec les autres. En fait, il cessa de leur adresser la parole, et les pilotes en vinrent à le considérer étrange.

Il attendait toujours un signal lorsque le 15 décembre 1995, un peu plus d'un an après le premier transfert, seize membres de l'Ordre mettaient fin à leurs jours à Saint-Pierre-de-Chérennes en France. Parmi eux, deux Québécois qu'il connaissait peu, mais qu'il avait rencontrés à quelques reprises. Denis se sentit abandonné encore une fois. Il cherchait à comprendre. Le Grand Maître avait dit qu'il fallait qu'ils soient cinquante-quatre Templiers pour franchir le passage vers Sirius. Que représentait ce chiffre de seize personnes dans cette nouvelle cérémonie ? Il se demanda si l'un de ces morts n'était pas le cinquante-quatrième qui manquait lors du passage d'octobre 1994, ce qui aurait alors réduit le groupe de ce nouveau passage à quinze. Il se torturait l'esprit pour tenter de trouver une explication qui aurait satisfait sa logique.

Pendant plusieurs jours, il fut hanté par les dernières images des rituels auxquels il avait assisté. Il revit Ison dans ses rêves. Elle était entourée de feu. Quand il s'éveilla, il alla chercher le vieux fusil que son père lui avait donné et qu'il avait finalement récupéré de son ex-femme avec les quelques boîtes contenant ses derniers effets. Il s'agissait d'un calibre .12 que l'homme avait utilisé toute sa vie pour chasser la gélinotte et le canard. Denis n'avait jamais chassé et il avait placé l'arme au fond d'un placard avec les vieilles cartouches que son père s'entêtait à recharger lui-même. Il retrouva l'arme et les munitions, fit glisser une balle dans la culasse et plaça le canon du fusil sous son menton. Il en aurait fini avec ce monde d'incompréhension. L'image d'Ison dans son rêve était le signal qu'il attendait. Il était temps qu'il quitte cette enveloppe terrestre pour atteindre les Esprits supérieurs. Il pleurait quand il eut finalement le courage de presser la détente. C'était fini; dans une fraction de seconde, la charge lui arracherait une partie de la tête, puis ce serait le noir. Il entendit le déclic du chien, et le bruit du marteau frappant la douille résonna à ses oreilles comme le son assourdissant d'un gong. Rien ne se produisit. L'amorce de la vieille cartouche avait sûrement été attaquée par l'humidité. Le coup n'était pas parti. Il haletait comme s'il avait couru un kilomètre. Il allait faire une nouvelle tentative avec une autre cartouche lorsqu'il réalisa qu'il s'agissait sûrement du signal qu'il attendait.

« Je ne dois pas mourir immédiatement. C'est un signe. Il faut que j'attende. »

Il resta assis sur le bord du lit durant de longues minutes, essayant de reprendre son calme, tenant toujours l'arme à la main. Plus il y réfléchissait, plus il était convaincu que cet incident manifestait la volonté des forces cosmiques de Sirius. Il lui fallait attendre le moment... attendre l'appel.

Chapitre vingt

Dans le camp, les hommes s'étaient regroupés pour illuminer la piste à l'aide de fusées d'éclairage et de projecteurs. La tension était palpable. On savait que quelque chose de grave s'était produit. Les pompiers de la forêt devaient vivre avec le danger et, bien que les accidents se produisent rarement, tous savaient qu'ils pouvaient se blesser et ils y étaient préparés. Ce qui s'était passé n'avait rien d'un accident. Antoine Lyrette avait été aspergé d'essence et on avait allumé le feu. C'était un crime.

Lorsqu'on l'avait ramené au camp, tous avaient pu constater l'horreur. Son visage était blanc comme celui d'un mort et des morceaux de peau pendouillaient. Antoine hurlait et se contorsionnait comme s'il avait tenté de s'échapper de ce corps douloureux. Le bruit courait qu'un des membres de l'équipe avait fait le coup. Les hommes n'arrivaient pas à y croire, mais s'observaient à la dérobée avec un air méfiant, cherchant le coupable. Puis le nom de Judith avait été prononcé. Un grand silence avait suivi. Plusieurs refusaient de l'admettre. Judith était étrange, certes, mais qui ne l'était pas dans ce camp? Chacun avait sa petite histoire, ses « bibittes », comme les gars disaient. Mais autre chose la désignait comme suspect numéro un : elle avait disparu du camp.

La douleur dépassait tout ce qu'Antoine avait pu imaginer. Une douleur à rendre fou. On l'avait placé sur une civière et on lui avait administré un calmant, mais rien n'y faisait. Dans l'hélicoptère, un infirmier à ses côtés lui parlait constamment. Antoine entendait le bruit des pales, mais aurait souhaité que tout ce vent soit dirigé vers lui. Peut-être alors la souffrance aurait-elle été moindre. Les vibrations de l'appareil se propageaient à tout son corps, accentuant son supplice. Le temps s'écoulait si lentement. Il lui semblait que l'appareil volait depuis des heures. Et cet imbécile d'infirmier qui s'acharnait à prendre sa pression malgré les cris déchirants qu'il poussait chaque fois que l'instrument se gonflait autour de son bras. Chacun des battements de son cœur était alors une torture.

Les visages affligés et horrifiés des hommes se succédaient au-dessus de lui, le forçant à sortir de son inconscience. Chaque fois la douleur revenait plus vive, plus tranchante, comme un coup de couteau. Il essayait de parler, mais ses paroles étaient plutôt des hurlements. Après quelques secondes de souffrances extrêmes, il semblait reprendre le contrôle et parvenait à prononcer quelques paroles. Le feu n'était plus sur lui, mais il continuait à dévorer sa chair, puis tout son corps. Antoine s'efforçait de garder son calme et luttait contre la perte de conscience en faisant des blagues.

— Pas de bronzage pour moi cette saison, n'est-ce pas ? Allez, ne me cachez rien. Ai-je gagné le prix du barbecue de l'année ?

— Vous avez gagné, et comme vous le voyez, le prix comporte un voyage gratuit en hélicoptère, répondit l'infirmier sur le même ton.

Aussitôt après le décollage de l'appareil avec le blessé à son bord, Edgar Commanda avisa les policiers qu'on avait probablement identifié la coupable des feux criminels et que les équipes se lançaient à sa recherche. Il dépêcha des patrouilles dans toutes les directions, sur tous les chemins pour retrouver sa trace. Elle ne pouvait pas être bien loin.

Ti-Caille fut envoyé en patrouille avec le grand Élisé. Élisé était un chic type, mais il avait une voix étrange qui ressemblait au bêlement d'un mouton, ce qui était surprenant chez un gars bâti et fort comme un bœuf. Ti-Caille l'avait chargé de transporter la radio qui lui permettait de rester en communication avec la base. Ils avaient emprunté un sentier à flanc de montagne, lorsqu'ils aperçurent les traces de pas laissées par Judith. Le sentier était sablonneux et il était facile de suivre les pistes. Ti-Caille et Élisé marchaient le nez rivé au sol, soucieux de repérer chacune des traces. Ils craignaient qu'elle soit entrée en forêt et qu'ils la perdent à nouveau. Ils scrutaient attentivement le sable fin lorsque quelque chose heurta le casque de Ti-Caille, qui ouvrait la marche. Il crut que sa tête avait frappé une branche mais, lorsqu'il leva les yeux, il dut se concentrer quelques secondes avant de se rendre compte qu'il s'agissait d'une paire de bottes. C'est le grand Élisé qui lança le premier un cri d'horreur. On aurait dit le cri d'une brebis qu'on étrangle. Elle était là, au-dessus d'eux, pendue à une branche d'un pin avec les bretelles orange de son pantalon. Sa langue sortait de sa bouche, donnant l'impression d'un rictus morbide sur son visage devenu bleu, qui glaça les deux hommes.

Ti-Caille essaya d'attraper la radio en bandoulière sur l'épaule du grand Élisé. Il s'était effondré à genoux en la voyant et pleurait comme un enfant. Ti-Caille était sous le choc lui aussi. Il tremblait et la radio lui échappa des mains. Il était maintenant à genoux lui aussi, les yeux levés vers le cadavre alors que ses mains fouillaient frénétiquement le sol à la recherche de la radio. Le tableau avait quelque chose d'hallucinant. Le grand Élisé pleurait à chaudes larmes, Ti-Caille continuait à chercher la radio sans quitter des yeux Judith suspendue juste au-dessus d'eux. Quand il l'attrapa, il cria dans le microphone :

— Allo la base. Répondez-moi !

Commanda entendit l'appel et comprit la gravité de la situation au son de la voix. « Nom de Dieu. Un seul drame, ce serait bien assez », songea-t-il en attrapant le microphone.

— Ici la base. Nous vous recevons. Identifiez-vous.

— C'est Cadieux, Gilles Cadieux… Ti-Caille, cria-t-il. Nous l'avons trouvée. Elle est morte, maudite marde.

Il y eut un long silence sur les ondes, comme si le message n'avait pas été reçu.

— Elle est morte, répéta Ti-Caille plus fort pour être sûr qu'on l'avait entendu.

— Du calme. Nous arrivons, répondit finalement Commanda.

Toutes les équipes convergèrent vers le point qu'avait indiqué Ti-Caille. Quand ils arrivèrent, les deux hommes avaient coupé la bretelle et le corps reposait sur le sol. Un bout de la bande orange était encore relié à la branche alors que l'autre s'enroulait autour du cou de Judith. Lorsque Commanda parvint sur les lieux, on découvrit une note dans la poche du cadavre. « Je ne suis pas une meurtrière. Tout ce que je voulais, c'était travailler. Je ne voulais pas tuer Antoine. C'est un accident. »

Ainsi, Judith s'était enfuie, convaincue qu'Antoine était mort après l'avoir vu brûlant de la tête aux pieds. Edgar Commanda était dévasté. Quel gâchis. Judith était une bonne travailleuse et elle valait plusieurs hommes. Mais c'était toujours elle que Ledoux renvoyait à la maison lorsque les feux diminuaient. Ledoux détestait ces féministes qui envahissaient les domaines autrefois réservés aux hommes, et il considérait qu'une femme au front était une source de problèmes. Les faits semblaient lui donner raison et lui permettaient d'oublier que son attitude sexiste était peut-être à l'origine de cette triste histoire. Le corps de Judith fut ramené au camp sur une civière. Lorsqu'on le déposa par terre, tous vinrent se recueillir. C'était la première fois qu'un des leurs mourait.

L'hélicoptère qui avait déposé Antoine et l'équipe médicale dans le stationnement du centre hospitalier étant revenu au campement, on s'en servit cette fois pour ramener le corps de Judith à Maniwaki. Après son départ, le camp tomba dans un silence qui n'était pas coutumier. Le sommeil de plusieurs fut hanté de cauchemars ce soir-là. Ti-Caille et Élisé furent mis en congé, mais ils refusèrent de monter dans l'appareil avec le cadavre. Ils devraient attendre le lendemain. Commanda savait qu'ils avaient été durement secoués par la découverte de la pendue. Tous les hommes l'avaient été, en fait. Pour le moment, l'adrénaline circulait encore dans les veines, mais demain l'image qui s'était incrustée dans leur cerveau reviendrait sans cesse. Ils auraient alors besoin de soutien.

Au Centre hospitalier de Maniwaki, la salle d'urgence était bondée comme à l'accoutumée, mais on s'occupa d'Antoine en priorité. Le branle-bas de combat avait été lancé lorsqu'on avait été prévenu de l'arrivée du brûlé. Le médecin devait le recevoir et stabiliser ses blessures avant de l'acheminer vers le centre des grands brûlés de Montréal.

Le docteur James Whiteduck se précipita immédiatement pour soigner Antoine. Il lui administra un puissant analgésique avant de se tourner vers les infirmières:

« Apportez-moi deux grandes bassines d'eau et de glace. »

Le docteur examina son patient. Il était brûlé aux mains et aux bras aux deuxième et troisième degrés. Une partie de son torse et de son dos avait également été atteinte. Mais c'est le visage qui inquiétait James. La moitié gauche avait été durement touchée. Il ne savait pas s'il pourrait sauver son oreille. Pendant qu'il poursuivait ses observations, James lui demanda son nom, qui lui rappela quelque chose.

— Antoine Lyrette. Le petit-fils d'Achille ?

— Oui, répondit Antoine, qui trouvait que le moment était mal choisi pour les présentations. Et il n'avait surtout pas envie d'entendre des racontars sur sa trop célèbre famille.

— J'ai connu ton grand-père. Ç'a été une rencontre brève, mais disons qu'elle a été intense. Un *sapré* bonhomme, dit-il sur un ton qui ne cachait pas son admiration.

— Je sais, répondit Antoine.

Il se souvenait avoir entendu le nom du docteur Whiteduck cité lors du procès d'Achille. Le médecin avait aidé le vieil homme à s'échapper de l'hôpital, au risque de s'attirer des ennuis. James continua à parler d'Achille, rappelant dans quel contexte il l'avait connu et combien ce brave homme l'avait impressionné. Il se mit à rire en rappelant comment, à quatre-vingt-huit ans, il avait pu échapper aux policiers durant plusieurs jours. Ce genre de discussion n'avait aucun sens dans un tel lieu et dans de telles circonstances, mais rien ne faisait à présent autant de bien à Antoine, plus même que cette seconde dose de Démérol qu'on venait de lui administrer. Il y avait quelque chose de rassurant dans la banalité de cette conversation. Antoine avait le sentiment qu'il n'avait rien à craindre.

« Cet homme rigole en me rapiéçant, ce ne doit pas être si sérieux » se disait-il. Et puis, cela établissait un lien entre le médecin et son patient. Il n'était plus seulement un patient parmi les autres, il était Antoine, le petit-fils d'Achille, un homme que ce médecin avait connu et apprécié.

Lorsque la douleur revint, encore plus intolérable, on lui administra une nouvelle dose de Démérol, mais rien ne semblait l'apaiser. Le docteur Whiteduck avait, à plusieurs reprises, traité des grands brûlés. À l'hôpital de Kuujjuaq, il n'y avait pas de chirurgien et il devait se débrouiller pour fournir les soins de base. Il se souvenait de ce jeune Inuit qui avait flambé comme une torche humaine alors qu'il cherchait l'euphorie en respirant des vapeurs d'essence. Les jeunes versaient une petite quantité d'essence dans un sac de plastique et en aspiraient les vapeurs. Ils sombraient ensuite dans un état second. Un état second qui leur permettait de supporter leur désœuvrement et leur désespoir. Cette pratique faisait des ravages dans la communauté. Son copain avait allumé une cigarette alors que ses vêtements étaient imbibés d'essence. Le jeune s'était aussitôt transformé en torche humaine. On l'avait amené à l'urgence et James avait communiqué avec le Centre des grands brûlés de Montréal. Le chef du service, le docteur Jacques Tremblay, avait guidé l'intervention chirurgicale à distance.

Whiteduck entreprit la longue et pénible opération consistant à retirer les parties brûlées de la peau. Chaque petit bout de peau grillée devait être retiré. Quand une infirmière suggéra d'ajouter une nouvelle dose d'antidouleurs dans le salin qui se déversait goutte-à-goutte dans le bras d'Antoine, James refusa : « Son cœur risque de flancher ».

Antoine regardait la scène avec un certain détachement.

Le médicament n'avait pas complètement éliminé la douleur, mais son cerveau était engourdi et il avait l'impression d'être détaché de tout ce qui arrivait. Soudainement, il eut froid. « Étrange pour un brûlé », songea-t-il. Son corps se mit à trembler violemment et il essaya de retirer ses mains et ses avant-bras plongés dans l'eau glacée. « La tension baisse… Si ça continue nous allons le perdre », avertit l'infirmière de faction devant les instruments de surveillance.

Antoine glissait lentement vers l'inconscience pendant que son corps était secoué de tremblements. Il voyait les infirmières courir autour de lui et, surtout, la mine inquiète du docteur Whiteduck ; il ne donnait plus ses ordres calmement, il les hurlait. Peu à peu, la vision d'Antoine devint floue, jusqu'à disparaître complètement.

Le lendemain, Antoine émergea de l'obscurité, réveillé par la douleur. Il se savait éveillé, mais il ne voyait rien. Il n'arrivait pas à ouvrir les yeux. La panique s'empara de lui, il était aveugle. À tâtons et sans attendre qu'une infirmière ne vienne à son aide, il passa par-dessus la barre métallique du lit. Il faillit s'écraser au sol et entraîna avec lui la bouteille accrochée à son bras. La perche à laquelle le sac était suspendu alla choir sur la table de chevet en métal. Antoine continua malgré tout à avancer. Il était conscient d'être à l'hôpital et savait qu'il y avait nécessairement une chambre de bain et un miroir. Il trouva l'ouverture de la porte et s'engouffra dans la pièce juste au moment où l'infirmière, alertée par le vacarme, se précipitait dans la chambre.

« Revenez à votre lit, Monsieur Lyrette. Vous ne pouvez pas aller à la chambre de bain tout seul. » Il aurait fallu un char d'assaut pour stopper Antoine. Il voulait voir. Il referma la porte et poussa le loquet, arrachant le tuyau de plastique de son bras. Il avait de la difficulté à toucher les objets avec ses doigts. La peau avait été retirée sur certains d'entre eux, mais les autres étaient enflés comme des boudins. Il repéra le miroir. Avec ses doigts, il força l'ouverture d'un œil. Ce qu'il vit le glaça d'horreur. Sa tête ressemblait à une grosse boule de quille, gonflée et complètement noire. Ses cheveux avaient presque tous été brûlés. Ses oreilles ressemblaient à celles du Yoda dans le film *Star Wars*. Il ne serait pas aveugle, il serait défiguré. Quand l'infirmière parvint à ouvrir la porte avec l'aide d'un préposé, Antoine était assis sur le sol et pleurait.

« Pourquoi ? Pourquoi ? » Le choc était dur et on décida de le maintenir sous très forte médication. Antoine sombra à nouveau dans l'inconscience. Par moments il entrevoyait de brèves images, des visages autour de lui. Des visages cachés derrière des masques de chirurgie. Il reconnut sa mère, mais ne lui parla pas. Plus tard, il crut distinguer le visage de Paul, son père. L'homme était penché sur lui et lui parlait comme dans un rêve. Il ne comprenait pas ce qu'il lui disait. Il lui montrait un bout de papier et cherchait à lui expliquer quelque chose que son esprit embrouillé par la drogue ne parvenait pas à comprendre. Puis ce fut le visage d'Edgar Commanda. Il ne dit pas un mot. Il ne pouvait pas lui prendre la main sans risquer de provoquer de nouvelles douleurs. Il lui serra le pied avant de partir. Antoine sentit toute sa compassion dans ce seul geste.

Au cours des jours qui suivirent, Antoine fut soumis aux pires tortures. Deux fois par jour, on procédait au débridement des peaux mortes à l'aide de petites pinces et de ciseaux. Antoine détestait ces séances. Il avait l'impression d'être un de ces prisonniers de guerre soumis aux supplices d'un bourreau pour le forcer à avouer un crime. Il aurait avoué n'importe quoi pour que cesse ce calvaire. Après avoir découpé la peau de l'oreille droite, le médecin déposa l'enveloppe dans le plateau. Toute la forme de l'oreille y était et Antoine se demanda s'il restait quelque chose. Le médecin le rassura. L'oreille se reformerait, mais il avoua ignorer comment le processus de cicatrisation la transformerait. L'oreille gauche était la plus touchée. Whiteduck dut se résoudre à enlever la moitié du pavillon. Le feu avait détruit tous les tissus.

Dès que cette opération fut terminée, Antoine fut placé dans un bain et une infirmière frotta à l'aide d'une éponge rugueuse les parties brûlées où il restait encore de la peau morte. Chaque fois qu'elle appliquait l'éponge, il passait à deux doigts de s'évanouir. Après chacune de ces séances, Antoine était si faible qu'il en tremblait de tout son corps. Il vivait dans la hantise de la prochaine session de torture.

Toute la peau de son visage, de ses mains et de ses bras fut bientôt retirée. À cause des risques d'infection, il vivait dans une bulle. Tous ceux qui entraient dans la chambre devaient être masqués, vêtus d'une jaquette et d'un chapeau stérilisés. Le moindre microbe aurait facilement pénétré ses chairs laissées sans protection. Il avait l'impression d'être un bifteck ambulant et le visage horrifié de ses rares visiteurs n'avait rien pour le rassurer.

À la douleur de ses plaies s'ajoutaient certains troubles liés à la médication qu'on lui administrait à fortes doses. Cloué le plus souvent dans son lit, Antoine n'avait pas noté qu'il ne s'était pas rendu à la selle depuis plusieurs jours. Il s'en rendit compte lorsque les crampes devinrent plus douloureuses que ses blessures. Il alla à la chambre de bain et entreprit des efforts pour se soulager, provoquant une montée de sang à son visage. Chez une personne bien portante, cet afflux de sang donnera des couleurs au visage, mais chez Antoine, le sang ne fut pas stoppé par la peau. L'hémoglobine coula de partout sur sa figure, dégoulinant sur le plancher. Antoine eut si peur qu'il sortit dans le corridor, malgré l'interdiction formelle qui lui avait été faite, provoquant la panique chez les autres patients. Il ressemblait au Christ affublé de sa couronne d'épines, le visage ensanglanté. Le sang coulait dans ses yeux, l'empêchant de voir où il se dirigeait, jusqu'à ce qu'une infirmière lui saisisse le bras pour le conduire à sa chambre. Antoine poussa un cri de douleur lorsque la main de celle-ci entra en contact avec son coude. À cet endroit, la peau avait été brûlée si profondément que l'os était à nu.

Plusieurs personnes venaient voir Antoine. Elles devaient se soumettre à la désinfection et revêtir bonnet, masque, gants, couvre-chaussures et jaquettes stériles. Elles ressemblaient à des visiteurs de l'espace, mais leur expression en apercevant Antoine, mélangée de compassion, d'horreur sinon de dégoût, ne laissait aucun doute sur son apparence. Il refusa plusieurs visites, mais sa mère n'accepta pas de se plier à ses refus. Elle entrait dans la chambre, le saluait et s'assoyait dans un coin, un livre à la main. Elle lui parlait, tandis qu'il gardait le plus souvent silence. Quand elle sentait qu'il ne voulait plus l'entendre, elle se taisait. Elle souffrait dans sa propre chair de voir le corps et l'esprit de son fils aussi meurtris.

Les journées s'écoulaient lentement. La guérison fut longue et pénible. Son corps changea. Jamais plus il ne serait le même. Les tissus cicatriciels avaient commencé à se former, surtout de façon anarchique. Ses doigts avaient l'air de grosses saucisses. La peau rosée qui avait commencé à les recouvrir était si tendue que les plis des jointures avaient disparu. Le médecin l'avertit qu'il devrait faire des efforts s'il ne voulait pas perdre l'usage de ses doigts. Lorsqu'il essayait de pincer quelque chose, son index ne parvenait même pas à rejoindre le bout de son pouce. Quand il forçait ses doigts, la nouvelle peau se fendait au niveau des jointures, ajoutant une nouvelle douleur à celles qui ne le quittaient presque jamais. Malgré les plaies sur ses doigts, Antoine poussa jusqu'à la limite de sa résistance ses exercices pour retrouver l'usage de ses mains. Quand il parvint à fermer le poing, il lança un cri de victoire. Sa joie fut néanmoins assombrie par l'expression effrayée de l'infirmière devant le poing levé, dégoulinant de sang le long de son bras.

Le plus difficile à supporter, c'était l'odeur âcre de la chair brûlée. Les visiteurs grimaçaient derrière leur masque lorsqu'ils entraient dans la chambre. Antoine avait lui-même de la difficulté à supporter cette puanteur. Quand Ti-Caille vint le voir, il s'exclama sans ménagement en entrant : « Ça sent le cochon grillé icitte. »

« Il a tort », songea Antoine. Il connaissait l'odeur du cochon grillé sur la braise. Cette seule évocation suffisait à le faire saliver. Mais l'odeur de la chair humaine brûlée était intolérable. Il puait ! Et cette odeur d'un brûlé persiste durant plusieurs semaines. À l'horreur que son visage provoquait s'ajoutait l'horreur olfactive. Mais la réaction naïve et spontanée de Ti-Caille lui fit du bien. Avec lui, pas de cachette. « Tu pues mon Antoine. » Ti-Caille ne faisait pas dans la dentelle. Il disait les choses telles qu'il les ressentait. Pas de sensiblerie avec lui. Il avait été touché par ce qui était arrivé à Antoine et il était venu le voir dès qu'il avait eu un congé. Les autres s'étaient gardés de parler de Judith. Quand Antoine demandait si on avait rattrapé Judith, ils se contentaient de faire un signe affirmatif afin de lui éviter les détails horribles de sa mort. La plupart des hommes dans le camp étaient au courant de la petite relation amoureuse qu'ils avaient eue. Pas Ti-Caille. Quand Antoine lui demanda de ses nouvelles, il répondit :

— Elle est morte, la crisse !

Le coup porta. Antoine s'était inquiété de ce qui arriverait avec Judith. Il l'avait imaginée, pieds et poings menottés entre deux policiers, mais il n'avait pas de doute sur sa capacité d'assurer sa propre défense. Il avait même envisagé de témoigner en sa faveur si besoin était, soutenant devant la cour qu'elle lui avait lancé le bidon d'essence dans un geste instinctif et non avec l'intention de lui faire du mal.

— Co… comment ? balbutia-t-il.

— Les autres te l'ont pas dit ? s'étonna Ti-Caille. C'est moi qui l'a trouvée. Elle s'est pendue à un arbre. Elle pensait qu'elle t'avait tué. Mais t'es un dur.

Ti-Caille s'était lancé dans la description détaillée de la découverte du cadavre, mais Antoine l'arrêta. Il ne pouvait en entendre plus. Cette nouvelle le bouleversa et, durant plusieurs nuits, il imagina Judith pendue à un arbre. Au début du rêve, il faisait face à un grand arbre. Un chêne gigantesque dont l'une des branches s'étirait comme un bras. Puis Judith arrivait et commençait à tourner autour de lui. Elle était vêtue de la combinaison orange de la SOPFEU et l'attirait à lui. Ils avançaient sous l'arbre, puis le feu rampait sur le sol à la vitesse de l'éclair. Un cercle de feu l'emprisonnait, comme dans le cauchemar qui l'avait déjà tant obsédé. Il regardait les flammes s'approcher de lui. Il se tournait vers Judith, mais elle avait disparu. Il la cherchait du regard, regardait autour de lui et la voyait suspendue par le cou à la branche de l'arbre. Ses pieds arrivaient à la hauteur de ses yeux. Le feu se rapprochait. Judith affichait l'horrible rictus du pendu, mais elle était toujours vivante. Ses mains se tendaient vers lui, l'invitant à s'accrocher à elle pour atteindre la branche et se sauver du feu. Il n'y arrivait pas. C'était trop horrible, mais lorsque le feu commença à brûler ses chairs, il s'accrocha à ses pieds. Il s'éveillait au moment où il commençait à se hisser le long du cadavre.

Silencieuse, Nicole égrenait les heures, surveillant le moindre mouvement d'Antoine. Quand ce n'était pas sa souffrance physique, ses cauchemars la tourmentaient. Il s'agitait, parlait de feu et de mort. Il ouvrait les yeux et apercevait sa mère, ce qui semblait le calmer, aimait-elle penser. C'était suffisant pour justifier sa présence, malgré son silence, et elle se fit un devoir de venir au chevet de son fils tous les jours.

Quand Nicole était arrivée à l'hôpital, on l'avait prévenue de l'état de son fils et du fait qu'il souhaitait rester seul. Mais personne ne l'aurait empêchée d'entrer, pas même les objections d'Antoine. Elle comprenait sa colère et assumait sa responsabilité. Elle savait qu'elle aurait dû lui parler ouvertement, mais elle ne pouvait changer le passé. Il ne lui restait plus qu'à attendre et espérer. Chaque jour, elle venait s'asseoir dans la chaise au pied du lit d'Antoine et passait quelques heures avec lui. Elle respectait son mutisme mais ne se privait pas de lui donner des nouvelles des gens qu'il connaissait. Quand elle avait fini son récit, elle s'assoyait et feignait de plonger dans sa lecture. Elle aurait voulu aborder le sujet qui la torturait, mais elle savait que c'était inutile pour le moment. Chaque soir, au moment de partir, elle lui répétait: «Bonsoir Antoine.

Je t'aime ». Au bout de quelques semaines, il finit par répondre : « Je sais. » C'était un début, estimait Nicole.

Au fur et à mesure que les semaines passaient, les plaies se cicatrisaient. L'épiderme se reformait là où les brûlures n'étaient pas trop profondes, mais on avait dû prendre de la peau de ses cuisses pour effectuer des greffes sur une partie de son visage et de ses bras. Sous cette nouvelle peau, la cicatrisation se faisait de façon anarchique. Sur la face externe de son pouce, une masse de tissus aussi dure que du bois s'était formée et s'étendait presque jusqu'au creux de son coude. Chaque jour, il lui était de plus en plus difficile de fermer le pouce et de l'utiliser. Cette masse blanchâtre étirait la peau comme la corde d'un arc. Même chose au visage sous la lèvre inférieure. La masse dure à cet endroit devait avoir deux centimètres de large par six de long. Elle formait une sorte de cordon qui avait l'apparence d'une troisième lèvre, alors que sa lèvre supérieure, étant brûlée plus profondément, semblait réduite de moitié en largeur. Il ne parvenait plus à ouvrir la bouche avec la même amplitude, si bien que les aliments se retrouvaient souvent par terre. Son oreille gauche avait à peu près retrouvé sa forme, mais gardait une couleur violacée. Son oreille droite cependant prenait de plus en plus l'apparence d'un chou-fleur.

Quand il demanda au médecin s'il recouvrerait son apparence, Whiteduck estima qu'il ne fallait pas lui mentir.

— Vous ne serez jamais plus le même, répondit-il. La chirurgie pourra vous aider, mais il y a des limites à ce qu'un médecin peut faire.

— Merde, ils sont capables de remonter des nez, grossir ou diminuer des seins, transplanter des cœurs. Ne me dites pas qu'ils ne peuvent rien faire, protesta Antoine.

— En chirurgie, on reconstruit à partir de tissus existants. Les tissus de votre visage et de vos bras ont été détruits.

Antoine se regarda longuement dans la glace de la salle de bain. Quand il se tournait du côté gauche, il retrouvait à peu près son visage. Mais quand il se tournait et exposait le côté droit de son visage, il avait l'impression qu'il s'agissait de quelqu'un d'autre… Un de ces personnages de films de science-fiction dont il avait été si friand dans sa jeunesse. Ils avaient beau être sympathiques parfois, ils n'en étaient pas moins des monstres.

Quelques semaines auparavant, avant son accident, il fuyait l'identité qui l'accablait chaque fois qu'il sortait en public. Il ne voulait pas être le fils de Paul. Il ne voulait pas être non plus le fils de la *postière écrivaine*, comme on désignait maintenant sa mère dans les médias. Il voulait simplement être lui-même, Antoine. Maintenant il ne ressemblait plus à aucune des photos qu'il avait de lui. Il avait non seulement perdu son identité sociale et familiale, il avait aussi perdu son identité physique. Maintenant, il n'était plus personne.

Chapitre vingt et un

Denis se concentrait sur son travail et évitait les autres pilotes. Ils n'étaient pas de son monde. Il rentrait chez lui et se recueillait, cherchant à établir une communication avec l'autre monde, celui où se trouvaient maintenant ses compagnons. Il était même résolu à aller prier à l'église. Le Maître, Luc Jouret, faisait souvent référence à Dieu. Peut-être lui serait-il possible d'y trouver la voie, le signe qu'il attendait depuis si longtemps. Mais l'église n'avait pas d'antenne tournée vers Sirius. Il commençait même à douter de ce qu'il avait appris au sein de l'Ordre. Se pouvait-il que le Maître se soit trompé ? Il avait beau fermer son esprit aux influences extérieures, écouter le moins possible la télévision, éviter les stations de radio qui débitaient à longueur de journée des nouvelles prédigérées dont le seul objectif était de masquer la réalité, il savait que le complot du mensonge se poursuivait. La Vérité n'était pas là, il le savait. Il avait vu comment les médias avaient traité l'affaire du premier passage vers Sirius. Les spécialistes se succédaient à toutes les tribunes publiques pour expliquer, disaient-ils, « comment des gens apparemment sains d'esprit étaient capables de choses aussi stupides ». Denis les détestait. Jouret les avait prévenus : « Cette attitude est normale chez ces prétendus hommes de science. Ils n'ont pas atteint le niveau supérieur qui transcende la matière. Ils ne savent pas encore. Alors que ceux qui se retrouveront sur Sirius forment l'Élite. »

Jouret disait vrai, Denis en était persuadé. Mais, parfois, certaines questions restaient sans réponse. Combien de Templiers pouvaient faire le passage vers Sirius ? Comment pouvait-il, seul, y accéder ? Malgré ses réticences, il avait été attentif aux informations sur la mort des Templiers en Suisse. Si la plupart d'entre eux semblaient plus ou moins volontaires pour le passage, d'autres avaient été carrément exécutés. C'était le cas de cet enfant de qui le Maître avait dit qu'il était l'antéchrist. Pouvait-il se tromper ? Denis avait lu ce qui avait été publié sur l'enquête en Europe et il avait senti la réprobation générale qui marquait ces reportages.

Son isolement faisait en sorte qu'il évitait les questions embêtantes de ses proches, mais, d'un autre côté, cette solitude creusait un vide dans sa vie. Il se repliait sur son travail, et limitait ses déplacements entre l'aéroport et la maison. Il s'était plongé dans la lecture de livres religieux, la bible surtout, mais aussi des textes anciens du mouvement rosicrucien. Il y trouvait parfois des passages qui pouvaient expliquer des situations difficiles.

Denis aurait pu être considéré comme un employé modèle, mais son attitude renfermée en faisait un mauvais coéquipier. Plus personne n'aimait voler avec lui. Il connaissait son métier grâce à une longue expérience, mais il y avait quelque chose chez lui qui gênait les autres. Ils parlaient de leur famille, de politique, de sport, de la vie en général ; Denis ne discutait jamais ou si rarement. Il faisait parfois un bref commentaire sur une discussion qui se tenait autour de lui, mais ses réflexions avaient souvent quelque chose d'étrange. Mike, l'un des pilotes du Service aérien gouvernemental, se souvenait entre autres de cette matinée du 22 mars 1997 alors que la télévision annonçait que cinq membres de l'OTS venaient de se suicider à Saint-Casimir, au Québec. Les cinq personnes, dont trois Français, s'étaient donné la mort, puis un mécanisme de mise à feu semblable à celui de Morin Heights avait provoqué un incendie. Le groupe avait cependant épargné les enfants qui n'auraient pas voulu accompagner leurs parents « dans leur folie », disait l'animateur de l'émission. Denis, qui était entré dans la salle à ce moment-là, parut foudroyé par la nouvelle, comme paralysé en écoutant le journaliste débiter sur un ton d'incrédulité les circonstances du drame. Le reporter tentait d'expliquer la doctrine de l'Ordre, le dogme du passage vers Sirius. Il n'y comprenait rien. Mike s'était mis à pester.

— Quelle maudite bande d'illuminés. Comment peut-on croire à des histoires pareilles ? Comme si ça se pouvait, un canal entre la Terre et une autre planète.

— Le passage vers Sirius existe, avait affirmé Denis, ce qui avait provoqué le silence dans le groupe.

Ce jour-là, Denis devait ramener un patient de la Côte-Nord, mais il demanda à être remplacé. Ce nouveau transfert le troublait. Cela prouvait que d'autres Élus y croyaient aussi. Tout cela était réel et ce nouveau passage venait le confirmer. Ils étaient cinq cette fois. Ce chiffre avait une symbolique pour l'Ordre, mais ne correspondait pas à la logique du chiffre magique de cinquante-quatre. Il était à la fois heureux de cette manifestation du groupe, mais triste également de n'avoir pu être du voyage. Avait-il définitivement manqué son rendez-vous ?

Il aurait voulu entrer en contact avec un membre de l'Ordre, mais les loges formaient des cellules étanches. Les membres se désignaient uniquement par leur prénom et il leur était défendu d'échanger des informations sur leur vie personnelle. Pas de détails sur lesquels il aurait pu concentrer ses recherches. Il aurait eu besoin du réconfort de quelqu'un qui faisait partie de son monde, qui le comprendrait.

Le temps passait et Denis ne parvenait à maintenir le contact avec le monde extérieur que par son travail. Jouret lui avait dit combien sa profession avait de l'importance pour l'Ordre. Cependant, il n'avait fait que piloter à quelques reprises pour le Maître, le transportant, lui et sa suite, entre les Laurentides et Ottawa. Il y avait eu aussi ces deux vols à Gatineau. Au cours du premier, un type était venu leur remettre une arme. Lors du second toutefois, l'homme n'était pas au rendez-vous. Plus tard, Denis lut dans le journal qu'il s'était fait cueillir par les policiers à la porte du trafiquant d'armes. Qu'était-il advenu de lui, se demandait Denis ? Peut-être attendait-il lui aussi un signal ? Cet homme était le seul lien qui pouvait lui permettre de renouer avec l'Ordre. Peut-être devaient-ils se rencontrer pour accomplir quelque chose ?

Denis s'éloignait toujours un peu plus de ses collègues. Petit à petit, on l'avait écarté de certains voyages de personnalités politiques. Il avait exprimé à plusieurs reprises sa rancœur à l'égard des gouvernements, sans toutefois préciser les raisons de sa colère. Il se rappelait que le Maître, lui-même victime de harcèlement de la part de la justice, leur avait parlé du complot des gouvernements et de la police pour empêcher l'Ordre de révéler la Vérité. Denis s'était senti longtemps traqué, espionné. Encore aujourd'hui, il redoutait parfois d'être sous écoute.

Un jour, il crut qu'un autre transit allait se produire. On avisa les pilotes que tout le matériel électronique, tant sur terre que dans les avions, devait être vérifié afin de se prémunir contre le « bogue de l'an 2000 ». Cette question de l'arrivée du nouveau millénaire provoquait une véritable frénésie à travers le monde. On craignait que les ordinateurs du monde entier tombent en panne au passage de ce cap, ce qui aurait bien sûr pu entraîner des catastrophes. Denis avait acquis une solide expérience en tant que pilote de brousse et il pourrait facilement se poser même en cas de panne de tous ses instruments. Il pouvait cependant imaginer la pagaille si soudainement toute communication cessait, si les écrans de tous les radars s'éteignaient. Deux ans avant la date fatidique déjà, partout on anticipait des débordements. Denis croyait qu'il pouvait s'agir d'un signal. Peut-être le nouveau millénaire devait-il être marqué par un geste de l'Ordre. Il intensifia ses recherches pour retrouver l'homme au pistolet et se rendit même au siège social du *Journal de Montréal* pour consulter les archives. Il se souvenait que le procès avait eu lieu environ un mois avant le départ du groupe de Morin Heights. Il lui fallut peu de temps pour retrouver le texte où figurait le nom de Guy Desormeaux. Le reportage précisait qu'il s'agissait d'un employé d'Hydro-Québec. Il décida d'entreprendre ses recherches. Au siège social où il téléphona, il obtint facilement une confirmation à l'effet que ce Desormeaux était bel et bien à l'emploi de la Société d'État. Il mentit à la réceptionniste lorsqu'il affirma qu'il avait parlé à Guy Desormeaux pour des raisons professionnelles il y avait de cela quelques années, mais qu'il avait perdu son numéro de téléphone. Il craignait qu'elle ne lui demande la raison de son appel, car il ignorait quel poste Desormeaux occupait dans l'entreprise. Mais la dame ne lui posa aucune question. Elle lui indiqua le numéro et demanda s'il souhaitait obtenir la communication immédiatement. Il refusa. Il voulait réfléchir à ce qu'il dirait. Il lui fallait jouer de prudence. Il n'ignorait pas que des membres du premier degré, les Frères du Parvis, avaient renié les enseignements de l'Ordre, qu'ils s'étaient même permis de le dénoncer dans des entrevues à la radio et à la télévision. Il lui restait du temps avant l'arrivée de l'an 2000.

Lorsque Guy Desormeaux reçut l'appel de Denis, il avait presque réussi à retrouver la paix d'esprit. La folie qui s'était emparée de lui s'était estompée mais il avait long-temps craint les représailles du groupe. Le dernier suicide de Saint-Casimir, en mars 1997, lui avait confirmé que certaines loges étaient encore actives et animées de la même ferveur. Il craignait toujours pour sa vie. Chaque nouveau passage ra-vivait sa crainte, d'autant plus que plusieurs des victimes n'avaient, semble-t-il, pas accepté la mort de plein gré.

— Desormeaux, annonça-t-il en décrochant l'appareil.

— Monsieur Desormeaux… nous nous connaissons, ré-pondit simplement Denis, en attente d'une réaction.

Desormeaux chercha à reconnaître la voix, et fouilla dans sa mémoire pour tenter d'y associer un visage, un nom. Il crut qu'il s'agissait d'une blague.

— Je connais beaucoup de gens, dit-il sur un ton amusé.

— Je suis le pilote de l'avion, répondit Denis.

— Le pilote de l'avion ? demanda Desormeaux toujours sur le même ton enjoué.

— Le pilote de l'avion qui a transporté l'arme que vous avez achetée, lâcha-t-il d'une traite.

Desormeaux cessa de respirer, mais son cœur s'emballa comme s'il avait été soumis à un électrochoc. Les images qu'il avait voulu oublier revinrent d'un seul coup. Il se rap-pelait vaguement du pilote. Il se rappelait surtout de Germain, dont il avait appris le décès dans le carnage de Morin Heights. Il sentait la panique s'emparer de lui et il faillit échapper le récepteur. Il aurait voulu raccrocher, mais il en était incapable. Il eut l'impression qu'un canon de fusil était appuyé sur sa tempe. Il regarda même autour de lui pour s'assurer que l'interlocuteur ne se trouve pas dans le bureau.

— Que... que voulez-vous ? parvint-il à dire.

— Je crois que le moment est arrivé pour nous, répondit Denis.

Desormeaux raccrocha l'appareil si rapidement et avec une telle force que le bruit fit tourner la tête de sa secrétaire. Il lui adressa un petit sourire nerveux. Il se mit à trembler. Durant toutes ces années, il avait vécu dans la paranoïa de voir un jour les fantômes resurgir. Il essaya de retourner à ses dossiers, mais il était incapable de se concentrer. Il prenait une feuille à sa droite, la posait à gauche, puis la replaçait à droite. Chaque fois que son téléphone sonnait, Desormeaux sursautait et portait le combiné à son oreille dans la crainte de reconnaître la voix. Il ne put terminer sa journée de travail et quitta hâtivement le bureau. Il était si ébranlé qu'au moment de franchir le terrain de stationnement vers sa voiture, il sentait des yeux braqués sur lui. Chaque fois qu'une voiture s'approchait de lui, il voyait un pistolet muni d'un silencieux pointé dans sa direction. Il se retint de ne pas courir.

Lorsqu'il fut chez lui, il s'enferma à double tour et surveilla la rue par la fenêtre, bien caché derrière le rideau. Il avait beau se raisonner, toutes les voitures lui paraissaient suspectes, et dans chacune d'elles un homme pointait une arme identique à celle qu'il avait achetée.

Il voulut cacher son inquiétude à sa femme, mais elle voyait que quelque chose n'allait pas. Elle lui demanda à plusieurs reprises si quelque chose le préoccupait, mais il camoufla son désarroi. La nuit cependant, son sommeil était si agité qu'elle ne parvenait pas à dormir. Les rêves de Desormeaux étaient peuplés de morts et de cadavres brûlés. Dans tous ses rêves, réapparaissait le pistolet qu'il avait lui-même tenu dans ses mains.

Tanguay comprit rapidement qu'il ne pouvait pas compter sur Desormeaux. Il avait senti sa peur au téléphone. Il était certain que Desormeaux lui avait raccroché l'appareil au nez parce qu'il ne voulait plus être associé à l'Ordre. Mais que pourrait-il faire tout seul ? Comment marquer le nouveau millénaire ? Cette date représentait-elle quelque chose pour les Templiers ? Il envisagea encore une fois de mettre fin à ses jours, mais il ne parvenait pas à se convaincre que son passage vers Sirius serait assuré s'il n'effectuait pas le transfert à un moment bien déterminé, qui devait être officiellement établi par l'Ordre. Il ne fallait surtout pas que ce geste fatal soit accompli par dépit. Jouret lui avait un jour affirmé : « Le passage ne s'ouvre qu'aux personnes qui acceptent que la mort n'est qu'un changement d'état. La route ne s'ouvre pas à ceux qui décident de mettre fin à leurs jours parce qu'ils ne peuvent plus supporter la vie. Cela doit être un acte auquel vous aurez consenti, mais sans y chercher une fin. »

Que pouvait-il donc faire ? Quel était le geste qui serait significatif pour l'Ordre ? Il savait cependant qu'en mettant fin à ses jours, il devrait signer son départ. Il résolut de franchir une étape en rédigeant la lettre qui serait trouvée par les autorités une fois son passage accompli. Il se demanda s'il devait en faire parvenir une copie aux médias comme l'avait fait le groupe de Suisse. Il estima qu'une fois son message rédigé, il lui serait plus facile de mettre son plan au point.

Quand il entreprit d'écrire la lettre, Denis se sentait serein. Il n'avait jamais eu une grande habileté pour la rédaction et l'exercice était pénible. Il rédigeait une phrase, puis déplaçait les mots, en ajoutait un autre, hachurait une partie de la phrase avant de la rayer complètement. Cet exercice fastidieux au cours duquel il tentait d'expliquer au monde entier son geste devait être appuyé d'arguments inattaquables, comme Jouret savait le faire. Le problème de Denis, c'est qu'il se retrouvait devant certaines contradictions, tiraillé entre ce que Jouret leur avait dit lors de telle conférence et telle autre déclaration. La question des chiffres, qui semblait si importante, lui posait problème. Il dut consulter des livres pour trouver des réponses, mais leur interprétation des textes anciens lui paraissait biaisée. Il dénicha finalement une maison d'édition qui se spécialisait dans la publication de textes anciens et mystiques. Un des titres attira son attention : *À la recherche du Graal*. Jouret leur avait parlé un jour de ce livre. Malgré son prix élevé, il l'acheta immédiatement et se plongea dans sa lecture. Il avait beau se concentrer, il n'arrivait pas toujours à saisir le sens de certains textes, surtout ceux qui avaient été écrits en 1350. Le vieux français produisait des formulations pour le moins occultes, ajoutant au mystère. Il lut et relut les passages concernant le massacre des cinquante-quatre Templiers. Cette partie du livre représentait un moment charnière. Il allait ainsi d'un document à l'autre, puis ajoutait une phrase à son manifeste final.

Parfois, il emportait le livre avec lui et le lisait en sirotant un café au restaurant où il avait l'habitude de s'arrêter. Il aimait cet endroit. L'établissement devait exister depuis plus de quarante ans. La peinture avait été rafraîchie à plusieurs reprises, mais on avait gardé les grosses banquettes de cuir. Il avait fallu les recouvrir, mais le patron avait conservé le design original. Il avait cependant enlevé les petits « juke-boxes » qui ornaient le bout de chacune des tables et qui, pour vingt-cinq sous, vous permettaient de faire jouer trois disques. Règle générale, deux des trois choix étaient des tubes d'Elvis Presley. Les « juke-boxes » avaient disparu en 1980, mais à l'aube de l'an 2000, le goût du jour était rétro. Un regard nostalgique vers un passé malheureusement révolu. Le propriétaire avait ressorti les petites boîtes à musique, mais il avait remplacé les cartes des titres de chansons par son menu. Le restaurant était passé de père en fils depuis sa création et le fondateur avait pris des photos de toutes les célébrités, réelles ou fausses, qui étaient passées dans son établissement. Les photographies, dont plusieurs étaient en noir et blanc, avaient été encadrées et placées sur le mur, à la vue de tous. C'est dans ce restaurant que Denis avait rencontré Paul Germain dix ans plus tôt alors qu'il était au bord du désespoir. Leur photo n'était nulle part sur les murs. Mais pour Denis, cet endroit marquait une étape importante dans sa vie. Lorsque la place était libre, Denis choisissait la banquette du coin située en retrait. Sinon, il s'assoyait au comptoir.

Il parlait peu aux clients. Il se plongeait dans la lecture de son livre ancien ou griffonnait des notes sur un napperon qu'il glissait dans sa poche, s'il estimait que ce qu'il avait écrit méritait d'être conservé.

L'an 2000 approchait, mais il ne sentait pas que le moment était arrivé pour lui. Ce grand brouhaha qu'on faisait autour du nouveau millénaire n'était qu'une fête commerciale. De toute façon, personne ne s'entendait sur la date exacte de son arrivée. S'appuyant sur le calendrier officiel, plusieurs la situaient quelque part en 2001. Quoi qu'il en soit, Denis savait qu'il appartenait à l'Élite et il sentit qu'il ne devait pas se laisser influencer par la masse des ignorants.

La rédaction de sa lettre devint un rituel. Il s'assoyait, son livre posé devant lui, et retrouvait son monde. Il savait qu'il avait raison et il devait trouver le moyen de propager la Vérité par une action d'éclat. Lorsqu'il entra dans le nouveau millénaire, il avait presque terminé sa lettre. Le document ne faisait que cinq pages, mais chaque fois qu'il raturait un mot, il recommençait à partir du début. Il réécrivait chacune des phrases auxquelles il avait donné une acceptation définitive et poursuivait ensuite. Il avait dû recopier cent fois les premières pages. Quand il y mit un point final, il considéra qu'il avait franchi une nouvelle étape.

Le présage qu'il attendait se manifesta alors qu'il revenait d'un voyage en Abitibi, dans la matinée du 11 septembre 2001. Tout était normal dans l'appareil lorsque soudainement la radio fut prise de folie. Les messages les plus étranges leur parvenaient. Tous les avions durent se poser immédiatement. « Je répète, disait le contrôleur aérien, tous les avions doivent communiquer avec l'aéroport le plus proche et se poser. »

On disait sur les ondes que le gouvernement américain avait donné l'ordre à ses chasseurs d'abattre tout appareil qui ne se pliait pas à cet ordre. Les autorités canadiennes avaient immédiatement suivi, comme toujours. On parlait d'une attaque aérienne. Quand leur avion s'immobilisa sur la piste, plusieurs appareils faisaient encore la queue pour se poser. Partout il y avait de l'agitation. Quand il arriva dans la salle des pilotes, tous les postes de télévision présentaient les mêmes images : deux appareils de ligne fonçaient dans les tours du World Trade Center, à New York.

Moins d'une heure plus tard, la première s'effondrait.

Denis était hypnotisé par ces images présentées en boucle. Il avait vu en direct le second avion entrer dans le prestigieux immeuble et ébranler toute la suprématie américaine. L'attention du monde entier s'était soudainement tournée vers ces avions. Denis eut le sentiment que c'était le signal qu'il attendait.

Chapitre vingt-deux

Les mois s'écoulèrent lentement entre les greffes, les séances de physiothérapie et de réadaptation. Lorsque Antoine quitta enfin l'hôpital, sa vie avait changé. Son corps était différent et son esprit aussi. Ses plaies étaient refermées, mais sa guérison n'était pas complète.

La nuit, il s'éveillait souvent en proie à des rêves affreux. La plupart du temps, il ne parvenait pas à se souvenir des détails de ses cauchemars, mais les flammes étaient toujours présentes. Une nuit, il vit son corps enflammé alors qu'il courait à l'aveuglette pour éteindre le feu. Il se jetait à l'eau, mais les flammes semblaient inextinguibles. Il sortait des flots, mais son corps brûlait toujours. Il pouvait entendre le crépitement de la chair et du gras qui grillaient comme du bacon dans la poêle. Il courait ensuite à travers la forêt alors que derrière lui tout s'embrasait à son contact. Il s'éveillait souvent en criant et devait se toucher pour se rassurer.

Quand il entra chez lui après un séjour de quatre mois à l'hôpital, l'appartement sentait le renfermé. Il y avait une importante pile de courrier. Son abonnement Internet et son téléphone avaient été coupés pour défaut de paiement. Il se promit de régler cette situation dans les prochains jours. Pour le moment, il devait reprendre pied. Il était seul. Personne n'était venu le prendre à la sortie de l'hôpital, car il n'avait pas voulu prévenir qui que ce soit. Même pas sa mère.

Il devait porter, vingt-trois heures sur vingt-quatre, des manches et des gants élastiques qui serraient ses membres si fort que le sang y circulait difficilement. Ces vêtements devaient exercer une pression constante sur les cicatrices pour les forcer à s'étendre au lieu de former de grosses bosses de tissus durs. Il devait aussi enfiler une cagoule du même genre, mais le vêtement était si inconfortable qu'il ne parvenait à le supporter que quelques heures par jour. Des trous étaient percés dans la cagoule élastique pour lui permettre de voir, pour laisser passer son nez, ses oreilles et sa bouche. La pression était si forte que ses lèvres gonflées devenaient rapidement bleues. Son médecin lui demandait de le porter le plus souvent possible, mais il avait l'air d'une véritable momie. Il portait d'ailleurs ce masque lorsqu'au lendemain de son retour on frappa à sa porte. Quand il ouvrit, l'homme fut si surpris qu'il échappa ses documents. Il se retrouva à genoux dans le corridor, s'efforçant de rassembler ses papiers tout en lui demandant s'il était Antoine Lyrette. L'homme évita de lever les yeux vers lui, se concentrant sur les documents qu'il tenait à la main et dont il connaissait pourtant le contenu par cœur. Antoine répondit par l'affirmative, conscient que son apparence avait quelque chose d'inquiétant. L'homme était huissier et avait une lettre à lui remettre. Il le fit signer, tourna rapidement les talons et sortit. Antoine ouvrit l'enveloppe. Il s'agissait d'une lettre d'une banque de Montréal qui lui ordonnait de rembourser un emprunt de cent cinquante mille dollars. Il ne pouvait s'agir que d'une erreur. Il ne connaissait même pas cette banque et n'avait jamais emprunté d'argent. Il se dit qu'il communiquerait avec elle dès qu'il aurait de nouveau le téléphone. Il se rendit d'ailleurs au comptoir du commerce de location de films au-dessus duquel il habitait pour appeler la compagnie de téléphone. Il remarqua immédiatement les regards remplis de dégoût qui se tournaient vers lui. Il savait ce qu'ils regardaient. Son oreille rabougrie lui donnait une allure étrange. Tous ces yeux tournés vers lui l'irritaient et il se dépêcha de faire son appel avant de rentrer chez lui. Le téléphone ne serait branché que dans une semaine, lorsqu'il aurait acquitté les factures en retard.

Quand le technicien vint rétablir le service, Antoine avait oublié la lettre. Il reçut cependant une nouvelle missive dans les jours qui suivirent l'avisant que la ferme de la rivière Joseph serait mise en vente pour défaut de paiement. Toute cette affaire devenait ridicule. Il téléphona à la banque, expliqua son cas à la réceptionniste, qui transféra son appel à une conseillère en crédit, qui le transféra à son tour à son supérieur.

« Monsieur Lyrette, vous avez signé le 10 juin dernier une caution pour un emprunt de cent cinquante mille dollars au nom de votre père, Paul Cole. Avec ce cautionnement, vous acceptiez de mettre votre propriété en garantie. Nous ne faisons que protéger les intérêts de notre banque. Si vous pouvez rembourser cette somme, il nous fera plaisir d'arrêter le processus. Dans le cas contraire, la ferme sera vendue dans un mois. »

Antoine eut beau protester, l'homme ne voulait rien entendre. Il lui expliqua que la banque lui avait envoyé plusieurs lettres pour l'aviser que Monsieur Cole était en défaut de paiement et que, en conséquence, la caution devenait exécutable. Le fait qu'Antoine ait été rivé à un lit d'hôpital durant plusieurs mois ne sembla pas émouvoir le banquier.

Après avoir raccroché, Antoine était anéanti. Il se rappelait que Paul était venu à l'hôpital alors que son esprit était encore obscurci par les sédatifs. Il lui avait montré un papier, mais Antoine ne parvenait pas à se souvenir de quoi il s'agissait. Il lui semblait vaguement maintenant qu'il avait signé quelque chose. Par ce document, il s'était porté garant de son père pour un emprunt que celui-ci n'avait pas remboursé. À quoi devait servir cet emprunt ? Il n'en avait aucune idée. Paul n'était jamais revenu à l'hôpital. Il essaya de le contacter à plusieurs reprises, mais la dame qui lui répondait raccrochait aussitôt qu'elle le reconnaissait. Antoine n'en savait rien, mais elle avait été outrée d'apprendre que son mari avait eu un enfant avec une autre femme. Elle n'allait certainement pas parler à ce petit bâtard. Quand elle informa Paul de cet appel, il lui fit promettre de ne jamais lui dire où le joindre. « Ce petit morveux veut sûrement s'accrocher à moi maintenant que sa mère a fait sa révélation. Je ne veux pas entendre parler de lui », avait-il dit à sa femme, se gardant bien de lui dévoiler quoi que ce soit à propos de ses tractations douteuses.

Lorsqu'il avait appris l'accident d'Antoine, l'idée lui était aussitôt venue de profiter de l'occasion pour reprendre un bien qui, croyait-il, aurait dû être le sien. Après tout, il était le fils d'Adela Cole et il aurait dû hériter de cette terre. Il voulait se lancer dans l'immobilier, mais la banque exigeait un cautionnement important pour lui prêter la somme dont il avait besoin. Il avait donc profité de l'état d'Antoine. Il avait obtenu sa signature facilement, mais sa tentative de spéculation se révéla désastreuse. Il avait acquis un terrain vacant situé à l'intersection de deux rues achalandées de Montréal. Il l'avait payé cher, mais il se disait qu'il pourrait facilement le revendre le double de sa valeur. Il se surprenait d'ailleurs que personne n'y ait songé avant lui. Il se rendit compte, trop tard, que le terrain avait été le site d'une station-service et qu'il était contaminé. Non seulement n'avait-il aucune valeur, mais la ville avait immédiatement exigé qu'il le décontamine. Il engloutit tout ce qu'il avait dans cette décontamination dans l'espoir de sauver sa mise, mais la valeur du terrain resta nulle. Il le céda enfin pour une bouchée de pain à un entrepreneur qui souhaitait y construire un stationnement. Après seulement un mois, il n'était plus en mesure d'honorer les traites et avait laissé la banque saisir la terre de la rivière Joseph.

Antoine ne disposait pas d'une telle somme et jamais il ne pourrait rembourser le prêt. Quand il avait hérité de la terre, il avait décidé de ne pas l'occuper et de ne pas entrer dans la maison. Elle l'attirait et le repoussait en même temps. Derrière cette porte se trouvait le lien qui l'unissait à ce père indigne. Mais il s'était toujours dit qu'un jour il pourrait y retourner. Il voulait d'abord découvrir qui il était. Dorénavant, cela ne serait plus possible. Le dernier lien avec ce passé qu'il n'avait pas connu, ou si peu, allait tomber aux mains d'étrangers. Peut-être s'agissait-il de cette compagnie forestière avec laquelle Paul avait magouillé pour déposséder Achille. Antoine pleura. Les dernières traces de son identité disparaissaient, « brûlées » elles aussi, par les mains de son propre père.

Quand arriva le jour de la vente, Antoine refusa de s'y rendre. Il ne voulait pas assister à cela. Pour la première fois de sa vie, il s'enivra. Dès le matin, il s'était rendu Chez Martineau pour absorber bière par-dessus bière. Il avait partagé la table des vieux ivrognes. Quand il s'éveilla le lendemain, couché sur le plancher de son appartement, il n'avait aucun souvenir de la veille, ni de la façon dont il était revenu chez lui. Par contre, il avait un terrible mal de tête. Dès que son esprit émergea du brouillard, il songea à la vente de la maison et réalisa que tout était terminé ; la ferme d'Achille était maintenant entre des mains étrangères.

Ti-Caille passa chez lui alors qu'il cuvait encore son vin. Antoine lui avait dit que la ferme serait vendue et Ti-Caille avait décidé d'assister à l'événement, un peu par sympathie pour Antoine, mais aussi par curiosité, parce qu'il n'avait jamais vu la vente d'une propriété aux enchères. Il avait donc vidé son compte et s'était présenté à l'encan avec mille dollars comptant en poche, pensant naïvement que, si personne ne se présentait, il pourrait offrir la somme qu'il avait sur lui et devenir propriétaire des lieux. Il aurait ensuite offert à Antoine de racheter la ferme au même montant.

À la ferme, il n'y avait que le huissier chargé de la vente et cinq personnes. Des gens que Ti-Caille ne connaissait pas. Lorsque l'encanteur, se tenant sur le perron qu'Achille avait construit, annonça que les enchères débuteraient à cent mille dollars, il réalisa qu'il était inutile de lever le doigt. C'était cent fois ce qu'il avait en poche. Il n'y eut que deux intéressés. L'un, Stan Britt, était un professionnel dans le domaine. Il surveillait les ventes par huissier et les ventes pour défaut de paiement des taxes. Il faisait l'acquisition de propriétés pour des bouchées de pain et les revendait au prix fort, souvent au propriétaire précédent. Britt s'attendait à ce que l'encanteur soit forcé de réduire sa demande. Il leva la main et annonça qu'il offrait quatre-vingt-dix mille dollars. L'encanteur demanda s'il y avait une autre offre. L'autre acheteur intéressé leva la main et annonça cent mille dollars, ce qui fit rager Britt. Ce dingue avait fait sauter les enchères de dix mille dollars. L'homme qui venait de renchérir était habillé élégamment. On aurait dit un dandy. Ses souliers en cuir patiné, qui brillaient sur l'herbe humide, tranchaient avec le décor rustique. Il portait un paletot qui lui descendait aux genoux, et sa cravate était soigneusement nouée au col empesé de sa chemise d'un blanc éclatant. Pas un pli, pas un fil de travers. Britt annonça cent un mille dollars en jetant un regard noir vers son concurrent. « Cent dix mille dollars », annonça l'homme avec désinvolture. L'encanteur répéta le montant et demanda, en fixant Britt dans les yeux, si quelqu'un d'autre voulait faire une offre. Britt pestait intérieurement. Par sa façon de faire grimper les enchères, il était évident que ce type n'était pas un expert dans le domaine. Il ne cherchait pas à racheter cette propriété au meilleur coût possible. Les initiés faisaient grimper les enchères à coup de mille dollars ou moins pour éviter d'avoir à payer trop cher. Il leva cependant son doigt et risqua cent onze mille dollars en espérant que l'homme ait atteint son plafond. « Cent vingt mille dollars », se contenta de crier l'homme avant même que le commissaire-priseur ait répété l'offre de Britt. Ti-Caille avait assisté à la scène, fasciné par la rapidité avec laquelle l'affaire avait été réglée. Il était venu faire part à Antoine de ce qu'il avait vu. « Une fois, deux fois, trois fois, adjugé, que le gars a dit », répétait Ti-Caille.

Selon ce dernier, l'homme avait ouvert une valise dans laquelle se trouvait une série de chèques certifiés de dix mille dollars chacun. Ti-Caille ne savait pas combien il y en avait, mais visiblement, l'homme aurait été en mesure de faire monter les enchères. D'après l'étiquette du concessionnaire qu'il avait vu sur sa Mercedes, la voiture provenait de Montréal. L'encanteur l'avait chaudement remercié, trop heureux de la rondelette commission qu'il allait toucher. « Merci beaucoup, Monsieur Michaud, avait-il dit. J'attends vos directives pour les papiers. »

Cette nouvelle plongea Antoine dans une grande tristesse. Il aurait souhaité que Ti-Caille ne lui dise rien. Chacun des détails qu'il lui révélait était pour lui un coup de poignard. Il détestait cet inconnu sans même l'avoir vu. Son argent lui avait donné le droit de le déposséder.

Il aurait pu sombrer dans le désespoir, mais il décida qu'il lui fallait reprendre sa vie en main. Lorsqu'il était entré au service de la SOPFEU, il souhaitait devenir pilote d'un de ces bombardiers, mais il avait convenu qu'il lui faudrait commencer par la base. Plus question maintenant d'affronter le feu au sol comme il le faisait. Il n'était plus capable de s'exposer aux flammes. Par contre, cette épreuve avait confirmé sa volonté de combattre le feu, et de gagner sur lui pour le punir de lui avoir infligé de telles blessures.

Il téléphona au bureau de la SOPFEU, à Messines, et demanda à rencontrer le directeur. Quand il arriva sur les lieux, il fut accueilli par plusieurs de ses anciens camarades. Antoine sentit leur regard gêné se détourner en voyant son visage déformé par le feu. Il était devenu malgré lui un héros pour beaucoup d'entre eux, bien qu'il n'ait pas eu conscience du tapage que son histoire avait fait dans les médias durant sa convalescence.

En entrant dans le bureau, le directeur Jean Leclerc le gratifia d'une chaleureuse poignée de main en l'assurant qu'il pouvait prendre tout son temps avant de décider ce qu'il voulait faire. Leclerc était touché par ce qui lui était arrivé. Il avait vu naître les premiers groupes organisés de combat des incendies de forêt et avait gravi les échelons jusqu'au poste de direction qu'il occupait. Il avait gardé une attitude très paternaliste envers ses troupes. Antoine était considéré comme un accidenté du travail et il aurait droit à tout le support de la SOPFEU. « C'est justement ce dont j'ai besoin, dit Antoine à son patron, du soutien. »

Il expliqua à Leclerc qu'il souhaitait devenir pilote de CL-215 et poursuivre sa carrière au sein de l'organisme. Pour y arriver cependant, les cours étaient ruineux et il lui faudrait cumuler des centaines d'heures de vol sur des appareils munis de flotteurs.

La demande d'Antoine étonna Jean Leclerc. Le système de compensation pour les travailleurs blessés au travail était généreux, et rares étaient ceux qui demandaient à revenir au travail avant l'échéance fixée par le médecin. Dans le cas d'Antoine, compte tenu de la gravité de ses blessures, qu'il s'agisse non seulement d'un accident de travail mais aussi d'une agression criminelle, il était même question qu'une rente à vie lui soit versée. « Ce jeune Lyrette est un symbole », avait soutenu Leclerc lors d'une discussion au conseil d'administration de la SOPFEU. Il admirait son courage et promit sur-le-champ de tout faire pour lui venir en aide. Et il tint promesse. Il plaida la cause du jeune homme en haut lieu. On accepta de l'inscrire à un cours de pilotage et de lui fournir tous les moyens pour qu'il puisse obtenir son brevet.

Antoine plongea corps et âme dans ses cours. Il voulait voler le plus rapidement possible, mais, surtout, il souhaitait fuir. Fuir les regards des autres, fuir Jean Fisher. Elle ne comprenait pas ; elle ne pouvait pas comprendre.

Du jour au lendemain, Antoine avait disparu de sa vie. Les messages électroniques qu'il lui faisait parvenir presque quotidiennement avaient cessé. Elle avait téléphoné à plusieurs reprises chez lui, mais il n'y avait plus de réponse. Puis un jour, la standardiste l'avisa qu'il n'y avait plus de service à ce numéro. Même chose avec Internet où ses courriels lui revenaient avec le message lui indiquant qu'ils n'avaient pas atteint leur destinataire : « *Delivery to the following recipients failed* ».

Après avoir fait rebrancher les services téléphoniques et Internet, Antoine n'avait pas voulu reprendre contact avec elle. Il avait regardé la photo que la belle jeune femme lui avait fait parvenir avant l'accident, puis il avait scruté son propre visage dans la glace. Quand il se tournait du côté droit, il avait l'impression d'être une bête. « Jamais une femme comme elle ne voudra d'un gars avec une telle gueule. »

Il ne lui avait pas écrit ni téléphoné. Il avait cependant reçu les brochures qu'elle lui avait envoyées. Il les avait lancées au fond du classeur sans même les consulter, comme pour essayer de les oublier. Oublier les brochures et la femme qui les avait tenues. Cette pensée lui faisait terriblement mal. *La Belle et la Bête* était un conte de fée. Jamais une femme n'aimerait le monstre qu'il était devenu et jamais il ne se transformerait en prince charmant. Quel que soit l'amour de la Belle, il resterait toujours la Bête.

Antoine savait qu'il aurait dû l'appeler, lui expliquer, mais il n'en avait pas eu le courage, et encore moins celui de la rencontrer. Il n'en aurait pas été capable. Elle avait éveillé en lui quelque chose qu'il n'avait jamais connu auparavant, un sentiment si fort qu'il aurait voulu, comme Achille, traverser rivière, fleuve et mer pour cette femme. Il y avait quelque chose en elle qui allait au-delà des mots. Mais qu'aurait-il pu lui dire ? Elle aurait voulu le voir et ça, il ne pouvait l'envisager. Il serait anéanti, détruit lorsqu'elle aurait cette grimace de dégoût en l'apercevant. Il préférait disparaître de sa vie, se faire oublier.

Antoine s'accrocha désespérément à son rêve de piloter.

C'était la seule chose encore possible pour lui. Il s'investit totalement dans ses études, se fermant à tout ce qui pouvait le ramener en arrière. Il n'avait plus de passé. Toutes ses racines étaient brûlées.

Jean n'avait pas abandonné l'idée de reprendre contact avec Antoine et avait facilement trouvé son nouveau numéro de téléphone. Le soir, lorsqu'il rentrait chez lui, il effaçait sans les écouter les messages laissés par Jean sur son répondeur. Il ne fallait pas qu'il communique avec elle car la tâche aurait été trop pénible. Le seul fait d'entendre sa voix ou de lire ses mots aurait été une torture. Les messages se firent moins fréquents, puis cessèrent complètement.

Il ne lui fallut pas beaucoup de temps pour obtenir son permis de pilote. La SOPFEU avait non seulement payé l'inscription au cours mais aussi la location d'un appareil. Lors de son premier vol en solitaire, Antoine était fébrile. Il avait patiemment et studieusement suivi les cours, et fait quelques heures en compagnie d'un instructeur. Mais le premier *solo* constitue un événement. Son cœur battait comme la première fois qu'il était monté à bicyclette sans l'aide des roues d'entraînement. Antoine se souvenait qu'il avait eu cette impression de flotter en chevauchant sa bécane. Il avait d'ailleurs fait un vol plané dont il gardait encore la trace des écorchures sur ses genoux. Son avion avança sur la piste et prit de la vitesse. Il sentait les pneus qui roulaient sur le pavé. Lorsqu'il tira le manche vers lui, la vibration des pneus cessa. Jamais il n'oublierait l'incroyable sensation de liberté et d'immensité qu'il éprouvait. Voir le monde du haut des airs, flotter dans le ciel, donne une tout autre dimension aux choses. Il descendit le long de la rivière Gatineau, admirant le paysage montagneux, les falaises abruptes et la cascade d'eau qui descendait vers la rivière des Outaouais. Il songea à Achille, son grand-père, et il essaya de l'imaginer descendant cette rivière impétueuse dans son petit canot d'écorce. Du haut des airs, l'odyssée du vieil homme s'avérait encore plus impressionnante.

Antoine multiplia les occasions de piloter et il fut rapidement affecté aux appareils de détection. Quand Jim Wright, le pilote qu'Antoine secondait, descendait avec son Cessna 182 entre les parois rocheuses d'une vallée à la recherche d'une petite fumée, qu'il se faufilait le long d'une rivière sinueuse, rasant la cime des arbres en tournant au dernier moment, Antoine était à la fois terrifié et ébloui par ses performances. Son avion glissait si bas qu'il pouvait presque voir l'air ahuri des campeurs lorsqu'ils filaient en rase-mottes au-dessus de leurs tentes.

Il adorait ces expéditions aériennes en compagnie de Wright. Dans le ciel, il n'était pas différent de lui. Un jour, Antoine était rentré à la maison le cœur léger, heureux de cette journée passée avec Wright, retrouvant des moments de bonheur qu'il croyait oubliés à tout jamais. Le téléphone retentit alors qu'il entrait dans l'appartement. Habituellement, il laissait le répondeur prendre le message, mais ce soir-là, il décrocha instinctivement.

— *Antoine? It's Jean*, dit la voix qu'il reconnut dès les premières syllabes.

Son cœur fit un tour. Que pouvait-il lui dire? Qu'il avait été brûlé, qu'il était défiguré, qu'il avait l'air d'un Yoda grand format? Elle lui aurait probablement dit que ce n'était pas grave et qu'elle souhaitait le voir malgré tout, mais il était certain qu'au bout du compte, elle ne pourrait supporter ce visage monstrueux. Il avait eu suffisamment de peine, il n'allait certainement pas courir au devant de nouvelles douleurs.

— Où étais-tu ? Je t'ai téléphoné des dizaines de fois sans jamais avoir de réponse, dit-elle.

— J'étais occupé, se contenta-t-il de répondre.

Son esprit fonctionnait au même rythme que son cœur, mais il ne parvenait pas à trouver un prétexte valable pour fuir. Cette voix douce le torturait. Se pouvait-il qu'elle soit son âme-sœur, celle qui, parmi toutes les autres, pourrait le comprendre ? Il ne voulait pas répondre à cette question. Il essayait même de se convaincre que ce n'était qu'une « aventure Internet » qui se serait révélée de toute façon décevante. Mais en réalité, elle le mettait en confiance, peut-être parce qu'elle ne venait pas de la Vallée-de-la-Gatineau, qu'elle était si loin que les petites histoires locales ne l'atteignaient pas. Peut-être aussi parce qu'elle avait su l'écouter, parce qu'avec elle il n'avait pas eu à porter l'identité des autres. Mais aujourd'hui il avait honte. Il avait honte de ce corps qui n'était plus le sien. Il s'y sentait comme un étranger. Quand il se regardait dans la glace, il ne voyait plus Antoine Lyrette. Jamais plus il ne pourrait montrer une de ses photos de jeunesse et entendre quelqu'un dire « Mon Dieu, tu n'as pas changé. »

— Je crois que ce serait mieux qu'on ne se rappelle plus, dit-il, laconique.

— J'entends ce que tu me dis Antoine, mais ce n'est pas ce que ta voix exprime.

Antoine était pressé d'en finir. Des larmes lui montaient aux yeux. Elle avait raison, mais il estimait que c'est ce qu'il devait lui dire. Elle sentit sa détresse et son désir de mettre fin à la conversation. Elle choisit de laisser une porte ouverte.

— Nous sommes toujours amis. Donne-moi de tes nouvelles, insista-t-elle.

Il promit à contrecœur sachant qu'il ne tiendrait pas cet engagement. Elle n'était pas « seulement une amie » et ne le serait jamais. Aussitôt l'appel terminé, il alluma son ordinateur, ouvrit le fichier « Jean Fisher » et fit glisser le curseur sur la photo de Jean. Elle était magnifique. Chaque fois qu'il la regardait, il était envahi d'un sentiment de regret. Il referma le fichier et le fit glisser vers la poubelle. Un message lui demanda s'il voulait vraiment supprimer le fichier « Jean Fisher ». Il hésita durant de longues secondes avant de confirmer l'opération. Il ne fallait plus qu'il pense à elle, il devait cesser de croire qu'elle aurait pu être la femme de sa vie.

L'occasion se présenta rapidement de mettre de la distance entre lui et Jean. Pour piloter le CL-415, il devait au préalable cumuler deux mille heures de vol sur un avion muni de flotteurs. Grâce aux nombreux contacts de Jean Leclerc, il obtint un emploi dans une petite compagnie d'aviation du Nord qui recherchait un pilote. Du printemps jusqu'à l'automne, il accumula les heures de vol, ne refusant aucune mission. Certaines semaines, il pouvait voler plus de quarante heures. Il était alors pratiquement toujours dans le ciel, transportant un groupe de pêcheurs vers leur lac secret ou, l'automne, des chasseurs à la recherche de gibier digne de trophées. Le monde de la brousse est une dure école pour les pilotes. Il faut parfois manœuvrer dans des conditions extrêmes, amerrir sur des lacs si petits que les flotteurs de l'appareil frôlent la cime des arbres.

Plus rien d'autre n'avait d'importance lorsqu'il se trouvait dans le ciel. Pas même ses affreuses cicatrices. Cependant, chaque fois que de nouveaux passagers arrivaient, ou lorsqu'il se rendait dans un lieu public, le regard des gens les lui rappelait cruellement. Ils avaient beau faire comme si de rien n'était, leurs regards fuyants parlaient d'eux-mêmes. Les enfants, particulièrement, avaient le don de dire les choses crûment et de façon spontanée. « Maman ! T'as vu le monsieur comme il est laid », s'écria un jour un petit garçon en le pointant du doigt comme une attraction.

Une autre fois, il avait voulu expliquer au fils d'un de ses amis qu'il avait été brûlé, mais qu'il pouvait toucher la peau de ses bras ou de son visage pour constater que cela ne lui faisait plus mal. Le bambin lui avait alors demandé si ça s'attrapait... Il eut l'impression à ce moment-là d'être un lépreux. Il développa d'ailleurs une véritable paranoïa, qui lui faisait craindre d'entrer dans les endroits publics. Du coin de l'œil, il pouvait apercevoir une tête qui se penchait à l'oreille de quelqu'un, chuchoter en le regardant. Une fois sur deux cette personne levait les yeux sur Antoine. Il se forçait à soutenir son regard, provoquant inévitablement un malaise chez le voyeur.

Il avait par contre développé quelques techniques pour passer inaperçu. Cela lui était venu sans qu'il ne s'en aperçoive réellement. Il portait généralement une casquette et des verres fumés. Lorsqu'il entrait dans un endroit, il tournait généralement la tête du côté gauche, faisant mine de chercher quelqu'un ou quelque chose dans cette direction. Il exposait ainsi la partie intacte de son visage. Lorsqu'il sentait que les regards se détournaient, il redressait la tête. Au restaurant, il choisissait avec soin la place d'où ses cicatrices seraient le moins visibles possible. Quand il s'adressait à quelqu'un, il détournait légèrement la tête. Il portait aussi des vestes dont le collet pouvait être relevé. Au travail, Antoine trouvait pleine satisfaction. Là, il laissait tomber les artifices et toutes les tentatives de masquer sa différence. De toute façon, ceux qui le côtoyaient avaient oublié depuis longtemps son apparence.

Aussitôt ses heures de vol accumulées, il posa immédiatement sa candidature pour piloter les CL-215, accompagnée d'une chaude lettre de recommandation du directeur de la SOPFEU. « C'est bien normal », lui dit Leclerc en lui promettant de *faire un appel à la bonne place*.

Leclerc s'était senti un peu responsable de ce qui était arrivé à Antoine et il était heureux de pouvoir lui donner ce dernier coup de main avant de prendre sa retraite. Son successeur, Louis Rochon, était lui-même employé au service des communications lorsque le jeune combattant avait été brûlé. Il connaissait toute l'histoire et partageait ce sentiment d'obligation morale que l'organisme avait envers lui. Antoine était à la maison lorsque Leclerc l'appela. « Normalement, ce n'est pas moi qui fais ce genre d'appel, dit Leclerc, manifestement heureux de la nouvelle qu'il allait lui annoncer. Mais le responsable du Service aérien gouvernemental est un ami et je l'avais prié de m'informer du résultat de ta demande de permis. Vous êtes admis, mon jeune ami. Je vous félicite. »

Antoine n'eut même pas l'idée de le remercier, ni de dire quoi que ce soit. Il lui raccrocha la ligne au nez. « Je suis accepté ! Je suis accepté ! criait-il en sautillant comme un enfant qui vient d'apprendre qu'il ira à la foire. Je suis… » Antoine réalisa soudainement avec quelle impolitesse il avait réagi à la bonne nouvelle que Leclerc venait de lui apprendre.

Il composa son numéro, honteux. Leclerc riait encore aux éclats de la réaction d'Antoine. Le vieux patron savourait le bonheur de son employé et il l'avisa qu'il lui faudrait suivre une formation de quelques mois à Québec avant

d'être officiellement placé aux commandes d'un masto-
donte.

Chaque instant qui le séparait de ce jour était une éternité. Antoine avait accumulé beaucoup d'information sur
ces appareils et il lui était arrivé de monter à bord avec les
pilotes. Il buvait chacune de leurs paroles. Un jour, lors
d'un de ces vols de démonstration, un pilote l'avait laissé
s'asseoir aux commandes. Il avait joui en entendant le premier moteur se mettre en marche. Son grondement envahissait le *cockpit*. Lorsque le second moteur s'était mis à
tourner, l'appareil vibra de toute sa puissance jusque dans
ses mains accrochées aux commandes. Il n'avait pas piloté
cette fois-là, mais il avait pressenti les sensations que pro-
curaient les commandes d'un tel appareil.

Il se sentait comme un gamin lorsqu'il arriva à Québec
pour son entraînement, et il dut se faire violence pour
adopter une attitude retenue devant ses instructeurs. Il ne
voulait pas avoir l'air d'un jeune *groupie* s'excitant et s'agi-
tant autour de ses héros d'enfance. Il s'appliqua cependant
à tout assimiler. Deux semaines avant la fin du stage, il était
prêt et aurait pu prendre un appareil en main.

Quand il se laissa glisser dans le siège du copilote quelques semaines plus tard, son bonheur était total. L'appareil roula lentement sur la piste, tourna et s'immobilisa
quelques secondes pendant que les moteurs grondaient,
faisant vibrer l'avion de partout. « À toi l'honneur », lui dit
Jacques Larouche, qui pilotait cet appareil depuis plusieurs
années.

L'homme était conscient de l'importance du moment
pour Antoine, et il avait décidé de lui laisser le plaisir de
lancer l'avion dans le ciel. Antoine regarda un instant les
commandes sans les toucher, comme s'il s'agissait d'un

objet de culte. Il posa avec délicatesse la main sur les manettes et ouvrit les gaz. L'appareil s'ébranla et se mit à rouler de plus en plus rapidement. Il tira sur le manche et l'avion mordit dans l'air pour prendre rapidement de l'altitude. Les roues quittèrent le sol et le grand pélican tourna immédiatement sur la gauche pour se diriger vers le lieu de l'incendie qu'ils devaient combattre. Toute cette puissance entre ses mains lui donnait une sensation incroyable. Rien de ce qu'il avait connu ne s'approchait de ce qu'il ressentait à cet instant.

Lorsque, quelques minutes plus tard, le ventre de l'avion frôla la surface d'un lac, il entendit le bruit de ces milliers de litres d'eau s'engouffrer en l'espace de quelques secondes dans son réservoir. Malgré son poids énorme, le pélican s'arracha de la surface de l'eau avec facilité.

L'efficacité de l'appareil dépend en bonne partie de l'habileté du pilote à prévoir l'endroit où l'eau touchera le sol. Au début, il avait tendance à laisser tomber sa charge trop rapidement. Le déluge touchait terre avant la barrière de feu. L'eau déferlait sur le sol et atteignait le brasier mais l'effet était limité. Le feu reprenait rapidement et il leur fallait plusieurs passages supplémentaires avant de maîtriser les flammes. « Tu gaspilles l'eau », lui avait dit Larouche.

Il fallait que l'avion soit suffisamment près de la cime des arbres pour que l'eau ait l'effet maximal. Larguée de trop haut, l'eau se transformait en bruine et son efficacité était réduite. Idéalement, elle devait toucher le sol sous forme de vague. Pendant un instant, elle couvrait les flammes et les privait de l'oxygène nécessaire à la combustion. Le feu s'étouffait sur une courte distance, presque par miracle. Il fallait alors retourner écoper rapidement et revenir avant que le feu ne reprenne.

Il leur arrivait d'attaquer des feux à flanc de montagne. L'opération était alors difficile car l'avion devait descendre le plus bas possible et remonter avant d'atteindre la pente parfois abrupte. Il leur arrivait d'entendre la cime des arbres fouetter les flotteurs situés à l'extrémité des ailes.

Les manœuvres étaient périlleuses et le pilote devait être constamment aux aguets. Lorsque le ventre de l'appareil s'ouvrait et libérait d'un seul coup des tonnes d'eau, l'avion soudainement allégé d'un poids énorme se cabrait dangereusement. À l'inverse, lorsqu'ils volaient au-dessus d'un brasier, l'air chaud soulevait l'appareil et ils devaient pousser sur le manche pour le maintenir à la bonne altitude. Puis, soudainement, l'appareil franchissait la barrière de feu et se retrouvait dans l'air froid. À quelques mètres de la cime des arbres, le pilote devait réagir au quart de seconde pour éviter que l'avion ne descende soudainement.

Antoine avait craint que la vue du feu ne le traumatise. Au contraire, lorsqu'il vit la barrière de flammes, il se sentit grisé. Le feu était son ennemi et chaque fois qu'un largage le faisait reculer, il en tirait du plaisir. Au sol cependant, il craignait les dangers du brasier. La seule vue d'un feu de camp suffisait à provoquer une panique irraisonnée. Il pouvait encore ressentir l'effet du feu sur sa peau. Chaque fois il sentait mille aiguilles piquant son visage et sa vue s'embrouillait de points lumineux. Pour cette raison, il se tenait loin des feux. Dans le ciel par contre, il avait l'impression d'être hors de portée et cette idée d'être plus fort que le feu galvanisait son courage.

Parfois, l'avion descendait si bas, si proche de l'enfer, que des tisons entraient dans le *cockpit* par le système de ventilation, tombaient sur leurs têtes et leurs bras sans qu'ils ne puissent s'en protéger. Mais rien n'y faisait, seule comptait leur tâche. Une fraction de seconde d'inattention pouvait être fatale ou à tout le moins, leur faire rater la cible. Ce qui les forcerait à revenir au même endroit et leur ferait perdre du temps. Lorsque l'avion avait remonté, ils pouvaient se frotter le bras ou se passer frénétiquement la main dans les cheveux pour y déloger une petite braise qui finissait de se consumer. Quand l'aéropointeur, qui tournait autour du bombardier comme une mouche autour d'un morceau de sucre, leur annonçait « largage parfait les gars », Antoine jubilait, ce qui ne manquait pas d'amuser Larouche.

Comme les pilotes de chasse en temps de guerre, Antoine tenait un registre des incendies que lui et son compagnon avaient vaincus. Il avait ainsi fabriqué une bannière de nylon blanche, sur laquelle il avait laborieusement et soigneusement dessiné un grand pélican. La ressemblance avec l'oiseau était acceptable, et Antoine avait décidé de le teindre de la même couleur que son CL-215. Il s'en amusait. Le soir ou à la fin d'un feu, il déroulait les armoiries de son équipe et ajoutait une barre pour marquer sa victoire. Le lendemain, il accrochait la bannière à l'avion. C'était devenu un jeu parmi les pilotes, et il ne fallut pas longtemps pour que d'autres équipes fassent de même. La compétition était lancée. Antoine rigolait dans sa barbe.

— Hey le jeune, lui lança un jour Charles Danis, un pilote d'expérience, si on avait indiqué tous les feux qu'on a éteints, c'est pas un petit chiffon comme le tien que ça prendrait, mais un drapeau grand comme une piste d'atterrissage.

— Pis comme t'as toujours prétendu que t'étais capable d'atterrir sur un mouchoir, ça ne ferait pas un gros drapeau, répliqua Antoine du tac au tac, provoquant les rires de tout le monde.

Larouche adorait son jeune compagnon. Antoine avait mis de la gaieté dans le groupe. Les pilotes avaient depuis longtemps « oublié » qu'Antoine avait été si gravement brûlé. On ne voyait plus ses cicatrices. Même en dehors de leur cercle, les pilotes ne soulevaient jamais ce détail lorsqu'ils parlaient de lui à leurs amis ou à leur épouse. Non par pudeur ou respect, mais simplement qu'elles s'étaient effacées de leur esprit.

Antoine appréciait leur amitié. Il avait constaté avec satisfaction ce changement dans leur attitude. Ils ne détournaient pas le regard quand ils s'adressaient à lui et leurs yeux ne glissaient pas automatiquement vers les marques qui déformaient son visage. Quant à lui, il ne cherchait plus à cacher cette partie déformée de son visage. Il était lui-même. Il avait enfin trouvé son identité. Il se demandait parfois si c'était bien ce qu'il souhaitait être ou s'il ne cherchait pas à reproduire l'image de ce père qu'il s'était créé. Il y avait sûrement des deux, mais Antoine se sentait compris et accepté de tous. Il était enfin bien dans sa peau, aussi brûlée fut-elle.

Larouche vit entrer sur le télécopieur un avis à l'effet que la SOPFEU et la compagnie Bombardier recherchaient un pilote pour rencontrer des groupes européens intéressés à faire l'acquisition d'avions de type CL-415, le nouvel appareil qui remplaçait peu à peu les anciens CL-215. Le candidat devait être capable de parler devant des groupes des techniques de combat aérien, des appareils, et être un ambassadeur efficace pour la SOPFEU. Larouche pensa immédiatement à son copilote. Il montra la note aux autres en leur demandant quel pilote ils verraient pour un tel poste. Tous proposèrent le même nom : Antoine. Quand Larouche lui présenta le document, Antoine le regarda incrédule, presque insulté.

— Qu'est-ce que tu veux que ça me fasse ? Ça ne m'intéresse pas.

— Pourtant, j'ai montré ce papier à tous les gars, et ils m'ont tous dit que t'étais le bon gars pour ce travail.

— D'abord, j'ai demandé à personne de voter pour moi, et ce genre de boulot c'est pour les types qui ne savent pas de quoi il en retourne, mais qui savent parler.

— Justement. Les gars pensent qu'on devrait envoyer un des meilleurs d'entre nous pour nous représenter. En fait, on pense que c'est toi qui serais le mieux placé.

Antoine fut à la fois surpris et flatté. Cependant, la seule idée de devoir s'exprimer devant un groupe le faisait paniquer. Il s'imaginait difficilement devant un groupe où on risquait de le prendre en photo.

— Je ne veux pas être un phénomène de foire, marmonna-t-il.

— Écoute, Antoine… Si je te disais que personne ne verra cela, dit-il en désignant ses cicatrices, je te mentirais… Mais nous autres, on pense que ce qu'il y a au-delà des brûlures, c'est le type de pilote et d'homme qu'on aimerait présenter aux autres. Quelqu'un dont on est fier. Pas parce que tu as été brûlé… mais peut-être un peu aussi pour cela. Tu es un vrai combattant… Tu es le seul parmi les pilotes qui a commencé sur la ligne de combat avec une hache et une pelle. T'as de quoi être fier… Pis, te cacher ne changera rien.

Antoine promit d'y réfléchir, mais tous semblaient s'être donné le mot pour l'inciter à se porter candidat.

— C'est pour toi cette affaire-là, lui disait l'un.

— Et puis ça se passe à l'automne, ça ne t'empêchera pas de piloter ici, ajoutait l'autre.

Ce fut Larouche qui mit fin à son entêtement et à ses craintes :

— Écoute, mon jeune. Relever des défis, c'est ça qui tient en vie. Quand t'as décidé de devenir pilote après avoir été brûlé, t'as relevé un maudit défi. Ben ça, c'en est un autre. T'es encore en vie, tu sais ce qui te reste à faire…

Le lendemain, Antoine remettait le formulaire dûment signé, espérant que d'autres en feraient autant. Il y en aurait sûrement des meilleurs, des plus expérimentés que lui. Deux jours plus tard, Antoine était convoqué à une rencontre. Quand il se présenta au bureau où l'attendaient les grands patrons de la SOPFEU et de la compagnie Bombardier, il n'eut pas l'impression qu'il s'agissait d'une entrevue. Au contraire, les deux hommes le reçurent avec enthousiasme et le félicitèrent en lui administrant de grandes tapes amicales sur les épaules. Ils mentionnèrent le nom de Rochon, le nouveau directeur de la Société à Maniwaki, qui avait semble-t-il été très élogieux à son égard, tout comme Jacques Larouche, son collègue. Antoine était amusé et flatté. Un bienveillant complot s'était tramé autour de lui, c'était évident.

Il amorça cette nouvelle partie de sa carrière avec une certaine crainte cependant. Dans son entourage, il s'était construit un monde qu'il connaissait. Il y était heureux et à l'aise. Ailleurs, les choses seraient différentes. Il ne serait plus Antoine, pilote de la SAG, mais « le Brûlé ». Il eut soudainement peur de devenir une bête de cirque, une sorte de femme à barbe qu'on expose dans les foires.

La veille de son départ pour la France où il devait s'adresser à un groupe, Antoine ne put fermer l'œil de la nuit. Il avait préparé des notes où il expliquait le fonctionnement de l'organisme chargé de la répression des feux de forêt au Québec et décrivait les techniques utilisées pour combattre les incendies. Évidemment, son exposé faisait une large place à la description de cet outil d'une extrême efficacité, le CL-415. Il avait essayé de pratiquer son discours devant une glace, mais il avait abandonné. Chaque fois qu'il levait les yeux et qu'il apercevait son image, il bloquait ou perdait le fil de son exposé. Il était si stressé qu'il songea au dernier moment à se déclarer malade pour éviter de faire face à ce supplice.

Une centaine de personnes étaient attendues à la rencontre. Antoine devait prendre la parole au moment du dessert. Quand il arriva dans la salle de conférence, il constata qu'ils étaient presque le double. Tous les yeux se braquèrent sur lui lorsque la délégation du Canada fit son entrée. Les vieux réflexes refirent surface. Antoine pouvait voir les têtes se pencher pour chuchoter à l'oreille d'un voisin. Il sentait la pression de leur regard. Il ne toucha pas à son assiette, regrettant amèrement de s'être embarqué dans cette galère. Il aurait presque souhaité s'évanouir sur place et qu'on le sorte sur une civière. Quand le maître de cérémonie, habillé comme un pingouin, annonça son nom, il eut l'impression de paralyser sur sa chaise. Les applaudissements cessèrent, mais il resta assis. Le pingouin prononça son nom à nouveau. Cette fois, Antoine réagit et il s'avança devant le micro pendant que les applaudissements reprenaient. Il se sentit exactement comme s'il faisait face au feu. L'attention de la foule dirigée sur lui brûlait sa peau. Un éclair de camera l'aveugla. Il sentit des centaines d'aiguilles lui piquer le visage et des points lumineux voiler sa vue. Les applaudissements cessèrent et un lourd silence s'installa. Il fouilla ses notes sans parvenir à les lire, mélangea les feuilles qu'il avait mis tant de soin à classer quelques minutes auparavant. Le silence devenait oppressant. Pourtant, il connaissait son exposé par cœur, mais il y avait un grand trou à l'endroit de sa mémoire où ces informations devaient se trouver. À l'arrière de la salle, quelqu'un toussa. Antoine paniquait. Il lui fallait trouver quelque chose à dire. « C'est vrai, commença-t-il. Vous avez bien vu. Je suis brûlé. Mais lorsque c'est arrivé, je n'ai jamais eu aussi chaud qu'en cet instant présent. »

Il y eut un brouhaha puis celui qui avait toussé éclata d'un grand rire qui se propagea comme une vague à toute la salle, suivi d'applaudissements nourris. Antoine fut surpris d'avoir osé dire une telle chose, mais il était soulagé. La réaction de la salle lui redonna courage. Les points lumineux qui voilaient sa vue s'estompèrent et il put lire ses notes au fur et à mesure que sa mémoire lui revenait.

Il fit un excellent exposé, ponctuant son discours d'humour comme il le faisait avec les autres pilotes. La présentation qui dura une quinzaine de minutes fut marquée de plusieurs applaudissements et Antoine eut finalement droit à une ovation. Lors de la période des questions, plusieurs s'informèrent des circonstances dans lesquelles il avait été brûlé. Avait-il été blessé en devoir ? Antoine fit preuve de retenue, estimant que cette partie de son existence lui appartenait à lui seul, mais certains membres de la délégation canadienne, qui tâchèrent de se rendre intéressants, laissèrent couler des détails sur son histoire. Le lendemain, la photo d'Antoine se retrouva en première page d'un hebdomadaire de la région de Lyon. *Il devient pompier du ciel après avoir été brûlé* affirmait le titre au-dessus du texte. Antoine n'avait vu aucun journaliste au cours de la conférence, mais il se rappelait du *flash* d'une caméra au début de son exposé. Le texte intéressa d'autres journalistes et la délégation canadienne fut rapidement submergée de demandes d'entrevues. Antoine refusa, mais il dut céder à la pression de ses patrons. Jamais ils n'avaient eu un porte-parole qui leur avait attiré une telle publicité.

« C'est justement l'objectif de ce voyage, de faire parler de nous. Alors parlez de nous », lui dit Henri Hébert, le responsable de la délégation.

Antoine accorda plusieurs entrevues et accepta qu'on le photographie à la condition que la photo ne mette pas grossièrement en évidence ses cicatrices. Il choisissait lui-même l'angle de la prise de vue.

Quand, le 11 septembre 2001, l'équipe se rendit à l'aéroport Charles-de-Gaulle afin de prendre le vol de onze heures trente pour revenir au Canada, tous étaient heureux. Les gens de Bombardier avaient obtenu quelques commandes d'appareils et la SOPFEU avait signé un contrat de trois ans pour la formation de troupes d'intervention, en plus d'avoir bénéficié d'une incroyable couverture de presse. Personne ne doutait que la prestation d'Antoine avait contribué au succès de la mission. D'abord irrité par la publicité qui l'avait entouré, Antoine y voyait maintenant une sorte de thérapie. Il s'était laissé aller à parler de ce qui lui était arrivé et il lui sembla que cela était maintenant moins pénible à porter. Sa photo ayant paru dans le journal, il avait l'impression que les regards étaient différents. Les têtes ne se détournaient plus. Au contraire, les gens semblaient chercher son regard, lui adressaient un sourire ou un petit salut de la tête comme s'il avait été une connaissance. Il y eut même cette jeune hôtesse de l'air qui, au moment de l'embarquement, vint lui serrer la main et lui dit combien elle admirait ce qu'il faisait. Ses yeux brillaient.

Ils entreprirent le voyage le cœur léger. Henri Hébert commanda même une bouteille de champagne pour célébrer leur succès. Il ne leur restait plus que trois heures de vol lorsque l'hôtesse passa dans les allées, l'air effaré, pour aviser les passagers que l'avion devait se poser d'urgence à l'aéroport de Gander, à Terre-Neuve. Les voyageurs questionnaient la pauvre fille sans pouvoir obtenir de réponse précise.

— Tout ce que je puis vous dire, c'est que nous devons atterrir pour des raisons de sécurité.

— Des raisons de sécurité ? L'appareil est-il en danger ? demanda un passager au bord de la panique.

— Rassurez-vous, il n'y a rien d'anormal à bord, tout va bien. Tous les avions qui se trouvent aux abords des États-Unis doivent se poser, ajouta-t-elle.

Quelque chose de grave était survenu, c'était évident. L'expression de l'hôtesse en disait long et Antoine, étant lui-même pilote, sentait la gravité du moment. Le commandant avait reçu un ordre et on les dirigeait vers l'aéroport le plus proche. Il n'y avait qu'en situation de guerre que de telles mesures étaient prises.

Le monde venait de s'arrêter soudainement dans sa course.

Chapitre vingt-trois

Le temps passait sans que rien ne survienne de désastreux, mais Guy Desormeaux ne parvenait pas à retrouver sa tranquillité d'esprit. « Le moment est arrivé pour nous ! » lui avait dit son mystérieux interlocuteur. Cela correspondait presque à une condamnation à mort. Il avait compris que cet homme l'avertissait qu'il y aurait d'autres morts et qu'il en ferait partie. Il s'imaginait un groupe surgissant chez lui, les kidnappant sa femme et lui. On racontait que c'est ainsi que plusieurs membres de l'OTS avaient participé au passage vers Sirius. Des meurtres. Ils seraient retrouvés carbonisés au milieu d'autres membres de l'Ordre, une balle dans la tête.

Il aurait voulu communiquer avec la police, mais il savait qu'ils ne feraient rien malgré tout ce qui s'était passé depuis le premier massacre. Que pouvait-il leur dire ? Ils le prendraient pour un fou. Guy estimait que personne ne voudrait prêter foi à ses paroles lorsqu'il se souvint de ce journaliste qui était venu le voir, parce qu'il était à la recherche de membres de l'Ordre. Ce reporter était persuadé à l'époque que l'OTS provoquerait d'autres morts et il avait raison. Peut-être avait-il poursuivi son enquête ?

Martin Éthier avait quelque peu oublié l'Ordre du Temple Solaire. Alors qu'on venait d'entrer dans le nouveau millénaire, il avait l'impression que cette histoire appartenait au siècle précédent. Le siècle des Ténèbres. Il était déçu de ne pas avoir pu prévenir le massacre de mars 1997, mais plus personne n'était alors intéressé à l'affaire. « Autre temps, autre histoire », ne cessait de lui répéter son rédacteur en chef. Dès le premier passage, il était persuadé que des membres de l'Ordre se terraient et qu'ils mettraient éventuellement à exécution un nouveau rituel meurtrier. Il avait cependant fini par croire que la secte avait totalement disparu après mars 1997.

La réceptionniste l'avisa qu'il avait un appel et il prit machinalement l'appareil. L'homme au bout du fil ne prit même pas la peine de se présenter :

— Ils sont revenus.

Martin reconnaissait vaguement la voix, mais elle était bien loin dans ses souvenirs. Et puis, il parlait à tellement de gens...

— Pardon ? dit-il.

— C'est Guy Desormeaux. Vous vous souvenez de moi ?

« Desormeaux... Desormeaux. Ce nom me dit quelque chose », se dit-il.

— Vous pourriez être plus précis ? demanda Martin.

— Vous étiez venu me voir après le massacre de l'Ordre du Temple Solaire.

Le souvenir de l'employé d'Hydro-Québec terrorisé lui revint enfin à l'esprit.

— Oui, je me souviens de vous maintenant. Le pistolet. Que puis-je pour vous, Monsieur Desormeaux ?

— Je vous avais dit que je craignais qu'il reste des groupes encore actifs. Et bien, on m'a téléphoné, dit-il au bord des larmes.

— Qui vous a téléphoné ? demanda Martin, maintenant avide d'en entendre plus.

— Je ne sais pas. Un homme. Quelqu'un de l'Ordre. Il m'a dit que notre tour était arrivé.

— Vous le connaissez ?

— Non… enfin si, mais je ne connais pas son nom. C'est le pilote venu prendre le pistolet à l'aéroport.

— Qu'est-ce qui vous fait croire qu'il pourrait préparer un nouveau massacre ?

— Je ne sais pas. Il a dit que notre tour était arrivé. Pour moi, ça veut dire qu'il va y avoir d'autres morts.

— Vous souvenez-vous du nom de ce pilote ou d'un détail quelconque ?

— J'essaie depuis des mois de m'en rappeler. Tout ce que je sais, c'est que celui qui est venu chercher le pistolet s'appelait Paul Germain, et qu'il est mort à Morin Heights.

— Il vous a peu parlé et ce qu'il vous a dit pourrait être interprété de bien des façons, suggéra Martin.

— Oui, mais c'est… c'est… c'est le ton de sa voix. Je me suis retrouvé plongé d'un seul coup dans l'atmosphère de l'époque où je faisais partie de l'Ordre… de la secte.

— Pouvez-vous vous rappeler d'un indice, un nom ?

— Je ne suis pas certain. Il me semble que mon contact, Paul Germain, l'avait appelé Duguay… ou Tremblay… je ne me souviens plus.

Martin sentit que sa détresse était réelle et lui promit de faire enquête. Il lui conseilla également de parler aux policiers. Desormeaux était terrorisé à cette seule idée, mais il promit d'y réfléchir.

Le journaliste était fasciné par l'incroyable emprise que ce groupe avait sur ses membres. Il communiqua avec Info-sectes pour savoir s'ils avaient été informés d'une résurgence du groupe de l'OTS, mais son interlocuteur ne put guère l'aider.

— Ce groupe était si secret, dit-il, qu'il pourrait rester des centaines de membres anonymes, toujours hypnotisés par leur gourou, même si celui-ci est mort.

— Nom de Dieu ! Comment un gourou peut-il avoir une telle influence même après sa mort ? demanda Martin.

— Ce n'est pas exceptionnel. Le plus grand gourou, Jésus-Christ, est mort il y a deux mille ans. Encore aujourd'hui, on s'entretue en son nom.

La recherche ne fut pas plus fructueuse auprès des policiers. On estimait que la secte s'était éteinte avec le dernier suicide de Saint-Casimir. Le policier à qui parla Martin admit tout de même que le groupe pouvait encore avoir des cellules actives. Martin tenta alors des recherches du côté de Germain. L'homme était mort dans le massacre de 1994, mais peut-être quelqu'un dans son entourage se souvenait-il de ce pilote, qui pourrait être la clé de cette affaire. Martin était persuadé qu'il s'agissait du survivant du premier massacre, le cinquante-quatrième Templier, qui devait les accompagner lors du passage vers Sirius. Mais où chercher ?

Il entreprit une recherche du côté des aéroports et des pilotes. Il y avait tant de Tremblay qui pilotaient des avions qu'il lui aurait fallu des mois pour arriver à faire une vérification exhaustive. La liste des Duguay était moins longue, mais n'apporta rien de plus. Desormeaux n'était même pas certain du nom.

Logiquement, il fallait procéder à partir de Morin Heights. Il lui fallait revenir en arrière, remonter la piste jusqu'au début. Il invita Anne à l'accompagner pour une petite fin de semaine dans les Laurentides, sans toutefois lui cacher le but de son voyage.

— Tu y crois vraiment à cette histoire d'un nouveau massacre ? demanda Anne.

— Oui. Je savais qu'il y en aurait d'autres dès la première tuerie. Personne n'a été capable de les prévenir. Desormeaux en était persuadé aussi.

Après s'être installé dans une coquette petite auberge des environs, Martin retourna sur les lieux de la tragédie de Morin Heights. La maison avait été rasée complètement et une nouvelle demeure luxueuse y avait été érigée. Toutes les traces du carnage étaient désormais effacées. Le terrain était demeuré vacant pendant deux années avant qu'un acheteur, qui ignorait tout de l'affaire, en fasse l'acquisition. Martin alla frapper à la porte d'à côté. La plupart des voisins de l'époque avaient déménagé et ceux qui restaient avaient choisi d'oublier ou d'ignorer ce qui était survenu. Pendant deux jours, il chercha dans les environs du chalet, mais ne trouva aucun indice. Il avait perdu espoir de découvrir qui que ce soit qui puisse l'aider.

Son estomac lui rappela qu'il n'avait pas mangé et il décida de s'arrêter à un petit restaurant en bordure de la route. L'établissement datait d'une autre époque avec son décor rétro. Les banquettes devaient servir depuis plus de quarante ans. Sur les murs, des photographies de personnalités avec le propriétaire. Martin n'en connaissait aucune. Il y avait peu de clients et il choisit de s'asseoir au comptoir. La serveuse vint prendre sa commande.

— Charmant, ce petit restaurant… Il y a longtemps que vous travaillez ici ? demanda Martin.

À en juger par l'assurance de ses gestes, il y avait longtemps qu'elle faisait ce métier. Martin lui donnait quarante-cinq ans.

— Pourquoi ? demanda-t-elle, vous êtes de la police ?

— Non, je suis journaliste et je fais une enquête sur les sectes. Je me demandais si vous travailliez ici à l'époque où le groupe du Temple Solaire se rassemblait à Morin Heights.

— Bien sûr. C'est une histoire qui a fait du tapage dans les environs.

— Paul Germain, c'est un nom qui vous dit quelque chose ? On me dit qu'il habitait la région.

— Monsieur Germain, bien sûr ! Il venait ici parfois. Un monsieur très gentil. Je n'arrive pas à comprendre qu'il ait pu faire cela, dit-elle en feignant un semblant de larme comme si la chose était arrivée la veille.

— Vous connaissiez certaines des personnes de son entourage à cette époque ?

— Pas vraiment. Vous savez, l'une des premières qualités d'une serveuse, c'est d'être discrète. On ne pose pas de questions.

— Non, mais vous auriez pu entendre un nom. Si je vous dis « Tremblay » ou « Duguay », cela vous dit-il quelque chose ?

— Non. Pas du tout.

Martin était déçu. C'était la première personne de la journée qui semblait savoir quelque chose, mais tout ce dont elle se rappelait, c'est que ce Germain était « un monsieur très gentil ».

— Dommage, dit Martin, je ne retrouverai jamais ce pilote.

— Un pilote d'avion !? s'exclama la serveuse. Il fallait le dire plus tôt. J'en connais un, c'est sûr.

Martin n'était pas vraiment intéressé par les amis de cette femme qui détenaient un brevet de pilote.

— Et il connaissait bien monsieur Germain, ajouta-t-elle.

Martin manqua de s'étouffer avec son café.

— Il connaissait Paul Germain ?

— Mais oui.

— Savez-vous son nom ?

— Ah non, je n'ai pas fait attention.

— Hum, fit Martin, qui sentait la piste lui échapper à nouveau.

— C'est un type étrange, en tout cas, il me fait froid dans le dos chaque fois que je le vois.

Martin s'étouffa pour de bon.

— Vous voulez dire que vous le voyez encore… souvent ?

— Pas souvent, mais de temps en temps, il s'arrête ici. Il s'assoit toujours à cette table, dans le coin. Toujours seul. Et la dernière fois, il a passé toute la soirée ici, le nez dans son grand livre.

— Un grand livre, quelle sorte de grand livre ?

— Une sorte de vieux livre avec une couverture en cuir… comme celui des sorcières dans les films. Le Graal que ça s'appelle, ou quelque chose du genre. Un livre bizarre. Et là, il se met à écrire sur les serviettes et les nappes de papier.

— Qu'est-ce qu'il écrit ?

— Je ne sais pas. Parfois, il met le napperon dans sa poche, mais parfois il le chiffonne et le jette dans sa tasse. C'est des phrases bizarres, qui n'ont pas de sens.

— Quand est-il venu ici pour la dernière fois ?

— La semaine dernière.

— Et il vient de façon régulière ?

— Il peut être des mois sans venir. Mais j'y pense, la dernière fois, il a payé avec une carte de crédit. Peut-être que je pourrais retrouver son nom sur les copies de facture.

Cette femme était vive, mais indiscrète aussi. On ne donne pas de telles informations. Pourvu qu'elle ne se ravise pas, pensa Martin, qui sentit monter l'adrénaline en lui. Elle plongea derrière le comptoir d'où elle ressortit avec une boîte qu'elle se mit à fouiller.

— Voilà, s'exclama-t-elle en brandissant une addition. Tanguay, c'est son nom, D. Tanguay.

« Ça y est », pensa Martin, il avait enfin le début d'une piste. Il avait acquis la quasi-certitude que ce D. Tanguay était son homme. Il paya son café, remercia la serveuse deux fois plutôt qu'une et sortit du restaurant. Lorsqu'il arriva à l'auberge, Anne y était encore. Pourtant, quand il l'avait quittée le matin, elle lui avait dit qu'elle irait flâner dans les boutiques. « Le lundi, il n'y a personne, c'est génial », avait-elle dit.

Anne n'était pas du genre à passer ses temps libres dans les magasins, mais elle ne détestait pas se livrer de temps à autre à ce type d'activité. Deux ou trois fois par année, elle se lançait dans un magasinage intensif. Mais en entrant dans la chambre, Martin nota qu'elle n'avait visiblement pas bougé depuis le matin. Son sac à main était près d'elle et elle semblait pétrifiée. Elle était assise sur le bord du lit devant le poste de télévision, les yeux rougis par les larmes.

« C'est affreux », dit-elle simplement, en pointant le téléviseur.

Quand Martin regarda l'écran, on passait au ralenti des séquences d'images saisissantes. Les jambes lui manquèrent et il tomba lourdement près d'Anne, horrifié par ce qu'il voyait. Un reporter était posté au pied du World Trade Center après qu'un premier avion eut percuté l'une des deux tours. Le journaliste faisait son reportage pendant que le caméraman filmait en contre-plongée la tour encore intacte. En arrière-plan, on pouvait voir la fumée noire qui s'échappait du premier édifice. Tout à coup, en gros plan sur la gauche, le nez d'un gros appareil entra dans l'image, suivi des ailes et de la queue de l'appareil, qui disparut complètement dans la seconde tour. Tout l'étage semblait exploser, puis le feu tombait au sol en immenses gerbes. Martin prit Anne dans ses bras et la serra bien fort sur son cœur. Partout à travers le monde, des millions de personnes en faisaient autant, cherchant le réconfort de leurs proches après avoir assisté à la mort en direct.

Chapitre vingt-quatre

L'aéroport de Gander est situé au milieu de Terre-Neuve. Il a été construit par les Britanniques au cours de la Seconde Guerre mondiale, qui s'en servaient comme base militaire, avec les armées canadienne et américaine. L'aéroport perdit de son importance stratégique à la fin des hostilités, mais il était encore utilisé comme relais pour les vols transatlantiques. En dehors de l'aérogare, il y avait bien peu de chose à Gander. La population de la ville ne dépassait pas dix mille personnes.

L'avion transportant Antoine et son groupe se posa et fut stationné en file derrière plusieurs appareils qui attendaient sur la piste. Des avions continuaient à atterrir à la queue leu leu. Malgré la chaleur qui ne tarda pas à envahir l'habitacle, les passagers durent patienter de longues heures avant de savoir pourquoi ils avaient été forcés d'atterrir. Quand on les laissa entrer dans la salle de l'aérogare, ils virent sur les écrans de télévision les images des deux avions projetés sur les tours de New York. La confusion la plus totale régnait dans l'aéroport alors que des milliers de personnes s'entassaient dans les lieux exigus. Vingt-quatre heures plus tard, ils étaient toujours coincés dans l'aérogare qui n'avait pas été conçue pour une telle foule. On leur annonça qu'ils risquaient d'être bloqués à cet endroit durant plusieurs jours.

Dans les heures qui suivirent, comme si une armée secrète s'était mise en marche, des centaines de Terre-Neuviens se présentèrent à l'aéroport de Gander, les uns pour offrir des sandwiches, les autres, des couvertures ou encore, pour inviter les rescapés du ciel dans leur maison.

Sherman White avait entendu la nouvelle à la radio et il ne pouvait y croire. Tous ces morts. On parlait aussi de ces gens, provenant d'un peu partout dans le monde, laissés sans nourriture et sans commodité à l'aéroport. Sherman avait fait un détour pour offrir son aide. Il n'avait pas consulté sa femme, ce n'était pas nécessaire. Chez les Terre-Neuviens, ce genre de geste ne demande pas un consensus. C'est la moindre des choses. Les rochers de Terre-Neuve avaient vu tant de naufrages au cours des siècles, tant de misérables abandonnés sans ressource, que le partage y fait partie des règles élémentaires de survie.

Quand Sherman White arriva à l'aéroport, le stationnement était bondé. Généralement, il n'y avait que les quelques autos des employés. Il reconnut les membres de l'église de l'Armée du Salut. Ils étaient toujours les premiers à fournir l'aide pour les besoins essentiels. En quelques heures, le réseau s'était organisé. Les femmes avaient passé plusieurs minutes au téléphone, relayant à chacune des tâches bien précises. Celle-ci devait faire des sandwiches; l'autre, des salades; une autre, des gâteaux. Comme les rouages bien synchronisés d'une montre suisse, toutes arrivèrent pratiquement à la même heure sur les lieux. La nourriture provenait de partout et les femmes se chargèrent de la distribuer pendant que les hommes offraient des couvertures. Une compagnie locale s'occupa de fournir brosses à dent, dentifrice, savon et autres produits de toilette aux rescapés qui ne pouvaient avoir accès à leur bagage — pour des raisons de sécurité, disait-on. Cela n'avait aucun sens, mais l'attentat du World Trade Center avait soulevé un vent de folie.

Sherman White n'était pas le seul à s'être présenté à l'aéroport pour offrir d'héberger un de ces visiteurs inattendus. D'autres comme lui avaient instinctivement proposé leur aide. Plusieurs passagers avaient été installés dans des salles d'école, mais cela ne semblait pas suffisant pour les personnes comme White. « Voir si ç'a du bon sens de laisser les gens coucher sur le plancher d'une école. Qu'ils viennent chez nous », avait dit une dame qui venait d'arriver, offrant un grand plat de biscuits qu'elle avait cuisinés. « Je peux prendre quatre personnes », avait dit une autre à la ronde, invitant, sans plus d'histoire, les quatre premiers voyageurs qui le désiraient.

Pas de vérification d'identité, pas d'enquête, pas de passeport, même pas une question. Un Italien suivait une vieille dame qui ne parlait que l'anglais, pendant qu'un pêcheur de Lewisport ramenait à la maison un Sénégalais et sa famille.

Antoine était encore sous le choc. Il était resté là, stupéfait, à regarder cette armée de fourmis humaines à l'œuvre pour leur venir en aide. Soudain, Sherman White s'arrêta devant lui.

— T'as l'air sonné, lui dit-il avec un accent terreneuvien si prononcé qu'Antoine eut de la difficulté à comprendre.

Il avait passablement amélioré sa connaissance de l'anglais ces dernières années, mais il éprouvait quelques difficultés avec les accents locaux.

— Écoute mon ami, lui dit le vieil homme, si tu veux une place pour dormir, viens à la maison.

Cette invitation prit de court Antoine. Il voulut protester, mais White ne lui laissa pas le temps de dire quoi que ce soit.

— Allez, ça nous fera plaisir. Mary sera contente. Vous êtes d'où ?

— Euh… du Québec. Maniwaki pour être exact.

— Du Québec ? J'en connais un Québécois, lui dit-il en le poussant vers la sortie. C'était un pêcheur de Gaspé.

Antoine espérait que ce n'était pas Le Gaspin, qui leur avait servi de cuisinier durant une brève, mais pénible période, lors de ses premières armes à la SOPFEU. Il suivit docilement son bienfaiteur, sans se poser de questions.

Le couple habitait près de Gander, en dehors de l'agglomération urbaine. Quand ils arrivèrent à la maison, la femme de Sherman était aux chaudrons, préparant de la nourriture pour les voyageurs qui étaient restés à l'aéroport.

— Je suis allé à Gander, annonça Sherman. J'en ai ramené un, dit-il, comme s'il s'agissait d'une prise de pêche.

Sa femme se présenta simplement, affichant un large sourire invitant :

— Bonjour, je m'appelle Mary.

Elle ne parut pas surprise par cet étranger que Sherman lui ramenait. Antoine réalisa à ce moment qu'il ne s'était même pas présenté auprès de ses hôtes.

— Moi, c'est Antoine Lyrette.

— Vous prendrez la chambre de Tommy, Antoine, dit Mary.

— Je ne voudrais surtout pas prendre la place de quelqu'un.

— Ne soyez pas stupide. Tommy est notre garçon, mais il est marié et habite au village depuis plusieurs années. Je suis certaine que vous aimeriez prendre une bonne douche. La chambre de bain se trouve au fond. Je vous apporte des serviettes.

Antoine était amusé. Il était entré dans la vie et dans l'intimité de ces gens comme si cela était la chose la plus normale du monde. « Nous allons laisser ce garçon se débarbouiller et pendant ce temps, tu vas me conduire à l'aéroport, ordonna Mary. Je dois apporter toute cette nourriture. »

En quelques minutes, Mary et Sherman avaient chargé la camionnette. Antoine, un parfait étranger, était resté seul dans leur maison. Il était planté au milieu de la cuisine, ses serviettes propres dans les mains, la bouche grande ouverte. Il était médusé.

La camionnette allait prendre la route lorsqu'il vit les lumières d'arrêt s'allumer, puis le véhicule se mettre en marche arrière. Le propriétaire s'était sûrement rendu compte qu'il était imprudent de laisser cet inconnu dans leur demeure, ou alors venait-il ramasser et cacher quelques objets de valeur. La camionnette recula rapidement et Sherman en sortit et s'élança presque au pas de course. Il entra en trombe dans la maison et Antoine s'attendait presque à ce qu'il se jette sur lui.

— Je m'excuse, dit-il essoufflé. J'ai manqué à toutes les règles d'hospitalité.

Il se dirigea vers le réfrigérateur et ouvrit la porte en souriant largement.

— Si le cœur vous en dit, il y a de la bière, dit-il en lui mettant une bouteille de Black Horse dans la main.

Il ne lui laissa même pas le temps de répondre et repartit au pas de course vers la sortie. Antoine n'avait toujours pas bougé d'un centimètre, de plus en plus époustouflé par ces gens. Ce qui venait de se passer avait quelque chose de surréaliste. La camionnette avait repris la route et s'éloignait tranquillement lorsque, constatant qu'il était toujours au même endroit, sa serviette sur le bras et une bière dans la main, il éclata de rire. Il rit durant de longues minutes et ce rire lui fit du bien. Dans quel pays et sur quelle planète était-il tombé ? C'est alors seulement qu'il prit conscience que ses hôtes n'avaient pas prêté attention à ses brûlures. Ils l'avaient regardé droit dans les yeux et n'avaient manifesté aucune gêne, aucun étonnement. Pas de regard fuyant. Du moins, Antoine en avait-il l'impression. En réalité, ils avaient bien sûr remarqué ses blessures.

— T'as vu ? demanda Mary après quelques kilomètres sur la route.

— Faudrait être aveugle pour ne pas voir, répondit simplement Sherman.

Ce fut tout. Pas d'autres commentaires. Ils estimaient que la décence, c'était de faire comme si cela n'existait pas, tant que le principal intéressé n'en parlerait pas.

Antoine se dirigea vers la douche et laissa l'eau chaude couler longuement sur son corps, en savourant la bière fraîche. Il ne se souvenait pas d'avoir bu meilleur nectar. Quand il fut bien propre, il remit les vêtements qu'il portait depuis maintenant deux jours. Comme tous les autres, il n'avait pas eu accès à ses bagages. Quand Sherman et Mary revinrent, Antoine était assis sur le perron. Il n'osait pas rester à l'intérieur, estimant qu'il n'avait pas le droit de se trouver seul dans la maison de ces gens pendant leur absence. Mais quand ils descendirent de voiture, il eut droit aux remontrances de Mary. « Vous auriez dû aller vous étendre. Vous devez être mort de fatigue. Allez, allez », dit-elle en le poussant presque dans la chambre.

Antoine n'opposa qu'une résistance symbolique. La pièce était petite, meublée d'une commode et d'un lit simple. Une lampe permettait d'éclairer la place. Il se laissa tomber sur le matelas et s'endormit immédiatement.

Lorsqu'il s'éveilla, le souper était sur la table. Mary avait fait dorer à la poêle de magnifiques morceaux de morue. Elle tirait une grande fierté de ses talents culinaires, et Sherman une grande jouissance qui se remarquait à son tour de taille. « Mangez ça. Vous allez voir ce que c'est de la vraie morue. » Antoine n'avait jamais aimé le poisson, et surtout pas la morue. Il faut dire que lorsque les prises arrivaient à Maniwaki, elles avaient perdu depuis long-temps la saveur de la mer. Celle-ci était si fraîche que la chair juteuse se détachait en flocons tendres. Il redemanda trois portions à Mary qui jubilait de sa réussite. Antoine offrit ses services pour la vaisselle, mais Mary s'y opposa. Sherman aussi : « J'ai jamais fait la vaisselle, vous n'êtes pas pour mettre le trouble dans mon ménage », dit-il le plus sé-rieusement du monde. Antoine se demanda s'il n'avait pas transgressé les coutumes locales, tellement le vieil homme paraissait sérieux. Puis son éclat de rire lui fit comprendre qu'il se payait sa tête. La soirée fut simple, mais remplie de chaleur et de bonhomie. Ils parlèrent de tout et de rien. Si le couple lui posait de nombreuses questions sur le Québec, il se gardait de toute question personnelle. Mais Antoine se sentait à l'aise avec ces gens qui semblaient avoir conservé les plus belles valeurs humaines. Il se laissa aller. Il leur parla de son métier et leur expliqua que c'est au cours d'un feu de forêt qu'il avait été brûlé au visage. Ils se contentèrent de hocher la tête. Il leur parla aussi de sa grand-mère qui était originaire de Terre-Neuve. Cette in-formation les intrigua beaucoup plus que tout ce qu'il leur avait dit jusqu'à maintenant.

— Malheureusement, leur confia Antoine, je n'ai jamais su de son vivant qu'elle était ma grand-mère et je connais peu de chose sur son passé, sauf qu'elle était d'un petit village nommé Tilting.

— Tilting ? s'exclama Mary. Ne me dites pas que vous êtes le petit-fils de cette femme dont le mari a ramené les cendres jusqu'ici en canot ?

— C'est bien ça Madame, répondit Antoine, quelque peu hésitant.

Il leur aurait annoncé qu'il était le pape ou le père Noël que la nouvelle n'aurait pas eu plus d'effet. Mary téléphona immédiatement à ses voisines. « C'est le petit-fils de cette Adela, vous vous souvenez ? » expliquait-elle avec enthousiasme.

La question était inutile. Tous s'en souvenaient. Il n'y avait pas cinq minutes qu'elle avait raccroché que la porte s'ouvrait. Ce fut d'abord Doris qui arriva avec une tarte aux bleuets toute fraîche à la main. La tarte était bien sûr un prétexte pour venir voir ce garçon de ses propres yeux. Puis ce fut Lucy, qui demeurait un peu plus loin, et qui entra sans frapper pour déposer un pot de confiture de chicouté sur la table. Antoine dut accepter leur présence, mais leur curiosité naïve l'amusait. En l'espace de quelques heures, il était passé du rang de parfait étranger à celui de « presque membre » de la famille. Ils se couchèrent tard, mais Antoine dormit enfin paisiblement.

Il fut réveillé tôt le lendemain par des bruits de pas dans la cuisine. Le soleil n'était même pas levé. Lorsqu'il ouvrit la porte, des hommes étaient rassemblés sur la galerie, vêtus de chemises orange. Des fusils de chasse étaient appuyés côte à côte contre le mur, près de la porte d'entrée. Mary était toujours à ses fourneaux comme si elle ne les avait pas quittés de la nuit. Il se demanda d'ailleurs où elle avait trouvé le temps de faire du pain frais et des brioches

à la cannelle dont il s'empiffra après les avoir généreusement recouvertes de chicouté. Il découvrait avec délice ce
fruit qu'ils appelaient *bakeapples* et qui constituait une
spécialité locale.

Sherman lui annonça que le groupe s'apprêtait à partir
pour la chasse à l'orignal. Il s'agissait d'une activité qui relevait presque du rituel religieux. « À Terre-Neuve, un
homme qui ne chasse pas l'orignal, c'est parce qu'il est mort,
lui dit Sherman en riant. Tu devrais venir avec nous. »

Antoine n'avait jamais chassé, mais, surtout, il voulait
d'abord prendre des nouvelles des vols. Il téléphona à
l'aéroport où on lui dit que les avions seraient cloués au sol
au moins quatre jours encore. « Pas question que tu partes
sans avoir vu une chasse à l'orignal », insista Sherman.

Ils fouillèrent dans les vieux vêtements que Tommy, leur
fils, avait laissés dans sa chambre pour lui dénicher quelque
chose à se mettre pour aller dans le bois. Antoine protesta,
alléguant qu'il ne pouvait partir ainsi, mais Mary lui cloua le
bec. « T'es pas pour user le fond de tes culottes en attendant
le téléphone. Si jamais ils appellent, je prendrai le message. »

Mary devait se rendre à l'aéroport, histoire de voir comment les femmes avaient organisé le ravitaillement de la
journée. Lucy lui avait dit qu'un restaurant avait offert gra-
tuitement le repas à tous les réfugiés. Elle promit à Antoine
de prendre des nouvelles. Elle partit avant le groupe de
chasseurs qui avaient eu quelques difficultés à trouver la
pointure de bottes adéquate pour leur visiteur québécois.
Quand ils sortirent enfin de la maison, Antoine nota que
Sherman n'avait pas fermé la porte à clé.

— Est-ce que je barre la porte ? demanda-t-il.

— Surtout pas, malheureux, répondit Sherman, ça doit
faire dix ans qu'on a perdu la clé.

Antoine était encore une fois amusé par les habitudes du milieu. La maison était ouverte à tous les passants et nul ne semblait s'en inquiéter.

Antoine peina et sua à marcher dans les zones marécageuses. Les chasseurs s'étaient dispersés, seuls ou en groupes de deux hommes. Antoine accompagnait Sherman qui semblait bien connaître les lieux. L'endroit ressemblait aux paysages au nord de Maniwaki, dans la réserve faunique La Vérendrye. White lui expliqua que l'orignal n'était pas présent à l'état naturel dans l'île. On avait importé quelques couples de ces grands cervidés du Québec et ils s'étaient si bien adaptés à leur nouvel habitat que leur population représentait un danger permanent sur les routes. Antoine songea qu'au Québec, ironiquement, ces bêtes magnifiques étaient en déclin rapide.

La journée fut éreintante, mais Antoine apprenait à connaître ces gens sympathiques. La lumière du jour commençait à faiblir lorsqu'un coup de feu retentit à bonne distance d'eux.

— Aimes-tu la langue d'orignal ? demanda Sherman.

— Pardon ?

— De la langue d'orignal, as-tu déjà mangé ça ?

— N… non, répondit Antoine, hésitant.

— Ben… c'est ce soir que tu vas en manger.

— Que voulez-vous dire ? demanda Antoine.

— Ned vient d'en avoir un.

— Comment en êtes-vous certain ?

— Le coup venait de l'endroit où se trouvait le vieux Ned, et il n'y a pas plus pingre que lui.

— Je ne vois pas le rapport, dit Antoine déconcerté.

— Ned a tellement peur de gaspiller une cartouche qu'on peut être certain que lorsqu'il tire, c'est parce que l'orignal a le nez appuyé sur le canon de son fusil.

Ils marchèrent lentement vers l'endroit où Ned s'était caché. Quand ils arrivèrent, la bête était bel et bien là, à ses pieds, et les hommes avaient déjà entrepris de l'éviscérer et de la débiter. Le vieux Ned avait coupé la langue de l'animal et l'exhibait comme un trophée.

« Ah ! Le Québécois, dit-il en essayant de prononcer ce mot dans un français qu'il écorcha de façon amusante. Ce soir ce sera de la langue d'orignal à la mode de Terre-Neuve. » Cette perspective n'enthousiasmait pas Antoine.

Les quartiers de viande furent péniblement transportés jusqu'au camion. Ils arrivèrent à la maison longtemps après que la nuit fut tombée. Comme d'habitude, Mary était aux fourneaux, mais elle ne sembla pas surprise outre mesure du succès de leur chasse. Sherman lui aurait annoncé que le facteur était passé aujourd'hui, qu'elle n'aurait pas manifesté moins d'étonnement.

— On a de la langue à faire cuire pour notre invité. Peux-tu arranger ça ?

Le simple fait de poser la question à Mary équivalait presque à une insulte.

— Vous savez, ça peut attendre, suggéra Antoine, qui ne voulait blesser personne.

Il souhaitait surtout trouver un moyen de se soustraire à la dégustation de ce mets peu ragoûtant. Il se remémorait la langue visqueuse, dégoulinante de salive et de sang, qui pendait de la bouche de l'orignal mort. Lorsque Ned l'avait tranché, l'organe était sale, taché de terre et d'herbes séchées. La seule expression qui lui venait à l'esprit en repensant à la langue était « beurk ! ».

— Ta-ta-ta, protesta Mary. Il ne sera pas dit que Mary White n'aura pas été capable de recevoir ses invités.

La Black Horse aida Antoine à oublier l'image peu appétissante de la langue de l'orignal. Quand Mary annonça que le repas était prêt, Antoine ravala bruyamment. Il porta un morceau à sa bouche en fermant les yeux pour éviter un haut-le-cœur. À sa grande surprise, le mets était exquis. La texture était différente de la viande qu'il connaissait, mais elle l'avait fait cuire avec des oignons et avait arrosé généreusement le tout d'une sauce onctueuse. Quand il ouvrit les yeux, il vit que tous les convives le fixaient, en attente du verdict. « C'est bon, dit-il en français avant de se reprendre et de répéter en anglais. C'est même très bon » ajouta-t-il, soulagé.

Fort heureusement, ils ne chassèrent pas tous les jours, et Antoine prenait goût à cette vie rudimentaire et aux personnalités si attachantes de ses hôtes. Il s'informa encore une fois à l'aéroport et on lui répéta que les avions ne décolleraient pas avant quelques jours. « Samedi ou dimanche », lui dit-on.

À l'instar de tous les autres, Antoine était sous le choc de ce qui s'était produit à New York. Ces événements étaient terribles. Il avait, comme tout un chacun, entre un repas et une partie de chasse, regardé à s'en rendre malade les images des deux avions qui s'écrasaient dans les tours, puis celles des édifices s'écroulant, des blessés et, surtout, des personnes cherchant des disparus. Il y avait peu de cadavres, car ils étaient réduits en cendre ; on aurait dit qu'ils s'étaient envolés. Les voyageurs, eux-mêmes otages des événements tragiques, partageaient la douleur et le sentiment d'insécurité qui ébranlait le monde entier. La terre s'arrêta de tourner quelques jours, et tout le monde rentra à la maison se blottir contre les siens. Sauf les voyageurs bien sûr, loin de leur maison, qui souffraient de ne pouvoir rentrer chez eux. Par contre, le contact avec ces gens était un véritable baume. «Dans le fond, j'ai un peu de sang terre-neuvien», songea-t-il. Jadis il avait voulu visiter le village de sa grand-mère, mais les tragiques incidents avaient changé le cours de sa destinée. Antoine Lyrette «d'avant» le feu n'existait plus. Il avait décidé de survivre et il s'était investi totalement dans une nouvelle vie, refoulant derrière un mur invisible tout ce qui avait été sa vie. Il y arrivait, à cette nouvelle existence, mais le hasard le plaçait aujourd'hui tout près de l'île de Fogo. Quand Sherman avait déplié la carte routière pour situer leur territoire de chasse, Antoine avait repéré l'île de Fogo et le village de Tilting. Il avait songé immédiatement à Jean. Il y avait si longtemps... Il avait aujourd'hui trente-neuf ans, elle devait en avoir trente-deux. Elle était certainement mariée, ou alors elle avait quitté son île si précieuse. Il était torturé entre son envie irrésistible d'aller voir le village de sa grand-mère, de retrouver ses racines qu'il n'avait jamais connues, et la crainte de rencontrer Jean. «De toute façon, si cela arrivait, elle ne me reconnaîtrait pas», pensa Antoine en se rappelant qu'il lui avait fait parvenir des photos de lui avant l'accident. Il ne lui avait jamais dit ce qui s'était passé. Il s'était enfermé dans son silence et l'avait éloignée de son esprit. Il craignait que la revoir fasse rejaillir en lui les sentiments qu'il avait eus à son égard. Il craignait surtout de voir ses yeux se détourner de lui, horrifiés, comme c'était si souvent le cas. Avec le temps, il s'était habitué, mais il n'avait jamais pu s'empêcher d'avoir un pincement au cœur chaque fois que son apparence provoquait une expression de dégoût plus ou moins réprimée autour de lui. Il craignait surtout de voir de la pitié dans les yeux de Jean. Mais aujourd'hui, il serait peut-être possible d'aller y flâner de façon anonyme. Le délai avant le départ lui donnerait l'occasion de réaliser ce vieux rêve de voir ce village.

Il s'informa auprès de Sherman de la possibilité de louer une voiture.

— Pourquoi faire ? demanda Sherman.

— Je voudrais me rendre à Tilting, répondit Antoine.

La demande d'Antoine n'étonna pas Sherman. Avec sa femme, ils avaient évoqué la possibilité qu'il veuille se rendre dans le village de sa grand-mère, mais ils n'avaient pas voulu le brusquer en lui proposant de l'y conduire. Ils comprenaient qu'il souhaitait probablement faire le pèlerinage seul.

— C'te gaspillage ! s'exclama Sherman. Pas question que tu loues une auto. D'abord, parce que t'en trouveras pas, et en plus t'es notre invité. Tiens ! dit-il en lui lançant les clés de la petite voiture que Mary utilisait à l'occasion.

Antoine commença par refuser. L'héberger et l'accueillir comme ils l'avaient fait était une chose admirable, mais laisser un véhicule à un étranger, cela tenait de l'inconscience :

— Sherman, je ne peux pas accepter. Je m'en voudrais s'il arrivait quelque chose à votre voiture.

— T'as un permis de conduire, j'imagine ? lui demanda simplement l'homme.

— Bien sûr, mais…

— Alors c'est tout. Mary et moi, on a la camionnette pour nos déplacements. Si t'es capable de piloter des gros avions, t'es certainement capable de conduire c'te tondeuse à gazon. Ça lui décrassera le moteur, dit-il en lui faisant un clin d'œil.

— Ce n'est pas la question… Antoine tenta de s'expliquer, mais avec ces gens, il avait appris que ce genre de scrupule ne se justifiait pas.

Il quitta la maison des White au volant de la vieille Toyota Celica de Mary, armé d'une carte routière. Sherman avait appelé à Twillingate pour connaître l'horaire du traversier qui faisait la navette. Antoine arriva juste à l'heure pour prendre le bateau. Il se plaça dans la file de voitures qui attendaient pour embarquer. Il avança dans l'embarcation et stationna. Il alla s'appuyer au bastingage pour humer l'air. Il se sentait léger. Il imaginait sa grand-mère Adela regardant cette même mer. La traversée ne dura que quelques minutes, et Antoine se retrouva sur les routes sinueuses qui reliaient les villages les uns aux autres. Longtemps, le seul lien entre les hameaux de l'île se limitaient aux sentiers et à la mer le long de la côte. Les routes n'étaient apparues que tardivement, remplaçant les sentiers que leurs ancêtres empruntaient à pied. Il arriva à Tilting et s'attarda dans les lieux dont il avait entendu parler. La Maison Lane, le magasin général Dwyer's, le Turpin Trail. Il alla également voir le monument érigé par les citoyens de Tilting en souvenir d'Adela Cole et de tous les enfants de Terre-Neuve qui n'avaient pu revenir sur leur île. La sculpture était érigée en bonne place, face à la mer. Le visage d'une jeune femme émergeait de la roche et ses cheveux, pourtant de pierre, semblaient voler au vent. Il n'avait pas connu le visage de sa grand-mère jeune, mais il se rappelait bien d'elle en âge avancé. Elle faisait partie du petit compartiment à souvenirs heureux en lui. L'artiste s'était inspiré d'une photographie, la seule que les descendants avaient retrouvée. Il y avait une certaine ressemblance, mais la Adela qu'il avait connue attachait ses cheveux. Il reconnut tout de même la douceur des traits. Il regarda nerveusement autour de lui, comme s'il craignait que quelqu'un le reconnaisse, mais il était seul. Il toucha la joue de la statue, souhaitant presque que le visage s'anime pour lui parler. Ses yeux se remplirent d'eau et il retira prestement la main, refoulant ce vieux sentiment de regret. Malgré tout, cette visite lui faisait du bien. Il aimait cet endroit. Il aurait cependant voulu en savoir plus, connaître le pays où elle avait vécu.

Son estomac lui rappela qu'il était temps de manger et il résolut de se rendre au restaurant du village, dans l'espoir d'y glaner en même temps des informations. Il y avait quelques clients lorsqu'il entra. Il chercha un endroit pour s'installer, activant instinctivement ses mécanismes de défense pour se protéger des regards curieux. Il restait quelques tables disponibles, mais il décida de s'asseoir au comptoir où tous les tabourets étaient libres. Il pourrait ainsi poser quelques questions à la serveuse. Il avançait vers le premier banc sans oser regarder qui que ce soit, lorsque son pied buta sur une canne blanche. Antoine s'excusa poliment auprès de la dame à qui elle semblait appartenir. Il avait gardé les yeux au sol, se confondant en excuses pendant qu'il se dirigeait vers le comptoir. La femme se trouvait sur sa droite et Antoine songea bêtement qu'elle se trouvait du côté de son mauvais profil. Cependant, elle ne pouvait pas le voir, puisqu'elle était aveugle. Il résista à la tentation de lui jeter un coup d'œil. Il aurait l'impression de faire à son égard ce qui l'indisposait lui-même. Elle n'était pas un objet de curiosité. Et même si elle ne pouvait voir qu'on la regardait, il n'était pas question de céder à cette curiosité morbide. Il la voyait cependant s'agiter sur sa chaise.

Lorsque la serveuse vint prendre sa commande, il prit le plat du jour et lui demanda si elle connaissait la maison qu'avait habitée cette Adela Cole dont il avait vu le monument.

« Vous n'êtes pas le premier qui me demandez ça, mon ami », lui répondit la jeune femme en lui donnant les indications.

Dès que l'échange fut terminé, il vit la femme bouger sur sa droite. Il se concentra sur le potage que la serveuse venait de déposer devant lui.

— Antoine Lyrette ? !

Antoine faillit s'étouffer. C'était cette femme qui s'adressait à lui. Elle avait prononcé son nom avec un accent qu'il avait déjà entendu. Tel un ordinateur cherchant un fichier, le cerveau d'Antoine fureta une fraction de seconde dans sa mémoire. Ce n'est que lorsqu'il accéda au compartiment des souvenirs heureux qu'il fit le lien. Il tourna lentement la tête sur sa droite. Il reconnaissait les traits de ce visage, bien que les cheveux attachés fussent différents de l'image de ses souvenirs. La voix du téléphone se juxtaposa à la photo qu'il avait longtemps gardée dans son ordinateur.

— Antoine ? répéta la femme.

— Oui… s'empressa-t-il de répondre. C'est moi.

Jean Fisher avait l'habitude de ce restaurant. Elle connaissait tous ses bruits et toutes ses odeurs, pas toujours agréables, il est vrai. Elle aimait se retrouver dans cette ambiance peuplée de sons et d'odeurs. Elle percevait, souvent sans le vouloir, les conversations de certains clients et avait parfois l'impression d'être une « voyeuse » selon la définition que les voyants donnaient à ce mot. Elle entendait des tranches de vie. Chaque voix était une empreinte qu'elle enregistrait instinctivement. Un déclic s'était fait dans sa tête dès qu'il s'était excusé. L'homme avait un fort accent francophone. Un accent francophone du Québec et elle était certaine qu'il s'agissait de la voix qu'elle connaissait.

Elle avait tendu l'oreille lorsqu'il avait parlé à la serveuse et son cœur s'était mis à battre la chamade quand il avait demandé des informations sur la maison Cole. C'était lui. Elle avait songé à ne rien dire, à garder le silence. Mais elle avait aussi espéré qu'il la reconnaisse. Il lui avait un jour demandé de lui faire parvenir une photographie et c'était son ami Dwain qui avait pris le cliché qu'elle lui avait envoyé. Ils restaient à leur place, paralysés tous les deux, ne sachant plus quoi faire.

— C'est vraiment toi ? demanda Jean.

— Oui, c'est bien moi, répéta Antoine toujours mal à l'aise.

Il réalisa soudainement sa méprise sur le handicap de Jean. Quand elle lui avait dit qu'une subvention avait servi à adapter son poste de travail à son handicap, il l'avait imaginée en chaise roulante. De nombreux organismes publics avaient profité de telles subventions, et il s'agissait presque toujours de l'aménagement d'une rampe d'accès pour les chaises roulantes.

Il eut un instant de panique. Il n'avait que deux options : ou bien il s'assoyait avec elle et lui disait enfin la vérité, ou bien il prenait ses jambes à son cou. Elle était aveugle. Elle ne pouvait donc pas le voir. Il s'avança vers sa table. Elle était toujours aussi belle. Plus mature que sur la photo, mais peut-être plus élégante. Il comprenait maintenant pourquoi son regard semblait porter au loin sur la photo. Elle ne regardait pas l'horizon, elle regardait au-delà de ce point.

Lorsqu'il se fut assis près d'elle, elle avança la main et toucha la sienne. Un frisson le parcourut. Il avait creusé un tel fossé autour de cette partie de sa vie qu'il songea un instant à retirer sa main.

— Comment se fait-il que tu sois ici ? lui demanda-t-elle, sans aucun reproche dans la voix.

Quand elle lui avait parlé au téléphone pour la dernière fois, près de huit ans plus tôt, elle avait senti beaucoup de douleur dans sa voix. Elle avait feint l'indifférence quand il lui avait dit qu'il valait mieux mettre fin à leur relation, mais elle avait pleuré à chaudes larmes quand il avait raccroché. Elle avait regretté de ne pas lui avoir tout dit à son sujet. Au début, il s'agissait d'un jeu. Antoine Lyrette, alias Jean, était un simple correspondant. Puis, lorsqu'elle avait su qu'il était le petit-fils d'Adela, cette femme qui était devenue l'héroïne du village, elle s'était sentie attirée par lui. Elle voulait le connaître. Mais elle s'était fait prendre au jeu. Elle s'était éprise de lui. Elle avait alors cherché les occasions de lui dire, de lui expliquer que jamais elle ne pourrait le voir. Mais plus le temps passait et plus cela devenait difficile. Il allait sûrement se détourner d'elle. Qui voudrait s'embarrasser d'une aveugle ? Bien sûr, Jean s'était bien adaptée à sa situation et elle était parfaitement autonome, mais elle se rendait compte que sa cécité lui interdisait certaines activités. Et comme elle était non-voyante de naissance, qui voudrait d'une épouse qui risquait d'accoucher d'un enfant aveugle ? Elle avait eu quelques amants, mais avait toujours gardé ses distances. Avec Antoine, la distance était concrète, ce qui l'avait rendue moins méfiante. Plus le temps avait passé, plus l'aveu devenait difficile à faire.

— J'aurais dû t'avouer que j'étais aveugle, lui dit-elle.

Antoine ne savait toujours pas ce qu'il devait lui dire. Il résolut pour une fois de se laisser aller. Il n'y avait plus rien d'autre à faire, il n'y avait plus rien à cacher.

— Et moi... et moi, j'aurais dû te dire...

Il laissa son cœur parler, lui expliqua le terrible accident dont il avait été victime, son visage défiguré, le suicide de Judith et le sentiment qui l'avait habité par la suite. Il lui décrivit le regard de dédain que les gens posaient sur lui et lui expliqua qu'il avait craint qu'elle ait la même réaction. Jean avança sa main vers son visage et Antoine eut un mouvement de recul.

— C'est la seule façon que je puisse te voir, dit-elle pour le rassurer.

Ses doigts effleurèrent le côté gauche de son visage, s'attardant sur la texture de la peau. Elle toucha d'abord l'oreille, puis la joue et le menton. Son index descendit lentement sur son nez, puis sur ses lèvres. Quand elle toucha le côté droit, son visage eut une expression de tristesse. Elle laissa ses doigts glisser sur les cicatrices qui formaient des bosses.

— Je sais, ce n'est pas joli, dit Antoine.

— J'y vois, moi, beaucoup de douceur mêlée à beaucoup de souffrances, lui répondit Jean. Je ne t'avais jamais imaginé autrement.

Antoine avança la main et toucha son visage comme elle l'avait fait pour lui.

— Merci. C'est tout ce que j'avais besoin d'entendre.

Ils parlèrent longuement, oubliant l'heure. Elle lui tenait affectueusement la main, explorant de ses doigts l'intérieur de sa paume, à la recherche d'informations qu'elle seule pouvait percevoir. Ils s'étaient juré pendant des années de ne plus se laisser prendre à ce jeu, mais ils y étaient retombés en l'espace de quelques minutes. Quand la serveuse vint les avertir que le restaurant fermait, Antoine s'écria en français : « Merde ! Le traversier. »

Il avait laissé le temps passer sans se préoccuper de

l'heure, et il avait manqué le dernier traversier qui pouvait le ramener à Twillingate. Il était prisonnier de Fogo. Il voulut louer une chambre quelque part, mais Jean s'y opposa.

— J'habite à côté, tu peux passer la nuit chez moi.

Elle sentit un mouvement de résistance qu'elle comprit immédiatement.

— T'en fais pas, il y a un divan.

Antoine téléphona à Sherman White pour se confondre en excuses, mais ce dernier l'arrêta avant qu'il ait dit la moitié de ce qu'il avait prévu lui dire.

— Ne te préoccupe pas de ça mon garçon, dit-il comme s'il avait été son fils. Tu as un endroit où coucher ?

— Ou... oui.

— T'inquiète pas pour l'auto.

Antoine était intimidé lorsqu'il entra chez Jean. Il se sentait comme un jeune adolescent. Il eut de la difficulté à voir l'intérieur de la petite maison, car la pièce était plongée dans l'obscurité. Ce n'est que lorsqu'elle entendit le tibia d'Antoine cogner la table du salon que Jean réalisa que, comme d'habitude, elle n'avait pas allumé la lumière. Elle toucha l'interrupteur et la lumière inonda la pièce. « La lumière, dit-elle, c'est pour les visiteurs et les amis. »

La maison était agréablement meublée, mais il y avait une certaine cacophonie des couleurs. Jean avait choisi des objets non pas en fonction de l'agencement des couleurs, mais de leur texture et de leur forme. Elle lui proposa du thé. Ils parlèrent de ce qu'ils étaient devenus. Jean lui parla de sa passion pour le patrimoine de Tilting. Quand il avait été question de créer un site Internet, elle s'était portée volontaire, comme elle lui avait écrit il y avait presque dix ans de cela. Son ordinateur était muni d'un synthétiseur de voix qui lui permettait d'entendre tout message qu'elle recevait et aussi de prendre connaissance des informations sur d'autres sites.

Antoine lui parla de sa mère, qu'il avait évité de revoir depuis son accident. Il tenta de lui expliquer l'amertume qui l'avait englouti quand il avait appris, par la bouche des médias, son passé, son père qui avait tenté de déposséder Achille de sa terre, et qui, le salaud, avait réussi avec lui. Il parla de sa douleur quand son ami était venu lui raconter dans le menu détail que la ferme avait été vendue aux enchères. Des larmes coulèrent de ses yeux à cette évocation et l'une d'elles tomba sur la main de Jean. Elle avança ses doigts, essuya ses joues, puis porta son doigt à sa bouche. Elle tourna son visage vers le sien et respira son odeur. Antoine eut un mouvement imperceptible de retenue. Il souhaitait ce moment depuis si longtemps. Il colla ses lèvres sur les siennes pendant qu'ils glissaient l'un vers l'autre. Jean caressa son visage, puis fit glisser ses cheveux entre ses doigts. « Antoine, où étais-tu durant tout ce temps ? » demanda-t-elle sans attendre une réponse.

Il n'aurait de toute façon pu dire un seul mot, car sa bouche s'était à nouveau plaquée sur la sienne. Antoine avait beau se retenir, il n'y arrivait pas. Il y avait si longtemps qu'il avait tenu une femme dans ses bras qu'il parvenait difficilement à se contrôler. Il toucha ses seins et la sentit s'abandonner. Ses mamelons durcis pointaient au travers du mince tissu de son chemisier et ne laissaient aucun doute sur ses propres émotions et le désir qui la submergeait. Il la prit dans ses bras, cherchant du regard la chambre à coucher. Comme si leurs esprits ne faisaient plus qu'un, Jean lui dit : « La chambre est à droite. »

Son beau visage était souriant. Il la transporta, la déposa sur le lit et entreprit de la dévêtir. Il avait le goût de se jeter sur elle avidement, mais il sentait que sa longue abstinence le trahirait. Il voulait que ce moment fût plus qu'un simple acte sexuel. Quand il ouvrit son chemisier, il sentit son membre gonfler. Ils se dévêtirent en se caressant longuement. Jean avait l'impression que chaque centimètre de sa peau était devenu une sonde branchée sur la zone de plaisir de son cerveau. Elle laissait ses doigts s'attarder partout sur le corps de son amant et Antoine crut qu'il ne pourrait plus se retenir. Lorsque leur excitation fut au comble, lorsque leurs corps ne purent attendre une seconde de plus, lorsque leur souffle devint lourd, il se laissa glisser en elle. Leurs plaintes se mêlèrent dans la nuit.

Quand le soleil chassa l'obscurité, ils étaient encore enlacés et il suffisait à Antoine de porter les yeux sur Jean pour que l'excitation l'envahisse. Ils firent l'amour plusieurs fois.

À la fin de la journée, Antoine communiqua avec l'aéroport. Il apprit que les avions décollaient le surlendemain. Il téléphona de nouveau à Sherman. Il avait estimé que cette fois, il devait s'expliquer.

— Sherman, écoutez-moi. J'ai retrouvé quelqu'un que j'ai connu il y a plusieurs années… quelqu'un que j'aime, et si vous le voulez bien, je garderai la voiture jusqu'à demain.

Pour toute réponse, Sherman éloigna l'appareil de son oreille et cria, enthousiaste, à l'intention de Mary :

— Le p'tit gars a trouvé une petite amie à Tilting. Je crois qu'elle l'a accroché comme une morue à un hameçon.

Antoine voulut protester, mais ce n'était plus le même interlocuteur à l'autre bout du fil. Mary avait pris le combiné des mains de Sherman.

— Alors, il paraît que tu t'es fait une petite amie ? Comment s'appelle-t-elle ? Elle est jolie ?

Antoine ne put s'empêcher de rire.

— Oui, elle est très jolie. Elle s'appelle Jean Fisher.

— Alors fais bien attention à elle, le prévint Mary avant de le saluer et de lui faire des recommandations comme s'il était son propre fils.

Elle raccrocha sans que ni elle ni Sherman ne se soient inquiétés de la voiture. Antoine les adorait.

Jean lui fit visiter Tilting, lui raconta les anecdotes faisant partie de sa vie et qui étaient reliées à ces lieux. Elle avait mis de côté sa canne blanche, liant son bras à celui d'Antoine. Ils rencontrèrent plusieurs personnes du village que Jean se faisait un plaisir de lui présenter. Ils s'attardèrent à la maison Cole. Il s'agissait d'une vieille maison, semblable à bien d'autres maisons de pêcheur du début du siècle. Elle devait avoir plus de cent ans et n'avait rien de majestueux, mais Jean connaissait de nombreux détails sur la petite histoire de la famille qui l'avait habitée. Elle était abandonnée depuis plusieurs années, victime elle aussi de l'exode de la population après la crise des pêches.

Antoine lui demanda ce qu'il était advenu du canot qu'Achille avait utilisé pour son long périple de Sainte-Famille-d'Aumond. Il savait que l'embarcation était demeurée sur l'île après la mort d'Achille.

— John Owen l'a longtemps eue en sa possession. Il en retirait une réelle fierté, mais un jour, apparemment, quelqu'un est venu et lui a offert un « prix qu'il ne pouvait pas refuser ». Nous lui en avons voulu de l'avoir vendu.

Quand ce fut l'heure de partir, Antoine ne voulait plus retourner chez lui sans elle.

— Je veux te revoir, dit-il.

— Moi aussi.

— Je crois que tu ne comprends pas. Je veux te revoir…
souvent… le plus souvent possible.

— Moi aussi, répéta-t-elle encore une fois. Encore que
« voir » ne soit pas le terme que j'emploierais, ajouta-t-elle.

Il sourit. Il hésitait sur les mots. Il avait peur, mais il savait que cette peur l'avait un jour empêché d'aller plus loin
et il regrettait, maintenant, toutes ces années perdues. Il eut
l'impression que le sens réel de ses paroles n'avait pas été
bien compris.

— Ce que je veux dire, c'est que j'aimerais te voir… tout
le temps, tous les jours.

Jean comprit que leur relation prenait un tournant. Elle
savait ce que cela pouvait impliquer et elle en avait peur. Il
risquait d'être question que l'un des deux quitte son milieu
pour vivre avec l'autre. Cette idée l'avait aussi effleurée
lorsque, quelques années plus tôt, il lui avait dit une première fois qu'il désirait la voir. Elle avait imaginé ce que
leur relation risquait de devenir et en devinait les conséquences. Mais actuellement, son cœur battait si fort que
toutes ses appréhensions disparaissaient.

— Moi aussi, répondit-elle encore une fois, comme si
son vocabulaire s'était soudainement limité à ces deux
seuls mots.

Quand Antoine fit démarrer la voiture de Mary, la main
de Jean tenait toujours la sienne. Il lui promit de revenir
bientôt, très bientôt. Il allait partir, lorsqu'elle sortit un paquet de derrière son dos… Elle lui demanda de ne l'ouvrir
que lorsqu'il aurait quitté Terre-Neuve, et lui fit promettre
d'en « faire usage ». Antoine promit, mais en se demandant
ce que cette boîte contenait pour qu'il doive jurer de s'en
servir. Sur la route qui le ramenait à Gander, tandis qu'il

passait sa main sur ses joues, il songea avec inquiétude qu'il s'agissait peut-être d'un rasoir. Du côté droit, les poils avaient disparu et n'étaient jamais réapparus, mais du côté gauche, il avait la barbe drue. « Un peu piquant pour une femme, surtout pour une non-voyante », songea-t-il.

Quand il arriva chez les White, il fut accueilli avec le même enthousiasme que s'il eut été un membre de la famille revenant d'un long séjour à l'étranger. Mary avait préparé une grande chaudrée de *Jig's dinner* pour ce dernier repas. La soirée se passa dans une atmosphère de fête. Même les voisins vinrent lui adresser leurs salutations. Au moment du départ, Mary avait les yeux pleins d'eau. Antoine aussi. Ces gens attachants lui manqueraient.

— Vous ne serez pas débarrassés de moi bien longtemps. Je reviendrai, leur dit-il.

— Cette petite t'a bien eu, mon petit Québécois, lui dit Sherman en se tapant sur les cuisses.

Il offrit de l'argent à Sherman pour sa voiture, qu'il refusa en feignant d'être insulté. Le lendemain, le couple le conduisit à l'aéroport. Il dut leur promettre de faire un arrêt chez eux chaque fois qu'il viendrait à Terre-Neuve, et de leur donner des nouvelles. Il n'était pas question qu'il les oublie.

Il arriva à l'aéroport en même temps que les autres « réfugiés » du 11 septembre. Antoine revit d'autres voyageurs qui, comme lui, avaient reçu un accueil qui dépassait la simple hospitalité. Les exemples étaient nombreux... et plutôt surprenants.

Antoine était lui aussi amusé et parfois médusé. Ces gens-là étaient modestes et attachants, sans malice et sans crainte. Alors que le monde entier avait verrouillé ses portes en se méfiant même de son voisin, les gens de cette région avaient ouvert les leurs sans restriction à de parfaits étrangers.

Quand l'avion roula sur la piste pour s'envoler, Antoine remercia presque le ciel d'avoir mis sur terre un certain Oussama Ben Laden. Sa vie avait changé à cause d'un illuminé. Durant ces quelques jours, il avait fait le plein de bonheur.

Il sortit de son sac le paquet que Jean lui avait remis. Il déchira l'emballage au moment où les roues de l'avion quittaient le sol. Il y découvrit un livre sur la couverture duquel on pouvait lire en grosses lettres : *Lettre à mon fils*. Une petite note que Jean avait rédigée à l'ordinateur et qu'elle avait imprimée accompagnait le cadeau : « Cette lettre t'appartient ».

Chapitre vingt-cinq

On ne parlait plus que du terrible attentat. Le monde était pris de panique et le grand aigle américain, qui se croyait bien à l'abri des petites souris, venait d'être ébranlé : quatre avions pilotés par les membres du groupe lié à Oussama Ben Laden avaient été projetés contre quatre cibles. Deux avaient percuté le World Trade Center à New York, un troisième avait détruit une partie du Pentagone et le dernier était tombé dans un champ en Pennsylvanie. On racontait que cet appareil devait s'écraser sur la Maison Blanche, mais les kamikazes avaient, semble-t-il, perdu le contrôle de l'appareil aux mains des passagers. Denis regrettait presque l'échec du dernier commando.

Toutes les frontières des États-Unis furent fermées tandis que les Américains comptaient leurs morts. Depuis des jours, on les assommait avec ces images de destruction, puis avec celles de parents venus chercher, dans l'incroyable amas de débris, un père, une mère, un fils. Tous les vols à destination des États-Unis furent suspendus et, même au Canada, le ciel fut presque paralysé. Seuls les vols d'urgence furent permis durant quelques jours.

Denis était fasciné par ce qui s'était produit et il s'était mis à analyser la possibilité de mettre un tel plan en application. Ce ne serait pas difficile pour lui, car il n'aurait pas à s'emparer d'un appareil : c'est lui qui commandait l'avion. Il avait en tête l'Hôtel du Parlement à Québec, siège de l'Assemblée nationale. C'était tout à fait logique.

C'était à cause des pressions des gouvernements, du Québec et d'Ottawa, que l'Ordre avait été l'objet de harcèlement. Jouret le leur avait dit. C'est d'ailleurs en raison de leur complot que le Maître avait déclenché précipitamment le passage vers Sirius. En s'écrasant sur l'Assemblée nationale, il emporterait avec lui un nombre suffisant de morts pour « payer » son passage, c'était certain. Bien sûr, ils n'étaient pas volontaires, mais comme l'avait constaté Denis, ceux qui avaient participé aux différents passages n'étaient pas tous consentants.

Il était plongé dans ses pensées lorsqu'il arriva à l'aéroport. Il devait prendre les airs pour ramener un accidenté du lac Saint-Jean. Un petit voyage rapide et sans histoire. En entrant au bureau, la standardiste lui passa un appel :

— Denis Tanguay à l'appareil, répondit-il.

— Monsieur Tanguay, mon nom est Martin Éthier du journal *Le Droit*.

Denis crut qu'il s'agissait encore d'une campagne téléphonique d'abonnements. Il recevait ce genre d'appel au moins une fois par semaine, mais *Le Droit* était un journal d'Ottawa et on ne l'aurait jamais contacté ici, à Québec, pour un simple abonnement.

— Oui, dit-il hésitant.

Martin devait être prudent. Il n'avait rien de solide pour le moment.

— J'ai rencontré quelqu'un dans un restaurant de Morin Heights qui vous connaît.

— Ah oui ? répondit Denis, perplexe. Il n'avait aucun ami et ne se souvenait pas d'avoir fraternisé avec qui que ce soit dans un restaurant de Morin Heights.

— On me dit que vous faisiez partie de l'Ordre du Temple Solaire ? demanda brutalement Martin.

— Je... je ne sais pas de quoi vous voulez parler, répondit Denis, paniqué. Je dois vous laisser, j'ai un vol. Désolé de ne pas pouvoir vous aider.

Il raccrocha sans laisser le temps à Martin de poser une autre question. Pendant des années, il s'était terré. Il avait soigneusement pris soin de ne pas faire de bruit, de ne pas se faire remarquer, mais maintenant il était découvert. Il se sentit comme une de ces couleuvres qu'il faisait sortir des buissons en battant l'herbe quand il était jeune. Le reptile découvert ne survivait pas.

Le vol se fit sans histoire. Quand l'avion arriva à l'aéroport, l'ambulance y était aussi. On procéda rapidement à l'embarquement du blessé et de son épouse. Aussitôt que l'équipe médicale donna le signal, l'avion décolla.

Denis songeait au coup de fil du matin. Qu'allait-il se passer si ce journaliste révélait son appartenance à l'Ordre du Temple Solaire ? On le mettrait probablement à la porte, ou alors on essaierait de lui faire révéler ses secrets. Cela faisait nécessairement partie du complot. Quand il aperçut les lumières de Québec, il chercha à repérer l'Hôtel du Parlement. L'appareil amorçait sa descente vers l'aéroport, quand l'avion s'écarta lentement de sa trajectoire.

— Commandant, nous ne sommes plus dans la trajectoire pour l'aéroport. Il faut corriger la direction, insista Dan Stanley, son copilote.

Denis ne semblait pas l'entendre. L'avion perdit encore de l'altitude et descendit dangereusement sur la ville. L'alarme indiquant que le train d'atterrissage n'était pas sorti se mit à émettre un son strident.

— Commandant, nous sommes trop bas, répéta Dan avec inquiétude.

Denis imaginait les kamikazes des avions qui s'étaient

jetés sur les tours à New York. Les dernières images, juste avant que l'appareil pénètre dans l'édifice, avaient dû être saisissantes. Il descendit encore et aperçut la tour de l'Hôtel du Parlement. Stanley était cette fois au bord de la panique et il cria :

— Merde, vous allez nous écraser !

Stanley tira avec force sur les commandes et sentit une résistance. Pendant quelques secondes, les deux hommes s'affrontèrent, puis Tanguay lâcha prise. Dan remit l'appareil dans la bonne trajectoire et effectua l'atterrissage. Dès que leurs passagers eurent été pris en charge à l'aéroport par les services médicaux, le copilote se rendit faire son rapport sur l'incident. Il y avait longtemps qu'il trouvait Denis Tanguay étrange, mais cette fois, il avait carrément disjoncté. Quand Hugues Tremblay, le patron de Denis, le fit entrer dans son bureau, il était fou de rage.

— Qu'est-ce que c'est que cette histoire ? Il paraît que vous avez fait du rase-mottes au-dessus de Québec ?

— Ce n'était pas du rase-mottes, répliqua Denis. J'ai simplement… changé un peu de cap. Ce n'était qu'une blague.

— En tout cas, votre copilote l'a pris très au sérieux. Il ne veut plus voler avec vous. Vous êtes relevé de vos fonctions jusqu'à ce que l'enquête soit terminée.

Denis n'avait pas prévu cette éventualité. Il ne pouvait pas rester cloué au sol. Ce serait trop bête, alors qu'il était maintenant prêt pour le grand passage. Il supplia son patron de ne pas l'empêcher de voler.

— Je verrai ce que je peux faire, répondit-il sans conviction.

À quelques reprises, Martin essaya de parler à Tanguay, mais ses messages restaient sans réponse. Denis avait eu peur en entendant parler de l'Ordre. Le journaliste avait le sentiment d'avoir retrouvé l'inconnu qu'il cherchait depuis si longtemps, le cinquante-quatrième Templier. Il aurait voulu se rendre à Québec pour tenter de le débusquer, mais les attentats du 11 septembre retenaient l'attention de tout le monde. À Ottawa, la fermeture des frontières américaines avait semé la panique et plusieurs entreprises dont le sort dépendait des exportations étaient littéralement paralysées.

Ce qu'il avait recueilli comme informations était suffisant pour allumer un grand panneau lumineux dans sa tête. Un grand panneau où le mot « Danger » était écrit en grosses lettres. Pas question cependant pour Gilles Pilon, le rédacteur en chef, de se priver d'un de ses journalistes.

— Tu vas laisser faire ces histoires de… de Témoins de Jéhovah. On a besoin de toi ici.

Martin tenta de raisonner son patron.

— Écoute, Gilles. Ce gars-là n'est pas un Témoin de Jéhovah. Il n'appartient pas à n'importe quelle secte. Il s'agit de l'Ordre du Temple Solaire.

— Laisse ce type tranquille quand même. Je suis certain qu'il a compris depuis longtemps la folie qui a frappé ces personnes et maintenant, tout ce qu'il souhaite, c'est avoir la paix.

Martin poursuivit néanmoins ses recherches. Il demanda à parler au responsable des pilotes, Hugues Tremblay. Il obtint aussitôt la communication. Martin se présenta et commença à le questionner sur Denis Tanguay. Tremblay explosa, convaincu que quelqu'un avait parlé de l'incident de l'avion au-dessus de la ville :

— Qui vous a raconté ce qui est arrivé ?

— Qu'est-il arrivé ? demanda Martin, interloqué.

L'homme bafouilla, réalisant soudainement que le journaliste n'était au courant de rien. Il refusa cependant de répondre à toute autre question. Quand Tremblay raccrocha, il se dit que ce Tanguay devait être écarté du transport des passagers. Il n'avait pas encore fait la lumière sur cet incident, et il ne voulait pas avoir toute la presse du Québec sur le dos.

Chapitre vingt-six

Antoine pensa d'abord ranger le livre dans son sac de voyage, mais il le déposa sur ses genoux. Son compagnon de siège, Henri Hébert, remarqua le livre et l'hésitation d'Antoine, comme s'il évitait d'y toucher, de le prendre dans ses mains. Antoine avait beau être discret et avoir refermé la porte sur son passé, le milieu dans lequel il vivait était petit. Hébert avait entendu parler de lui lors de son terrible accident. Il avait appris tout le reste de l'histoire de la bouche de ses collègues. Et puis, le livre de Nicole Lyrette avait été un tel succès, qu'il aurait été difficile de ne pas être au courant. Henri jeta un rapide coup d'œil sur le livre, puis détourna les yeux en se promettant d'en acheter un exemplaire aussitôt qu'il en aurait l'occasion. Il lisait peu en dehors des nombreux imprimés qu'il était contraint de lire pour son travail. Mais dans l'espace exigu de l'avion, confiné durant plusieurs heures à son siège, le livre semblait irrésistible. La curiosité le dévorait et il avait presque envie de le lui emprunter.

Dès que l'avion eut quitté le sol, Antoine prit le livre. Il l'ouvrit à la première page, lut la première ligne. « Avant toute chose, je veux que tu saches que je t'aime plus que tout au monde ». Dire qu'il plongea dans la lecture du livre est un euphémisme. Antoine fut si absorbé par sa lecture dès la première ligne, qu'il en oublia ses compagnons, le voyage, l'avion, l'hôtesse qui lui tendit un plateau de nourriture et la lumière leur annonçant qu'ils devaient boucler

leur ceinture pour l'atterrissage, ce qui n'était pas nécessaire, car il ne l'avait même pas détachée après le décollage.
Il avait lu la moitié du livre quand il réalisa que les passagers quittaient l'avion.

Une fois les formalités de débarquement expédiées,
Antoine s'engouffra dans la voiture qui devait ramener les
délégués au siège de la SOPFEU, à Maniwaki. Durant les
trois heures du voyage, Antoine disparut de nouveau derrière le livre. Personne n'osa faire de commentaires, ni
même lui demander si le livre était bon. Ils feignirent durant tout le trajet de l'ignorer, mais jetèrent souvent des regards dans sa direction, cherchant une réaction.

À quelques kilomètres de Maniwaki, Antoine referma
enfin le livre et le déposa sur ses genoux. Il caressa doucement la couverture du bout des doigts comme si l'objet
était vivant. Des larmes brillaient au coin de ses yeux. Un
silence émouvant s'était installé dans l'habitacle de la voiture, les autres passagers ne cherchant plus à simuler l'indifférence.

Quand ils laissèrent Antoine à son appartement, Hébert
tendit d'abord la main pour le saluer, puis se laissa aller, le
prit dans ses bras, lui tapotant le dos comme un père.
Hébert rougit de son geste affectueux et se contenta de dire :
« Fais attention à toi. »

Antoine avait été touché par ce geste un peu maladroit.
Entre hommes, même dans une famille, ce genre d'épan-
chement est rare. Entre collègues, ça ne se fait tout simplement pas. Il entra chez lui, heureux d'être de retour et de
retrouver ses choses. Il se sentait bien dans cet endroit
malgré l'exiguïté des lieux. Pendant longtemps, il s'y était
abrité, loin des regards gênés des autres. Il était parti trois
semaines plus tôt avec une idée bien précise sur la façon

dont les choses devaient se passer. Rien n'était arrivé comme il l'avait prévu. Il avait cru qu'il lui suffirait d'adresser la parole à quelques groupes, mais il s'était retrouvé sous les feux de la rampe. Peut-être parce que son visage ressemblait à celui du Sphinx dans *Batman*, il avait su trouver le courage de leur parler, de montrer qui il était. Il avait aussi craint que la presse française ne s'attarde à cette histoire de pyromane et de brûlure. Le message qu'il leur avait livré avait été qualifié de « brillant », et les comptes rendus furent très positifs pour l'image de la délégation. Puis, il y avait eu le 11 septembre et cette crise qui avait forcé leur avion à atterrir à Gander. Le destin ? Peut-être. Il ne le savait trop. La seule chose qui comptait aujourd'hui était cet incroyable sentiment qui l'habitait. Son cœur battait à la seule évocation de son nom. « Curieux comment un nom, qu'on avait d'abord pris pour celui d'un homme, peut devenir sensuel », songea Antoine.

Malgré l'heure tardive et le décalage horaire, Antoine ne pouvait résister à la tentation d'appeler Jean. Il craignait de la réveiller, mais elle décrocha le téléphone dès la première sonnerie.

— Antoine ?

— C'est moi. Je… je pensais à toi, dit-il, gêné par la stupidité d'une telle phrase.

— Je craignais que tu sois furieux contre moi à cause… à cause du livre, dit-elle, hésitante.

— Je l'ai lu. Je l'ai lu en entier et… je regrette de ne pas l'avoir fait avant. Mais dis-moi, comment as-tu pu lire un livre, de surcroît en français ?

— C'est Dwain qui me l'a lu. Il me fait souvent la lecture. Et comme il a fait toutes ses études dans un programme d'immersion en français…

Jean lui expliqua qu'elle travaillait avec Dwain, mais qu'il était beaucoup plus qu'un collègue. Ils étaient devenus de grands amis et, même lorsque Dwain avait rencontré celle qui allait devenir sa femme, leur relation n'avait pas changé. Ils avaient même fait l'amour une fois, mais ils avaient réalisé que ce n'était pas le désir qui les unissait. Ils avaient juste le goût d'être ensemble, comme des copains.

— Tu sais qu'il lui a fallu deux mois pour me lire le livre de ta mère, qu'il traduisait au fur et à mesure. Je ne suis pas certaine d'ailleurs de toutes ses traductions. Je sais qu'il n'a jamais aimé ses cours de français et que ça a été une épreuve pour lui de me lire le livre. Il a fallu des mois avant qu'il accepte de m'en lire un autre.

— Je crois que je vais aller là-bas, dit Antoine, sans se rendre compte de l'ambiguïté de sa phrase.

— Où donc ? demanda Jean.

— La voir… voir ma mère.

— Je crois que ce serait une excellente chose, ajouta-t-elle.

Au moment de rompre la communication, il chuchota les mots qui lui brûlaient les lèvres.

— Je t'aime.

— Je t'aime aussi, Antoine.

Malgré la fatigue du voyage, il eut de la difficulté à trouver le sommeil. Il fouilla dans les vieilles boîtes qu'il traînait avec lui depuis plusieurs années, étonné de la quantité d'objets souvent inutiles qu'on accumule au cours des ans. Il retrouva finalement la boîte qu'il cherchait et sortit les cahiers dans lesquels Nicole avait écrit la lettre. Il regarda les pages, scruta la calligraphie, chercha à interpréter telle tache d'encre sur laquelle elle avait mis son doigt, y laissant son empreinte. Il effleura l'écriture de ses doigts pour sentir la fine texture de l'encre sur le papier, en songeant que c'est probablement ce que Jean aurait fait.

Lorsqu'il rentra au bureau le lendemain pour le compte rendu de la mission, Antoine eut droit à tout un accueil. Les membres du groupe n'avaient pas manqué de souligner les performances d'Antoine lors de ses présentations, mais c'était inutile, car la rumeur les avait précédés. La délégation du Québec à Paris avait fait parvenir les diverses coupures de presse dans lesquelles on parlait beaucoup d'Antoine. Le délégué général était venu lui-même le féliciter. Les chaînes de télévision françaises avaient présenté quelques reportages dans leurs bulletins de nouvelles, et l'information avait été relayée jusqu'ici. Cette publicité était bonne pour la SOPFEU et pour l'image du Québec. Bien que flatté par toute cette attention, Antoine souhaitait retourner à l'anonymat de son travail, qui le rendait heureux.

En cette fin de septembre, la saison des feux de forêt était pratiquement terminée. Parfois, un chasseur imprudent perdait le contrôle de son feu de camp, mais la terre et les arbres avaient commencé à se gorger des premières pluies de l'automne, si bien que les rares feux étaient lents, et leurs étendues limitées. La plupart du temps, les équipes terrestres arrivaient à maîtriser les flammes sans l'aide des avions. Antoine eut droit au congé du « héros de guerre », comme l'avait appelé son patron. Cette petite pause n'était pas pour lui déplaire. Il souhaitait mettre de l'ordre dans sa vie. Mais ce dernier l'avisa que la direction avait décidé, suite à ses succès en Europe, qu'il serait avantageux qu'il participe plus souvent aux activités promotionnelles de la Société.

Antoine commença par protester. En France, quand il

avait pris la parole, il s'était d'abord dit que cela était sans conséquences pour lui car il était loin, mais ici, il était chez lui. Il avait cependant aimé son expérience. Peut-être s'agissait-il d'une autre étape dans sa vie.

— Soit. Je veux bien m'occuper de relations publiques, mais je ne veux pas que cela m'empêche de piloter.

— Pas du tout. D'ailleurs, nous organisons une démonstration pour un groupe de visiteurs japonais le 15 octobre prochain. Nous aimerions que tu pilotes l'appareil et que tu viennes ensuite rencontrer le groupe.

Ces démonstrations n'avaient rien à voir avec la réalité des combats en forêt, mais ça impressionnait toujours la galerie. On plaçait un tas de foin à un endroit et on y mettait le feu. L'avion allait puiser l'eau et revenait larguer sa cargaison devant les spectateurs ébahis. Même le plus novice des pilotes aurait pu faire le travail. Sur le terrain, les choses étaient bien différentes. Il fallait souvent se faufiler entre les montagnes, tourner au dernier moment lorsque les réservoirs d'eau s'ouvraient, et éviter les arbres les plus hauts. Le pilote devait parfois aller puiser l'eau sur des surfaces si petites, qu'il rasait la cime des arbres sur la rive quand il décollait après avoir fait le plein. Éteindre les flammes d'un tas de foin en terrain découvert et plat, c'était d'un ennui mortel. Mais cela faisait partie du boulot.

Quand il s'éveilla le lendemain, il était frais et dispos comme il ne l'avait pas été depuis longtemps. Ses affreux cauchemars avaient, semble-t-il, disparu. Il décida de se rendre à Sainte-Famille-d'Aumond. Il déjeuna rapidement et enfila son café, anxieux à l'idée de retourner chez sa mère. Il savait qu'elle travaillait toujours au bureau de poste. Elle aurait pu prendre sa retraite depuis plusieurs années, mais elle avait refusé. En fait, elle ne travaillait plus que quelques heures par jour, Lucie, une de ses bonnes amies, ayant pris la relève.

Son séjour à Tilting avait permis à Antoine de prendre contact avec les racines qu'il n'avait jamais connues. Le temps était venu de retrouver celles qu'il avait connues.

Il arriva tôt au village et décida de faire d'abord un crochet par la petite route qui longe la rivière Joseph. Il savait que cela risquait de lui causer une grande tristesse, mais il désirait revoir la ferme d'Achille une dernière fois. Il avait peut-être voulu gagner du temps avant de retrouver sa mère. Antoine avait maintenant honte de sa colère contre elle, qu'il considérait aujourd'hui comme inutile et injustifiée. Il avait refusé à l'époque de comprendre sa mère. Toutes ces années perdues... encore une fois. Il s'en voulait d'avoir été si insensible. Il avait voulu la punir, mais s'était puni lui-même. Peut-être était-ce aussi dans le but de s'infliger un châtiment qu'il avait emprunté cette route, pour revoir ce qu'il avait perdu. Quand il arriva devant le petit chemin qui menait à ce qui avait été la maison d'Achille, il eut un pincement au cœur. L'accès était bloqué par une barrière sur laquelle était écrit en lettres orange « Propriété privée ». Le nouveau propriétaire avait sûrement fait des aménagements. Peut-être que la petite maison avait été rasée et remplacée par un de ces bungalows hideux qu'on fabrique en série ?

Il arrêta sa voiture juste avant l'entrée et hésita avant de descendre. Il appréhendait ce qu'il allait voir. Ses racines, c'était également cette maison. L'acheteur de Montréal n'avait certainement pas gardé la bicoque dans son état original. Un coup de bulldozer lui avait probablement permis d'aménager le terrain et d'y construire un « chalet ». Le genre de chalet qui dépasse en confort et en luxe n'importe quelle maison du village. Il marcha vers la barrière et constata que le long chemin d'accès avait été entretenu et gardé tel qu'il était lorsque Achille y habitait. Il étira le cou pour apercevoir le coin de la maison. Il fut surpris et heureux de voir les pièces de bois équarri: la maison était intacte. Visiblement, le propriétaire avait chaulé les murs, car la blancheur était éclatante. Rien ne semblait avoir changé. Il aurait voulu enjamber l'obstacle devant lui, mais il craignait de faire face au propriétaire. Il n'avait pas le droit d'être ici et il le savait. Il chercha à voir s'il y avait un véhicule, mais les branches des arbres qui formaient aujourd'hui une voûte tout le long du chemin l'en empêchaient.

Antoine était tellement absorbé par sa découverte des lieux qu'il n'entendit pas le bruit des pas derrière lui. Quand il se retourna, il se trouva face à face avec sa mère, appuyée sur la barrière, qui le regardait intensément. Dans son regard se mêlaient la crainte de briser ce moment magique et l'envie de le prendre dans ses bras... comme autrefois. Elle avait vieilli, ses cheveux avaient grisonné, mais son regard avait la même détermination. Il lui sourit.

— Je l'ai lu tu sais, dit-il en s'appuyant sur la barrière pour reprendre l'observation des lieux.

— Je sais, dit-elle.

— Comment peux-tu le savoir? demanda-t-il.

— Parce qu'elle me l'a dit. Nous nous connaissons depuis... longtemps.

— Qui!... Comment?...

— Jean, voyons. Elle a communiqué un jour avec moi pour obtenir le livre. Nous avons eu à ce moment-là une longue conversation sur Achille, Adela... et sur toi. Mais je n'ai su qu'hier que toi et elle... tu sais. Elle est très gentille. Je l'aime beaucoup.

Antoine sourit. Les deux femmes de sa vie s'étaient connues avant qu'il les ait découvertes lui-même... ou re-découvertes.

— Je l'aime aussi.

Il prit sa mère par les épaules et ils restèrent là, appuyés sur la barrière métallique.

— Je regrette, dit-il.

— Je regrette aussi.

Les secondes passèrent en silence. Il aurait voulu lui dire tant de choses, mais les mots se bousculaient dans sa tête. Il se contenta de dire, en montrant la maison d'un mouvement de la tête :

— Je suis content de voir que le nouveau propriétaire n'a pas détruit la vieille maison.

— Jamais je ne l'aurais laissé faire, dit-elle.

Il la regarda amusé. Nicole Lyrette n'avait rien d'une femme frêle et elle avait certainement du culot, mais il la voyait mal se mettre en travers du chemin d'un bulldozer.

— Et comment aurais-tu fait cela ? demanda-t-il en riant. Tu aurais fait comme ce Chinois devant les chars d'assaut sur la place Tien An Men ?

— Pas le moins du monde. Je t'aurais tiré les oreilles si tu avais fait cela, dit-elle en exhibant une clé, parce que c'est toi, le propriétaire.

Qu'est-ce qu'elle racontait là ? Elle savait pourtant qu'il avait perdu la terre d'Achille. Il y avait huit ans de cela. Il ne l'avait pas appelée pour lui raconter qu'il avait été arnaqué par Paul, ni qu'il avait reçu une lettre de la banque l'avisant que la terre serait mise en vente à l'encan, mais il savait qu'à Sainte-Famille-d'Aumond il était impossible de ne pas savoir ces choses-là. L'avis d'encan public avait certainement été affiché quelque part au village. Probablement même sur le babillard du bureau de poste. Il s'était senti si coupable d'avoir ainsi perdu la terre qu'Achille lui avait léguée, qu'il n'avait jamais osé en parler avec elle.

— Cette maison n'a jamais cessé d'être la tienne. Tu verras que je me suis assurée qu'elle soit bien entretenue, mais rien n'a changé, dit-elle en poussant la barrière.

— Comment? La terre a été vendue à l'encan pourtant! Même qu'un de mes amis était ici lorsque l'homme de Montréal l'a achetée.

— Tu me demandes comment j'aurais pu l'acheter? Avec l'argent que m'a rapporté le livre. Ç'a bien marché, tu sais.

— Oui, j'en ai entendu parler, dit-il en se rappelant les articles de journaux et les commentaires des lecteurs qui savaient que le « fils », c'était lui.

— L'homme qui est venu l'acheter en mon nom, c'était mon éditeur. Il me devait bien cela. Alors je l'ai gardée jusqu'à ce que... jusqu'à ce que tu sois prêt à ouvrir la porte de ta maison.

Elle lui tendit la clé. Antoine regarda le petit objet suspendu à l'anneau au bout de son doigt. Elle avait tellement de signification pour lui. Cette clé, c'était celle qu'Achille, son grand-père, lui avait donnée. Il hésita un instant, puis l'agrippa à pleine main comme un rescapé s'accroche à une corde. Il revoyait les images qu'il avait vues quelques années plus tôt en entrant ici. Il craignait de voir les traces qu'y avait laissées son père. Il eut soudainement de l'empathie pour lui. Quel avait donc pu être l'élément déclencheur de ce qu'il était devenu? Ils marchèrent vers la maison, qui se dévoilait lentement derrière les branches des arbres, au fur et à mesure qu'ils s'en approchaient. Elle était toujours la même, mais un petit jardin la jouxtait maintenant. Antoine remarqua les choux et les carottes. Nicole avait cueilli les autres légumes.

— Tant qu'à venir pour entretenir la place, je me suis fais un jardin, dit-elle en voyant son émerveillement.

L'herbe était tondue, ce qui permettait de mieux voir la rivière qui coulait paresseusement devant la maison. Antoine se rappela la magnifique truite qu'il avait capturée avec Achille. Il avait gardé la photo que sa mère avait prise alors qu'il n'avait que quatre ans. Près du jardin, la remise centenaire avait toujours le même aspect fatigué. Un canot d'écorce était accroché au mur, abrité par le toit pentu. Antoine fronça les sourcils en regardant l'embarcation.

— Est-ce que c'est ?…

— Oui, s'empressa de répondre Nicole. Après avoir racheté la maison, j'ai communiqué avec cet homme, Monsieur Owen. Il a été très gentil et j'ai pu racheter le canot. C'est bien celui-là.

Antoine se dirigea vers l'embarcation, caressa l'écorce comme si ce geste lui avait permis de voir le long voyage qu'il avait jadis réalisé. Il se tourna ensuite vers la maison qu'il observa un moment avec une certaine appréhension avant de s'y diriger d'un pas décidé. Sa main tremblait au moment d'introduire la clé dans le cadenas ; il lui fallut quelques secondes, qui lui parurent une éternité, avant d'y arriver. La serrure tourna, l'arceau se libéra. Il ouvrit la porte, les souvenirs jaillirent. Il resta quelques instants au milieu de la cuisine, tournant sur lui-même, posant son regard sur les murs, le comptoir, les armoires, le plancher… Nicole était restée en retrait, dans l'encadrement de la porte, pour ne pas le déranger. Il s'arrêta face à elle, la figure illuminée.

— Tu crois qu'elle aimerait cet endroit ?

— J'en suis certaine.

Chapitre vingt-sept

Tout était parfait. La journée était magnifique. Une belle et rare journée ensoleillée d'automne. Il faisait dix-huit degrés. Un temps idéal pour la mi-octobre. C'est la période de l'année où tout peut arriver. Le temps peut passer en quelques jours de l'été indien au blizzard de l'hiver. Antoine avait déjà vu des tempêtes de neige à cette date. Mais la nature était clémente cette année. Même les feuilles rouges et or étaient toujours accrochées aux arbres. Une journée de pluie et de vent suffirait cependant à les dépouiller totalement. Pour le moment, le coup d'œil était magnifique et ce soleil radieux ajoutait de la brillance aux couleurs. Il mit ses lunettes de soleil.

Assis aux commandes de l'appareil, il fit les vérifications d'usage. Il avait encore beaucoup de temps devant lui et l'activité d'aujourd'hui n'avait rien de stressant. Il ne s'agissait que d'une démonstration dont le moindre détail était programmé. Les Japonais seraient là à treize heures, armés de leurs appareils photo et de leurs caméras. Le feu serait allumé dix minutes avant, de façon à ce qu'il y ait quelques flammes, au moins apparentes, et beaucoup de fumée pour leurs précieuses pellicules.

Les Japonais sont, de tous les visiteurs des installations de la SOPFEU, les seuls qui fassent un usage industriel de pellicule. Leurs appareils commencent à faire entendre leurs déclics dès leur arrivée à l'aéroport et ne s'arrêtent que lorsque l'avion les ramène vers le soleil levant.

La démonstration devait avoir lieu près de la rivière des Outaouais. Il leur faudrait donc environ quarante-cinq minutes pour se rendre de l'aéroport de Messines à Gatineau, puis quelques minutes pour écoper l'eau et aller la larguer sur le feu. On avait décidé de placer les bottes de foin sur une plate-forme flottante au milieu de la rivière. Il n'y avait donc aucun risque et le groupe ne serait pas forcé de sortir de la ville pour assister à la démonstration. Antoine devait revenir en fin d'après-midi pour dîner avec le groupe et leur adresser la parole.

Oui, vraiment, il s'agissait d'une journée radieuse.

Le matin, Antoine avait appelé Jean pour la gronder de ne pas lui avoir dit qu'elle connaissait sa mère.

— Je te signale que tu m'as d'abord fait croire que tu étais quelqu'un d'autre. Je t'avais aussi demandé de me procurer le livre. Ne recevant aucune réponse de ta part, j'ai simplement demandé au service des renseignements téléphoniques s'il y avait une Nicole Lyrette à Sainte-Famille-d'Aumond, et je l'ai appelée pour avoir son livre. Elle semblait très intéressée par Tilting et par mes recherches. Nous avons communiqué à plusieurs reprises. Ce n'est que plus tard que tu m'as dit qui tu étais. Et comme je savais que tu vivais une relation difficile avec ta mère, je me sentais prise au piège. J'avais peur que tu coupes les liens.

— Ça n'a plus d'importance, répondit Antoine.

Il n'arrivait plus à passer une journée sans lui parler et sans lui adresser quelques courriels. Elle lui manquait. Il pleura au téléphone lorsqu'il lui décrivit sa rencontre avec sa mère et le moment où elle lui avait remis la clé de la maison. Lorsqu'il avait pénétré dans la petite propriété, il avait brûlé d'envie qu'elle soit avec lui.

— Tu devrais voir cela, lui dit-il.

— Ç'a toujours été mon vœu le plus cher, de voir.

Antoine réalisa subitement la bêtise qu'il venait de dire, encore une fois.

— Excuse-moi, Jean. Ce n'est pas ce que je voulais dire, balbutia-t-il.

Elle se mit à rire. Tout le monde faisait ce genre d'erreur. « T'aurais dû voir ça » lui disait souvent Dwain lorsqu'il lui décrivait quelque chose.

— J'ai bien hâte de connaître cet endroit, l'assura-t-elle.

Antoine lui fit promettre de venir avant que les feuilles soient tombées. Il savait qu'elle ne pourrait pas voir les magnifiques coloris, mais qu'elle pourrait humer le parfum des feuilles sous un chaud soleil. Elle devait arriver la semaine suivante.

Il avait fallu quelques jours à Antoine pour apprivoiser sa nouvelle maison. Le premier soir, il n'avait pas voulu y passer la nuit. Sa mère avait gardé les lieux tels qu'ils étaient, mais elle avait aussi eu la bonne idée d'épousseter et d'aérer les pièces. Un soir, Antoine se glissa finalement dans les draps douillets du vieux lit de métal. Il avait trouvé une grande paix dans ces lieux. Par contre, il se rendit compte qu'il lui faudrait faire certains aménagements pour y habiter. Cher grand-papa, s'était-il dit, tu n'as jamais voulu de téléphone, mais moi je ne peux pas vivre sans cet appareil.

D'autres aménagements seraient nécessaires. Chaque fois qu'il envisageait une modification, il pensait à Jean. Il se sentait comme un enfant. Il rougissait de ses débordements qu'il essayait de dissimuler lorsque sa mère le taquinait, lui faisant remarquer son bonheur. Mais au fond, il aimait bien cette tendresse qu'elle exprimait par cette taquinerie. Antoine rêvait aux journées qu'il passerait bientôt avec Jean. Ils avaient planifié plusieurs rencontres. Elle souhaitait qu'il revienne à Terre-Neuve avant le printemps et cette perspective l'enchantait. « J'irai manger des testicules d'orignal avec les White », avait-il dit en blaguant.

La plupart des CL-415 étaient stationnés à l'aéroport de Québec. La saison des incendies de forêt était bel et bien terminée et les grands pélicans jaunes étaient rentrés au bercail pour leur « repos » hivernal. On avait donc préparé l'appareil d'Antoine spécialement pour cette opération de relations publiques. Après ce dernier exercice de l'année, il prendrait lui aussi le chemin de Québec.

Le Service aérien gouvernemental avait eu de la difficulté à trouver un copilote pour cette démonstration. La plupart d'entre eux étaient déjà en vacances, les uns dans le Sud, les autres à la chasse. Finalement, le copilote qu'on assigna à Antoine était un pilote d'expérience : avion de brousse, transport de passagers, ambulance aérienne, il avait même suivi une formation pour piloter les avions-citernes. Bref, Antoine n'en demandait pas tant de la part de son copilote, à qui il se présenta chaleureusement quand il le rencontra dans le *cockpit* le jour du vol.

— Bonjour. Antoine Lyrette, dit-il en lui tendant la main.

— Denis Tanguay, répondit-il froidement, visiblement mal à l'aise. Il serra mollement la main qu'Antoine lui tendait.

Antoine essaya d'engager la conversation pendant les vérifications d'usage, mais son copilote restait renfrogné.

Denis Tanguay était furieux qu'on lui ait retiré le transport des passagers. Non seulement était-il sous enquête, mais il y avait ce journaliste qui lui collait aux fesses. Il avait dû implorer son supérieur, Hugues Tremblay, pour qu'il le laisser voler. Ce dernier avait longuement hésité. Tanguay avait, jusqu'à l'affaire de Québec du moins, un dossier sans tache. Mais lorsqu'on demanda au Service aérien un copilote pour cette démonstration, il pensa à lui. Après tout, dans ce cas-ci, il ne s'agissait pas de transport de passagers.

Antoine fit tourner le premier moteur. Le son assourdissant emplit l'habitacle. Le deuxième moteur tourna à son tour. Quelques minutes plus tard, l'appareil roulait en direction de la piste.

Antoine admirait le paysage tandis que le grand pélican jaune s'élevait dans le ciel. Ils mirent le cap sur Gatineau, vérifièrent les coordonnées du point de rencontre et communiquèrent avec la tour de contrôle pour savoir si tout était *go*. Comme toujours dans ces occasions, le groupe d'invités arriva en retard. L'avion avait eu le temps de survoler la ville lorsqu'on avisa Antoine que les spectateurs étaient en place. Deux hommes dans une embarcation d'aluminium venaient de mettre le feu aux bottes de foin attachées sur le radeau au milieu de la rivière, et regagnaient rapidement la rive.

D'après le scénario, l'animateur crie « Au feu » dans un porte-voix, le foin s'embrase, l'avion fait son apparition en survolant le cours d'eau à faible altitude, fait le plein d'eau, la déverse sur le brasier, tout le monde applaudit, fin de l'opération. C'est presque du cinéma… quand tout se déroule comme prévu.

L'avion-citerne vint « saluer » la foule, virant sur l'aile pour lui permettre d'admirer la maniabilité de l'appareil. Il descendit au ras de l'eau, remplit ses réservoirs en moins de dix secondes avant de s'arracher de la surface et de reprendre le ciel. Les appareils photo des Japonais clique-taient à chaque passage de l'avion.

Antoine sentit soudainement que son compagnon s'agi-tait.

— Ça va ? lui demanda-t-il.

— Oui, oui, répondit Tanguay nerveusement.

Pour Denis, c'était maintenant ou jamais. D'ici peu de temps, les autorités lui retireraient probablement son permis. Ce journaliste pouvait citer son nom à tout mo-ment dans son journal et il serait mis à pied.

L'avion avait survolé Gatineau, mais Tanguay n'avait pas quitté des yeux l'édifice du Parlement du côté d'Ottawa. C'était ça. C'est sur cet édifice que ça devait arriver et ça de-vait arriver maintenant. Il réfléchit rapidement et détacha discrètement l'extincteur qui se trouvait à ses pieds.

Antoine, de son côté, ne quittait pas la cible des yeux. Elle n'était pas difficile à atteindre, mais il suffisait d'une seconde trop tôt ou trop tard pour la rater, ce qui ne man-querait pas d'indisposer les gens de la SOPFEU. Quand il cria *go*, Tanguay largua l'eau. L'appareil, libéré d'un poids énorme, remonta aussitôt.

Le pouce en l'air, Antoine se tourna vers son copilote pour lui indiquer que le colis avait été livré au bon endroit, mais c'est l'extincteur rouge qu'il vit arriver sur lui. Le coup l'atteignit en haut de l'œil droit. L'arcade sourcilière s'ou-vrit et le sang coula abondamment dans ses yeux ; un voile noir l'enveloppa. Sa dernière vision avant de perdre cons-cience fut l'image de Tanguay au-dessus de lui, l'extincteur à la main.

Tanguay reprit rapidement son poste, fit tourner l'avion et redressa le nez lorsqu'il aperçut la Tour de la Paix de-vant lui. « Ils vont l'avoir, la paix », se dit-il.

L'avion amorça un piqué mortel. Rien ne pourrait l'arrêter. Sur la colline du Parlement, de nombreux visiteurs étaient comme toujours attroupés devant l'édifice. Ils aperçurent à l'horizon le nez jaune et rouge du gigantesque appareil qui grossissait à vue d'œil. Ils crurent d'abord qu'il s'agissait d'un spectacle aérien, mais lorsque le flotteur heurta l'antenne d'un édifice, ils comprirent que quelque chose n'allait pas. Le flotteur se détacha de l'aile et alla s'écraser dans la rue Rideau. Les spectateurs, médusés, couraient en tout sens en hurlant.

Tanguay voyait l'édifice approcher, grandir devant lui. Il y était. C'était l'instant du transfert vers Sirius. Le bruit du flotteur heurtant l'antenne avait ramené Antoine à la conscience. Il vit alors les édifices qui défilaient de chaque côté de lui, puis, devant l'avion, la Tour de la Paix. Ils allaient s'y écraser.

Antoine agrippa les commandes et tira avec la force du désespoir. Il savait qu'il n'aurait pas le temps de remonter. L'appareil n'était plus qu'à quelques mètres du sol. Il tourna sur la gauche. L'avion remonta mais le bout de l'aile heurta le coin d'un immeuble. Près de lui, Tanguay avait à nouveau empoigné son extincteur et tentait de lui en asséner un coup. Antoine leva le bras pour le parer, tout en gardant l'autre main sur le manche pour guider l'appareil, qui répondait mal. Le bout de l'aile ayant été endommagé, ils piquaient dangereusement après avoir remonté en épingle. Antoine tira sur le manche, malgré Tanguay qui travaillait contre lui. L'avion pivota lentement, cherchant à reprendre son équilibre, mais il était trop tard. Antoine dirigea tant bien que mal l'avion vers la rivière toute proche en essayant d'éviter les habitations. Un écrasement en pleine ville provoquerait une hécatombe. Le ventre de l'appareil toucha l'eau, mais l'une des ailes accrocha les arbres de la rive. La tôle se déchira comme un morceau de papier pendant que le carburant libéré s'enflammait. Le CL-415 poursuivit sa course folle. Lorsque le nez de l'appareil finit par labourer la rive et par s'immobiliser, il n'en restait plus grand-chose. Le feu dévorait l'appareil du côté de l'aile qui avait été arrachée. La vitre à la gauche d'Antoine était brisée et la flamme pénétrait à l'intérieur. « Le feu ! Il faut que je sorte d'ici au plus vite », pensa-t-il.

Antoine s'efforçait de garder son calme, mais il savait ce que le feu pouvait faire ; il connaissait la souffrance qui suivait son baiser brûlant. Il sentait la chaleur monter dangereusement dans la cabine. Enfin, il parvint à ouvrir la porte de l'avion et à sauter dans l'eau, peu profonde à cette distance de la rive. Le nez de l'appareil s'était enfoncé dans l'eau et la terre boueuse, ce qui n'empêchait pas le feu de progresser rapidement sur la peinture de la carlingue. Antoine courut aussi vite qu'il le put, les mains sur la tête pour se protéger de l'explosion imminente. « Aaaaah !! » Alors qu'il atteignait la rive, il entendit des cris atroces. Il s'arrêta net. « Tanguay ! » Il était encore vivant ! Antoine l'entendait râler. Il l'imaginait se tortiller dans le feu. Il se rappelait trop bien la terrible sensation de sa propre chair brûlant dans les flammes. Il hésita. Ses yeux ne pouvaient se détacher du feu qui avançait sur la peinture jaune. Il atteindrait bientôt le réservoir de l'aile encore intacte. Frénétiquement, il se mit à courir en direction de l'appareil. Il hurlait tout en avançant rapidement comme s'il voulait effrayer le feu monstrueux et le faire reculer. Quand il rentra dans le *cockpit*, la chaleur était insoutenable.

Les spectateurs, terrorisés, avaient envahi la rive. Les Japonais n'avaient pas raté un seul instant de l'écrasement, fixant chaque fraction de seconde sur pellicule. Ils avaient pu capter le pilote s'échappant de l'appareil, puis y revenant en hurlant comme un damné. Quelques secondes plus tard, une explosion assourdissante ébranla les édifices et illumina le ciel de la capitale.

Chapitre vingt-huit

La petite rivière qui bordait la maison d'Achille coulait encore, comme elle le faisait depuis la nuit des temps. Combien de générations d'hommes et de femmes avaient vécu près de cette rivière? Des bandes autochtones s'étaient sûrement établies ici. Puis le couple Hébert avait construit la maison et occupé les lieux pendant longtemps. Achille et Adela avaient également trempé leurs pieds dans ce cours d'eau. Tant de vies passées sur cette terre et toujours la nature finissait par reprendre ses droits. Nicole Lyrette laissait son regard se poser un peu partout, ses pensées et ses souvenirs vagabonder.

Elle avait été la première étonnée, estomaquée même par le succès de son livre, un livre qui n'était pas autre chose qu'une longue déclaration d'amour à son fils. Comme celle qu'on colle avec un aimant sur la porte du réfrigérateur. Sauf que ce qui devait faire quelques mots avait fini par couvrir plus de quatre cents pages imprimées. Et les nombreux lecteurs avaient aimé. Elle ne savait pas pourquoi. Peut-être parce qu'ils avaient lu dans cette lettre ce qu'eux-mêmes auraient voulu dire à leur fils, à leur fille ou à un ami cher. Peut-être était-ce la simplicité des mots utilisés? Il ne s'agissait pas de «Grande Littérature», comme l'avaient dit les critiques, mais elle avait touché le cœur de bien des gens.

Elle avait été surprise aussi, quelques mois après le lancement de *Lettre à mon fils*, de recevoir un chèque de cinquante mille dollars. Elle avait même appelé son éditeur, Martial Michaud, pour vérifier s'il ne s'agissait pas d'une erreur. Quand Antoine avait été hospitalisé pour ses brûlures, elle avait passé plusieurs jours et plusieurs nuits dans la chambre de l'hôpital, assise discrètement sur une chaise au pied du lit. Elle avait veillé sur lui, s'assurant qu'il puisse recevoir ses médicaments lorsque la douleur devenait trop forte. Ils ne s'étaient pas parlé, mais elle était là. Quand le huissier était venu au bureau de poste afficher l'avis de vente à l'encan de la propriété, son cœur s'était brisé. Par la suite, elle avait eu connaissance de la fourberie de Paul. Elle avait aussitôt contacté Michaud pour obtenir son avis.

— Vous pourriez vous adresser aux tribunaux pour invalider la signature d'Antoine en invoquant sa condition qui ne lui permettait pas de signer, mais cela risque de prendre beaucoup de temps. Il est certain que la banque mettra le paquet en cour pour défendre ses intérêts. Elle plaidera la collusion entre le fils et le père pour se soustraire à ses obligations. Il vous faudra aussi investir beaucoup d'argent. Entre-temps, la banque obtiendra peut-être le droit de disposer de la maison. Vous devrez donc obtenir une injonction pour éviter cela. Comprenez-vous dans quelle galère juridique vous vous engagez?

— Et du côté de Paul? Ne pourrait-on obtenir de lui un aveu, ce qui permettrait à Antoine de récupérer son bien?

— Hum! J'ai lu votre livre, et je doute que sa conscience puisse soudainement prendre le dessus. Il se rendrait alors responsable et risquerait d'aller faire un nouveau séjour derrière les barreaux.

— Alors je veux racheter la propriété, annonça Nicole avec fermeté.

— Vous n'y pensez pas?

— Écoutez Martial, j'ai entre les mains un chèque de cinquante mille dollars. Croyez-vous que je pourrais obtenir un emprunt ?

— Vous n'avez pas besoin d'un emprunt. Avec les ventes de votre livre qui n'ont cessé de monter, vous avez suffisamment d'argent pour racheter ce lopin de terre.

— Alors allez-y ! avait-elle dit.

— Moi ? Mais ce n'est pas mon rôle.

— Vous m'avez tordu le bras pour publier ce livre. Mon fils est aujourd'hui furieux contre moi. Je pense que c'est la moindre des choses que vous me rendiez ce service. Et puis je ne veux pas qu'on sache que c'est moi qui achète… pour le moment. Soyez très discret.

Michaud s'était tortillé sur sa chaise, mais il n'allait certainement pas la contredire. Il savait quelles conséquences ce livre avait eues sur sa vie. Et le fait que son fils ait été brûlé par une pyromane avait encore moussé la promotion de *Lettre à mon fils*. On s'arrachait le livre. Lors de sa réédition, Michaud avait voulu faire mention de l'accident d'Antoine sur la jaquette, mais Nicole s'y était opposée. Il lui devait effectivement ce service.

— D'accord, je serai là. Vous êtes prête à débourser combien d'argent ?

— Ne revenez pas sans le titre de propriété, avait-elle simplement répondu.

Michaud s'exécuta. Au jour dit, il se rendit sur place. Pas question pour lui de perdre son temps. Mieux valait leur montrer immédiatement qu'on voulait la maison et que toute surenchère était inutile. Et tout devait se faire discrètement, selon le vœu de son auteure. Alors mieux valait être efficace. Il avait réglé le tout en quelques minutes.

Nicole ne voulait pas que son fils apprenne qu'elle

achetait la maison. Elle craignait une nouvelle réaction de sa part. Il ne l'avait même pas appelée pour lui demander son aide quand la propriété avait été mise en vente. « Un jour, se disait-elle, il reviendra ici ». Elle était venue chaque dimanche ouvrir portes et fenêtres, tondre le gazon et entretenir la propriété. C'était devenu un rituel et elle adorait ces moments de silence et de paix. Bien sûr, on entendait de temps à autre le bruit d'une voiture passer, celui de la scie mécanique ou du marteau d'un voisin, mais l'endroit semblait hors du temps.

Elle se souvenait d'être venue se réfugier ici pour cacher sa grossesse, sans savoir qu'elle portait en son sein le petit-fils d'Adela. Plus tard, l'enfant vint souvent se mouiller les pieds dans l'eau de la rivière. Nicole regardait aujourd'hui ce cours d'eau avec d'autres yeux. L'endroit avait longtemps été un lieu de bonheur, mais aussi de grandes souffrances.

Deux années s'étaient écoulées depuis l'écrasement de l'avion d'Antoine, mais Nicole s'en souvenait comme si ces événements s'étaient déroulés la veille. Son cœur se serrait encore à cette seule évocation. Elle avait reçu un appel lui disant de regarder la télévision, qu'il y avait eu un accident effrayant à Ottawa. À la télévision on montrait des séquences de l'appareil au moment de la démonstration, puis suivait un gros plan de l'avion sur la rive, disloqué et en flammes. Une grande explosion survenait, qui secouait l'image en tous sens. Après quelques très longues secondes, le caméraman recadrait le lieu du crash. Une grande boule de feu s'élevait au-dessus de ce qui restait de l'avion. On entendait la voix du caméraman : « Oh ! Mon dieu, ils sont morts, ils sont morts. »

D'après le commentateur, il s'agissait peut-être d'un attentat. Selon un journaliste du quotidien *Le Droit*, l'un des deux pilotes, un certain Denis Tanguay, serait membre de l'Ordre du Temple Solaire. Selon sa croyance, il devait se donner la mort et entraîner avec lui les victimes innocentes qui se trouvaient dans le Parlement. C'était le prix à payer pour effectuer le passage vers Sirius.

« Cette affaire n'est pas sans rappeler les tristes événements du 11 septembre dernier, avait ajouté le commentateur. Bien que nous n'ayons aucune confirmation, l'écrasement de l'avion aurait fait deux victimes, le copilote Denis Tanguay et le pilote dont on ignore le nom pour l'instant. »

Nicole avait regardé le reportage au bord du désespoir. Ses lèvres tremblaient et de grosses larmes inondaient son visage. « Non ! Ne me le reprenez pas maintenant », avait-elle crié, implorant le ciel pour la première fois depuis son adolescence.

Elle ne savait que faire, chaque seconde étant devenue un enfer. Elle avait immédiatement appelé Jean pour la prévenir, qui lui dit sans hésiter qu'elle arrivait.

Nicole avait versé toutes les larmes de son corps en attendant d'en savoir plus sur l'état d'Antoine. Quand le téléphone sonna enfin, elle eut peur de répondre.

— Madame Lyrette ?

— Ou… oui, avait-elle répondu d'une voix tremblante.

— Je suis Hugues Tremblay, responsable du Service aérien gouvernemental. Votre fils est en direction du Centre des grands brûlés à Montréal. Je n'en sais pas plus.

Le Centre des grands brûlés ? Pas encore ! Allait-il s'en sortir ? Tremblay n'en savait rien. Le cœur de Nicole Lyrette battait si fort qu'elle crut qu'il allait sortir de sa poitrine. Elle ressentait une douleur effrayante sous son sein, sans savoir si c'était le muscle de son cœur qui n'en pouvait plus de pomper si fort et si vite, ou si c'était l'intolérable sentiment qu'elle ne reverrait plus jamais son fils vivant.

Elle était allée chercher Jean à l'aéroport de Dorval. C'était la première fois qu'elle voyait la jeune femme. En d'autres circonstances, elle aurait été excitée et heureuse de cette rencontre, mais son esprit était ailleurs aujourd'hui.

Au téléphone, Nicole lui avait dit qu'elle porterait un chapeau rouge et un tricot blanc à col roulé. Jean avait gardé un long silence, à tel point que Nicole crut que la communication avait été coupée. Jean ne lui avait jamais dit qu'elle était aveugle.

— Jean?

— Vous me reconnaîtrez sans difficulté. J'aurai une canne blanche, je suis aveugle.

Nicole avait été si surprise qu'il lui avait fallu quelques secondes pour comprendre. À l'aéroport, elle s'attendait à voir Jean au bras d'une hôtesse la guidant vers la sortie, mais la jeune femme apparut seule, bien droite, sûre d'elle-même, sa longue canne blanche balayant l'espace devant elle comme un radar. L'agent de bord lui avait proposé de l'escorter, mais Jean avait refusé. Il suffisait de suivre à l'oreille les autres passagers. Nicole avait été charmée par sa beauté. Elle avait encore pleuré en songeant qu'elles allaient toutes les deux perdre l'homme de leur vie.

Aujourd'hui, Nicole songeait à ces événements en marchant sur la rive de la rivière Joseph. Jean, appuyée à son bras, était pieds nus dans l'herbe, malgré les craintes de Nicole qu'elle se blesse. « C'est ma façon de voir, avait-elle dit, laisser l'herbe et le sable filtrer entre mes orteils. »

Elle voulait connaître cet endroit dans ses moindres recoins, toucher chaque centimètre carré du terrain et de la maison. À Tilting, elle avait longtemps tenté de s'imaginer l'univers où Achille et Adela avaient vécu. Ses références étant les odeurs et les textures de son île, elle s'était fait une fausse idée. Tout était si différent ici. L'herbe, qui n'était jamais balayée par le vent ni agressée par le sel de mer, était beaucoup plus tendre. Le sable fin sur le bord de la rivière était une caresse sous les pieds, alors qu'à Terre-Neuve la rive était généralement jonchée de roches, que l'assaut incessant de la mer arrondissait; on avait parfois l'impression de marcher sur des billes.

Nicole posa sa main sur celle de Jean, qui tenait son bras. Un courant de tendresse passa entre les deux femmes. Tant de choses unissaient leur destin. Nicole songea au livre d'Antoine de Saint-Exupéry *Le Petit Prince*, et reconnut que l'auteur avait raison lorsqu'il disait qu'on ne voit bien qu'avec les yeux du cœur. Malgré la distance, les différences culturelles, malgré sa cécité, Jean avait su lire dans leur cœur.

Quand elles étaient arrivées à l'hôpital Hôtel-Dieu de Montréal, elles avaient dû se plier aux précautions régissant l'accès aux chambres des brûlés: désinfection, gants, masques, jaquettes stériles et chausse-pieds. Leur cœur s'était arrêté en pénétrant dans la chambre d'Antoine. Il tourna son visage vers elles et leur adressa un grand sourire malgré son œil enflé et sa paupière recousue. Toute l'angoisse des dernières heures disparut d'un coup. Nicole avait cru s'évanouir pendant que Jean essayait de comprendre ce que sa compagne voyait.

Antoine était retourné dans l'appareil. Tanguay était coincé dans l'avion, complètement sonné par le choc de l'écrasement. Il tenait toujours à la main l'extincteur rouge avec lequel il l'avait frappé. Antoine s'en était emparé pour asperger les flammes qui envahissaient le cabine de pilotage.

Il avait réussi à dégager Tanguay de son siège, et ils eurent tout juste le temps de sortir. Antoine plongea avec Tanguay dans l'eau glacée de la rivière. Le souffle de feu était passé à la surface pendant que, sous l'eau, ils retenaient leur respiration. Ils avaient finalement réussi à rejoindre en sécurité la rive. Tanguay était sérieusement brûlé et il était traité dans le même hôpital. Il serait plus tard soumis à un examen psychiatrique avant qu'on puisse décider de son sort.

Fort heureusement, Antoine s'en était tiré avec des blessures légères. L'accident avait fait grand bruit. On parlait de ce pilote qui avait non seulement sauvé de nombreuses personnes de la mort, mais qui avait aussi risqué sa propre vie pour sauver celle de son agresseur.

Mais cela, aujourd'hui, c'était du passé.

Antoine se dirigea vers Jean et Nicole, près de la rivière, alors qu'elles profitaient du soleil printanier. Il avait trouvé la paix, et retrouvé l'être qu'il avait été. Son cœur débordait d'amour pour Jean. Elle perçut son pas et tendit la main dans l'espace pour le toucher. Leurs doigts s'enlacèrent et elle l'attira vers elle.

Le soleil descendait à l'horizon, réchauffant leur corps de ses derniers rayons. Un froissement dans le feuillage bordant la rive attira l'attention de Jean. Derrière le feuillage de la rive, un bambin se frayait difficilement un chemin, écartant de ses petites mains potelées les herbes plus hautes que lui. Ses yeux bleus brillaient de tout l'éclat de son enfance insouciante et heureuse. « Viens Achille, il est temps de rentrer », dit Jean à son fils.

FIN